Abraham à Sancta Clara

Abrahamisches Paroemiakon

Die sprichwoerter, sprichwoertlichen redensarten und schoenen

sinnreichen gleichnisse des Abraham a St. Clara

Abraham à Sancta Clara

Abrahamisches Paroemiakon

Die sprichwoerter, sprichwoertlichen redensarten und schoenen sinnreichen gleichnisse des Abraham a St. Clara

Inktank publishing, 2018

www.inktank-publishing.com

ISBN/EAN: 9783747785324

Abrahamisches
Parömiakon.

Oder:

Die Sprichwörter,

sprichwörtlichen Redensarten und schönen sinnreichen Gleichnisse

des

P. Abraham a St. Clara,

nebst den dazu gehörigen, erklärenden und anwendenden
Stellen.

Aus dessen sämmtlichen Schriften gezogen und seinen, so
wie ganz besonders allen Sprichwörterfreunden
freundlichst gewidmet

von

K. F. W. Wander.

Breslau. 1838.
Verlag von Ignaz Kohn.
(Ladenpreis 1 Rthlr. 6 Sgr.)

„Und was bedarf es vieler Worte? hat doch unser lieber Herr und allgemeiner Lehrmeister Jesus Christus sonderbare Lust und Liebe gehabt zu den Parömiis, Sprüchen und Sprichwörtern, welche er in seinen Predigten vielfältig und mit grossem Nutz seiner Zuhörer eingeführet hat, wie bei den Evangelisten hin und her zu sehen ist. Darum auch deßwegen diese zusammengetragene Arbeit desto weniger von bösen Leuten, denen Nichts gefällt, denn allein was sie machen, getadelt werden kann."

(Vorrede zu: Petri, der Teütschen Weisheit.)

6

Vorwort.

Je näher ich der Ausführung meines schon vor einer Reihe von Jahren gefaßten Entschlusses, ein möglich vollständiges „Sprichwörter-Lexikon" zu bearbeiten, durch Beendigung einer Menge dazu nöthiger Vorarbeiten kam; destomehr fühlte ich auch die Nothwendigkeit, alle mir zugänglichen sprichwörterreichen Schriften zu lesen. Dazu gehörten denn auch unstreitig die des Pater Abraham a St. Clara, vor deren Lesung mir aber — ich gesteh' es gern — der Muth sank; schon da, als ich in Muße und mit lobwürdiger Geduld die sämmtlichen fußlangen Modetitel seiner Zeit und seiner Originalität durchgelesen hatte. Da aber „Seufzer keine Steine sprengen," so wenig, wie Klagen einen Magen — es sei ein Menschen- oder Büchermagen — füllen; so blieb mir nichts übrig als, da ich nun einmal durch das Lesen der sämmtlichen Titel A gesagt hatte, nun auch durch Lesung eines Werkes B zu sagen, und mich so nach und nach durchs Abece hindurch zu arbeiten.

Gar bald fand ich, daß es zwar für mich eine höchst ermüdende und oft gar trockne Arbeit sein werde, mich so häufig durch beinah endlose Wüsten starren Kirchenglaubens, die Vernunft in Verzweiflung setzender Wundergeschichten und Klosterlegenden bis zu einer fruchtbaren Oase hinzulesen; wie es aber dessenungeachtet, oder vielmehr grade deßhalb, höchst interessant sein müßte, wenn sämmtliche Sprich= wörter, Gleichnißreden, überhaupt Alles, was sprichwörtliches Gepräge habe, gesammelt und mit bezüglichen Stellen des Verfassers beglei= tet würde.

Jemehr ich die Sache in Erwägung zog, desto würdiger der Ausführung erschien sie mir. Da ich nun gleichzeitig mit Heuseler's Schrift: „Lu= ther's Sprichwörter, aus seinen Schriften gesam= melt", bekannt wurde; so entschied ich mich für die Arbeit, die ich hiermit eben so wohl den vielen Verehrern Abraham's a St. Clara, als allen Sprichwörterfreunden anspruchslos überreiche, wobei ich auf die Anerkennung keines andern Ver= dienstes als das des Muthes zu ihrem Beginn, der Geduld zu ihrer Fortsetzung und der Aus= dauer zu ihrer Vollendung Anspruch mache.

Und der Nutzen der Arbeit? Ich rede nicht gern vom Nutzen. Wem man den Nutzen von ei= ner Sache erst vorzerlegen muß, für den ist sie in der Regel nicht; und für den sie ist, der findet ihn von selbst. Indeß wird man, was Heuseler von Luther rühmt und bei Abraham a St. Clara vielleicht in einem noch höhern Grade gilt, „bewundern die Gabe des Witzes und des Scharfsinnes, womit er so passend und richtig unterscheidend überall die Sprichwörter und andere Sentenzen anbrachte; bewundern die weit umfassende Belesenheit, welche daraus hervorleuchtet; bewundern das getreue und glükkliche Gedächtniss, welches ihm die der jedesmaligen Sache, welche er behandelte, angemessenen Sprüche so schnell vorführte; bewundern endlich den so richtigen Blikk, mit welchem er die vorliegende Materie und alle, ja auch die gemeinsten Verhältnisse fast in jedem Stande des menschlichen Lebens durchschaute."

Für alle Diejenigen, welche die abrahamischen Werke nicht kennen, wird das „Parömiakon" das besste Mittel sein, sie damit bekannt zu machen. Sie finden darin, da die Sprichwörter, sprichwörtlichen Redensarten ꝛc. nicht bloß nakkt abgedrukkt, sondern mit dazu gehörenden Stellen begleitet sind, den eigentlichen Geist des originellen Verfassers. Nicht Jeder kann seine Werke lesen; und wer es ohne besondere allgemeine Zwekke thäte, würde sich an seinem Leben versündigen. Die Körner sind unter ungeheuern Strohmassen verborgen. An sich verdient also Jemand, der die Mühe übernimmt, die zerstreuten Körner zusammen zu suchen, Anerkennung, so wie seine Arbeit, Andern Zeit und Mühe erspart und sie, wie hier geschieht, mit dem Geiste eines ausgezeichneten Mannes bekannt macht.

Gewiß wird also Jeder, er kann die abrahami=
schen Werke nicht lesen, oder er habe sie gelesen und
mehr als einmal gelesen, wenn das möglich ist,
das „Parömiakon" mit Vergnügen willkommen
heißen. Wie in einem Brennpunkte sammeln sich
darin die Strahlen seines originellen Witzes; und
so eigenthümlich, wie es von ihm geschehen, dürf=
ten die Sprichwörter wol selten angewandt
werden. Wenn auch der stromweise Erguß dersel=
ben, die Schilderung ganzer Begebenheiten in Sprich=
wörtern nicht im Geiste unserer Zeit ist; so
geht doch soviel daraus hervor, daß der Religions=
lehrer, in der Kirche sowohl als in der Schule, von
den Sprichwörtern einen sehr fruchtbaren Gebrauch
machen kann. Was freilich von Abraham rükk=
sichtslos — denn sein schlagender Witz, sein bei=
ßender Spott wird weder von dem Gegenstande
den er behandelt, noch von den Personen, die
er vor sich hat, noch von dem Orte, wo er spricht,
gemäßigt — geschah, das wird von uns, dem Stand=
punkte unserer Bildung angemessen, erfolgen
müssen.

Stäts traf er aber den Nagel auf den Kopf,
wobei ihm die Sprichwörter ganz besonders gute
Dienste leisteten. Er verstand es, sie zinsbar zu ma=
chen. Dabei unterstützte ihn nun jener kräftige,
grade Sinn, der es wagt, derbe Sachen mit der=
ben Ausdrükken zu bezeichnen, oder den groben Blokk
mit einem harten Keil zu spalten, und grobe Säkke
nicht mit Seide zu nähen. Und wer wollte nicht
seinen Sprachreichthum bewundern! Wie der
Geist Gottes einst über den Wassern, so scheint der

abrahamiſche über der Sprache zu ſchweben und ſie zu beherrſchen. Buchſtäblich paßt der klopſtok'ſche Ausſpruch auf ihn: „Ich denke, wie ich will, und die Sprache muſſ mir folgen." Er kommt nie in Verlegenheit um einen Ausdrukk. Er denkt, und der Kern des Gedankens bildet ſich die Schale des Wortes. So ſtreng er an den Lehren ſeiner Kirche feſthielt, ſo wenig kümmerten ihn die Regeln irgend einer Grammatik.

Was die Anordnung des Stoffes betrifft, den ich den abrahamiſchen Werken meiner Aufgabe zufolge entlehnte, ſo habe ich die nach den geleſenen Schriften gewählt, weil nur auf dieſem Wege das „Parömiakon" gleichſam ein Miniatur-Abraham werden konnte. An Wiederholungen wird es nicht fehlen. Viele Sprichwörter werden mehr als einmal aufgeführt ſein. In vielen Fällen iſt dies abſichtlich von mir geſchehen, weil daſſelbe Sprichwort in verſchiedenen Verbindungen und Anwendungsweiſen vorkam. Davon abgeſehen wär' es aber auch zu viel verlangt, wenn bei einer Arbeit, wie die Durchleſung der abrahamiſchen Werke, wobei oft in einem einzigen daſſelbe Gleichniſſ, dieſelbe Redensart bis zur Ungebühr wiederholt wird, bei einer Arbeit, wofür ich nur Mußeſtunden zu opfern hatte, und wodurch ſie daher ſehr in die Länge gezogen ward, das Gedächtniſſ gar nicht irren ſollte.

Wie ſehr ich indeſſ befliſſen geweſen bin, Wiederholungen zu vermeiden, wird man daraus erſehen, daſſ die Auszüge aus den zuletzt geleſenen und auf-

geführten Werken immer dünner werden. Einige
Schriften hab' ich darum gar nicht aufgeführt, weil
sie keine neue Ausbeute zulieferten.

Mehrere Werke, worunter wol der „Geiſtliche
Kramladen" obenan ſteht — denn es iſt im Allge=
meinen und im Vergleich mit andern nur ein geiſt=
licher Krämergedankenverkehr und nicht ein
Geſchäft in Ideen en gros — ſind eine höchſt trok=
kene, langweilige und unfruchtbare Lektüre; minde=
ſtens ziehe ich mir Jean Paul vor. Die meiſte
Ausbeute hat offenbar „Judas, der Erzſchelm",
geliefert, nicht bloß deſſhalb, weil ich ihn zuerſt
gelesen habe, ſondern auch, weil er unſtreitig eine
der geiſtreichſten Arbeiten des Verfaſſers iſt, wenn
nicht der Kern und die Krone aller. Wie die Früchte
eines Baumes nicht alle gleichen Saft und gleiche
Kraft haben, um ſo weniger iſt von den Werken
eines Mannes, der ſo viel wie Abraham a St.
Clara geſchrieben hat, gleiche Gediegenheit und Gei=
ſtesfülle zu erwarten oder zu verlangen. Das Feuer
ſeiner Begeiſterung, die Kühnheit ſeiner Phantaſie,
die Kraft ſeiner Rede nahm je mehr und mehr ab
und der Mangel daran wurde mit der eigenthümli=
chen redneriſchen Form bedekkt.

Wenn über den Geiſtesreichthum Abraham's,
über die Fülle ſeiner Phantaſie, über die Gewalt
ſeiner Sprache u. v. A. alle Stimmen ſich verei=
nigen; ſo iſt es mit doch ganz wunderbar vorge=
kommen, wie in einem Kopfe friedlich neben ein=
ander die ungeheuerſten Extreme wohnen können;
der ſprudelndſte Witz, der überraſchendſte

Scharffinn, die reichſte Fülle von Geiſt, neben dem kraſſeſten Aberglauben, wie ihn das ſiebzehnte Jahrhundert nur haben kann; neben einem Wuſte von Mönchsthum, Legenden= kram und ſtarren, geiſtknechtendem Dogmatis= mus, neben einer für das religiöſe Leben in der Freiheit der Kinder Gottes völlig unempfänglichen, ſich als vollendete Skla= vin unter die römiſche Kirche gefangen gegebenen Vernunft. Welcher Mann, wenn er ein Jahr= hundert ſpäter lebte, und ſein Geiſt all das been= gende Formen= und Rindenweſen durchbrochen hätte, indem er, wie eine verwünſchte Prinzeſſinn arbei= tete und ſtrebte, aber gefangen blieb!

Wie viel geläuterter unſere Anſichten in den meiſten Stükken auch jetzt ſind als die ſeinigen wa= ren, und ſein konnten; wie verſchieden von dem ſei= nigen auch der Boden ſein mag, auf dem ich als entſchiedener Proteſtant ſtehe: ſo kann ich doch ver= ſichern, daſſ ich bei der ganzen Leſung, ſelbſt dann, wenn er im Geiſte ſeiner Zeit und ſeiner Kirche heftig gegen den Proteſtantismus auftritt, kein anderes Gefühl gegen den Verfaſſer in mir getragen habe, als reine Hochachtung. Er ſpricht aus der vollſten Überzeugung. Er hält ſeine Kirche für die alleinſeligmachende, darum ſind ihm alle Andersglaubenden Ketzer; und es iſt nichts als Sorge für ihr Seelenheil, wenn er ſie für ſeine Überzeug= ungen gewinnen will. Stäts meint er es redlich. Für die Wahrheit ſpricht er mit Wärme, ohne An= ſehen der Perſon, und mit einer Freimüthigkeit, die allen Hof= und andern Predigern zu wün=

ſchen wäre, und die mir unzählige Mal Bewunde=
rung eingeflößt hat.

Recht ſchön ſagt daher der Herausgeber der
„Todtenkapelle", des letzten Werkes Abrah=
ham's, in der Vorrede:

˙„Unſer Pater Abraham wuſſte die Verachtung
„der Wahrheit bei Hofe allzuwohl. Er wuſſte, daſſ
„man alle Wahrheiten zu Marmorſaůlen wünſchte;
„aber dieſe Verwünſchung irrte ihn ſo wenig, daſſ
„er deſto mehr Regung bekam, die Wahrheit un=
„ter Bildern vorzuſtellen, welche alle Menſchen ver=
„wundern muſſten. Die Laſter, ſo er in der Me=
„duſá Haupt vor ſich ſah, hatten bei ihm ganz an=
„dere Wirkung; denn anſtatt verſteinert zu
„werden und zu verſtummen, machten ſie ihn be=
„redt, daſſ er die Wahrheit den Zuhörern deſto
„deütlicher in das Geſicht ſagte; und dieſe insge=
„ſammt riſſen ſich, von einem Manne, welcher
„nicht zu heücheln verſtand, die Wahrheit zu
„hören."

Ich glaube, daſſ man es nicht überflüſſig fin=
den werde, wenn ich hier einige Bemerkungen über
das Leben und die Werke Abraham's einſchalte, die
ich der gedachten Vorrede entnehme. Er wurde den
4. Juli 1642 zu Krähenheimſtätten, einem
ſchwäbiſchen Dorfe unweit dem Städtchen Mös=
kirch geboren. Sein armer, aber frommer und
redlicher Vater hieß Megerle; er ſelbſt erhielt in
der Taufe den Namen Ulrich. Schon früh zeigte
er eine große Lernbegierde, die mit den Jahren zu
nahm, und die er auf den Schulen zu Möskirch,

Ingolstadt und Salzburg zu befriedigen suchte, wo sein Fleiß stäts Andern zum Beispiel diente. Erst 18 Jahr alt, trat er in den Augustinerorden, wobei er den Namen Abraham a St. Clara erhielt. Mit erhöhter Kraft widmete er sich den Wissenschaften, erhielt bald die theologische Doktorwürde, ward Klosterprediger und dann Hofprediger zu Wien, welches Amt er 40 Jahre unter allseitigem Beifalle verwaltete.

Die übrigen Verrichtungen Abraham's gehörten meist in das Bereich seines Ordens. Er war zu Mariabrunn, Grätz und Wien auf einanderfolgend Provincial, Prokurator, Lektor, Spiritual und Prior.

Bei so viel Geschäften, die er als Prediger und Ordensbeamter zu besorgen hatte, ist seine schriftstellerische Fruchtbarkeit, selbst dann, wenn man bloß die Masse betrachtet, sicher zu bewundern. Aber diese Vielschreiberei ist es auch, welche die Wüsten und Steppen in seinen Werken hervorgerufen hat. Die Wiederholungen sind ohne Zahl, und das Gute läßt sich unbeschadet des Ganzen auf ein Viertel des äußern Umfangs zurükführen.

Sein erstes Werk war die Grammatica religiosa. In „Merks = Wien" weiset er die wunderthätige Hilfe Gottes bei der türkischen Belagerung der Hauptstadt nach, so wie wie er in „Lösch = Wien" durch die Bußthränen der Lebenden die in der Pest abgeschiedenen und noch im Fegefeuer leidenden Seelen erquikken will.

In „Reim dich, oder ich lies dich" hat

er besonders gezeigt, daß er Scherz und Ernst wie ein guter Koch Öl und Salz zu den Speisen im rechten Maße zu mischen gewußt. „Judas, der Erzschelm" enthält Predigten zur Erschütterung und Bekehrung der Bösen und zur Stärkung im Guten für die Frommen. Für den freudigen Kampf gegen die Feinde des christlichen Namens ermuntert er die Christen in: „Auf, auf ihr Christen!" Die Verachtung der Welt lehrt er in: „Hui und Pfui der Welt." Alle Stände empfangen ihre Lehren in: „Etwas füs Alle." Um zu fleißiger Hauserbauung anzuspornen, verwebte er gern geistige Betrachtungen mit allerhand biblischen und andern Geschichten. Besonders geschah dies in: „Heilsames Gemisch = Gemasch." Der „Geistliche Kramladen" ist eine Predigt= sammlnng. Außer dieser ist noch das: „Gakk, Gakk, Gakk, Gakk a Ga" bekannt, worin er durch eine legende Henne die Andacht erwekken will. In seiner letzten Krankheit schrieb er den: „Wohlangefüllten Weinkeller" und be= reitete sich auf die Stunde des Todes vor. Da er auch in den letzten Tagen seiner irdischen Wallfahrt nicht müßig sein wollte, zierte er die „Todten= kapelle."

Nach einer 67jährigen Laufbahn ununterbroche= ner Wirksamkeit starb er den 1. Dezember 1709, hochgeachtet von Allen, die ihn gekannt, gehört oder seine Schriften gelesen hatten.

Friede deiner Asche, Verklärter, im Lichte Wandelnder! Du wirst, Bürger ei=

nes höhern Gottesreiches, Priester rei=
nerer Erkenntniß, und erhaben über kon=
feſſionelle Glaubensſchranken, nicht zür=
nen, daß am 128ſten Gedächtniſſtage
deines Hingangs zum Vater ein Prote=
ſtant Dir durch Sammlung der Goldkör=
ner aus beinen Werken ein Denkmal ſei=
ner Hochachtung gegen Dich ſeht.

Möge dieſe Arbeit eine freundliche Aufnahme
finden und nicht ohne Segen bleiben; und möge
ſie Sprichwörterfreunde ermuntern, ſo wie
der Prediger Heuſeler mit den Sprichwörtern aus
Luther's und ich hier mit den aus Abraham's a
St. Clara Schriften gethan, ſie auch aus andern
sprichwörterreichen Werken, z. B. aus Gayler
von Kaiſersberg, Cober und v. A. zu ſammeln
und zur Bereicherung der deutſchen Sprich=
wörter = Literatur herauszugeben.

Das lange Zeit erſtorben geweſene Intereſſe des
deutſchen Publikums für dieſen Zweig der Literatur
iſt im Erwachen. Dafür ſprechen eine Menge
Schriften, die im Laufe einiger Jahre auf dieſem
Gebiet erſchienen ſind, und wovon ich nur folgende
erwähnen will: Gaal's Sprichwörterbuch in ſechs
Sprachen; Wien, bei Volke, 1830 und ebend. 1836
Serbiſche Sprichwörter in ſerbiſcher Sprache von
Caraczich; Reche, Predigten über Sprichwörter,
2 Bände, Eſſen, bei Bädeker 1831; die neüen
Ausgaben von Seb. Frank und Zinkgräf durch
Dr. Guttenſtein, 1832 u. 1835; Burkhardt
arabiſche Sprichwörter in deutſcher Ueberſetzung. 1831

Weimar, Landes=Industrie=Komptoir; Anleitung zur
Kenntniß der holländ. Sprichwörter von Spren=
ger von Eijk, Rotterdam 1835; Unterricht in
Sprichwörtern, Duisburg, 1837; die Sprichwörter und sprichwörtlichen Redensarten der Deütschen,
von Dr. Körte, Leipzig, bei Brockhaus, 1837;
Geist und Kraft der englischen Sprache in Sprichwör=
tern von Sporschil, Leipzig, 1837; Neües voll=
ständiges französisch=deütsches und deütsch=französi=
sches Sprichwörter=Lexikon von den pariser Profes=
soren Alb. von Starschedel und G. Fries,
Aarau 1836; vieler andern Schriften nicht zu ge=
denken.

Hirschberg, den 1. Dezember 1837.

K. F. W. Wander.

Inhalt

oder

Ueberſicht der ſämmtlichen Schriften Abrahams
a St. Clara, welche für das „Parömiakon"
beigeſteüert haben.

Conceptten. Denen Herrn Predigern für ein Interim ge-
schenkt, biß etwas anderes nachfolgen wird. Durch **Pr. Fr.**
Abraham à S. Clara, Augustiner Baarfüßer Ordens,
Kaiserlicher Prediger u. der Zeit Prior, ꝛc. Salzburg, ge-
druckt u. verlegt bei M. Haan. Anno 1708. . S. 209
Enthält:

27

I. Sprichwörter aus **Judas der Ertzschelm** ꝛc. Erster Theil.

1. Wenn man den Kalk anfeuchtet, so entzündet er sich. — Nicht weniger thut die Übermaß des Weintrinkens ungebührende Venusflammen in dem verwandten Leib erwekken.

2. Weiber und Weinbeer machen alle Beütel leer. Oder:

3. Die vollsten Beütel machen Weiber und Weinglas eitel. —

4. Auf den Weinmonat folgt im Kalender der Wintermonat, also auf vieles und ungezähmtes Weinsaufen geht es gemeiniglich kühl her; und schleicht die Armuth ein, wie ein stummer Bettler.

5. Die Kandel und Andel bringen einen armen Wandel, deßwegen sollte Bachus von Rechtswegen in der einen Hand einen Regimentsstab, in der andern einen Bettelstab führen; nicht weniger auch Venus thut die Taschen leeren.

6. Er braucht sich vor seiner Thür keine Bahn zu kehren. — (So sagt Abraham ꝛc. von einem Holländer, der durch unmässiges Leben so in Schulden gerathen, daß er zu Winterszeit nicht nöthig gehabt habe, sich vor seiner Thür eine Bahn zu kehren, zumalen ihm ohne das die überdrießigen Schuldenforderer durch vieles Laufen den Weg gebahnet.)

1

7. Ein Pflaster über seine Wunden finden. — Will sagen, einen Schlüssel zum vorigen gehabten Glücke.

8. Eine Narrenkappen ist bald zu ertappen. — (Von einem der eine Reise in Folge eines Traums unternahm, um an einemihmim Traume bezeichneten Orte einen Schatz zu finden.)

9. Sich einen Knopf auf die Nase machen. — (Etwas nicht vergessen.)

10. Der Henker wird auf seiner Hochzeit tanzen. — (Er wird gehängt werden.)

11. Er wird in der Luft das Luftschöpfen vergessen. — (Am Galgen.)

12. Die Raben werden bei ihm Freitafel halten. — (Wird den Galgentod sterben.)

13. Was an den Galgen gehört, ertrinkt nicht. — Ist, sagt Abraham ꝛc., besonders an Judas wahr geworden, der von seiner Mutter in einem Binsenkörblein dem wilden Meere überantwortet wurde, aber ohne Gefahr fortschwamm, und an die Insel Ischarioth getrieben wurde.

14. Man muß nicht zu jäh in den Haberbrei fahren, damit man das Maul sich nicht verbrennt. — Meine Weltmenschen, wenn euch die Zähne nach dem Ehestande wässern, so leget zuvor alles wohl auf die Wagschale und fahret nicht ꝛc.

15. Er suchte eine Gertraud und bekam eine Bärenhaut. — (Verfehlte Ehe.)

16. Statt einer Dorothee ein Ach und Weh bekommen. — (Böses Weib für ein Gutes.)

17. Er ging auf den Roßmarkt, und handelte einen Esel ein. — (Ehe man sich in eheliche Verbindung einläßt, muß man zuvor Alles wohl betrachten.)

18. Rübe für Rettige einkaufen.

19. Anstatt einen Stall eine Pfeffermühle bekommen. —
(Eine böse Frau statt einer erwarteten guten bekommen.)

20. Ein böses Weib ist ein Schiffbruch ihres Mannes. —

21. Wenn man die Thür einschmiert, so girret sie nicht.

22. Wenn die Maus beim Speck sitzt, so piept sie nicht.

23. Sanftmuth macht Alles gut.

24. Wenn man den Bär droht, so wird er wild. —
(Eine Frau, die einen rauhen ungestümen Mann hat, muß sanfte Saiten aufziehen.)

25. Wer eine Ader öffnen will, streicht sie erst, eh er schlägt, also auch ihr Weiber, mit guter und glimpflicher Manier werdet ihr viel ausrichten.)

26. Jemandem Melonen geben, für saure Rüben. —
(Etwas gutes, was ihm nicht gehört, für das ihm zukommende Schlechte.)

27. Wen der Haaken einwiegen soll, den muß man nicht auf den Armen liebkosen. —

28. Die Schwefelfarbe ist ihm haufenweis aufs Gesicht fallen. — (Ist sehr neidisch.)

29. Ein guter Soldat haut nicht über die Schnur.

30. Ein ordentlicher Messner läutet nicht die Sauglocken.

31. Er verspricht Bratenduft, und stinkt nach faulen Fischen.

32. Es ist kein ärgrer Schneider, als der Ehrabschneider.

33. Wo viel Salz ist, da ist leicht die Suppe versalzen.

34. Die Rechtlichkeit und der Palmesel kommen jährlich nur einmal ans Licht.

1

4

35. Wenn kein Saft mehr in der Limonie ist, wirft man sie hinter die Thür. So gehts zu Hofe den Bedienten.

36. Wer mit Worten speiset, füllet keinen Bauch. So speist man zu Hofe die Hungrigen mit Worten.

37. Viel Löfflerei aber schlechte Suppen. — Zu Hofe.

38. Wenig Andacht, aber viel Verdacht.

39. Wie die Glocke, so der Klang.

40. Wie der Singer, so der Sang.

41. Wie der Vogel, so das Ei.

42. Wie der Koch, also der Brei.

43. Wie der Schuster so der Schuh.

44. Wie der Schreiber, so das Buch.

45. Wie der Arzt, also die Salb.

46. Wie der Zug, so das Kalb.

47. Wie der Acker, also der Traid.

48. Wie die Wiesen, so die Weide.

49. Wie der Meister, so der Schüler.

50. Wie der Tänzer, so der Tanz.

51. Wie der Baum, so die Birne,

52. Wie die Frau, so die Dirne.

53. Wie der Herr, so der Knecht.

54. Wie der Soldat, so das Gefecht.

55. Wie der Hirt, so die Rinder.

56. Wie die Eltern, so die Kinder. — (Abraham ꝛc. bemerkt in Bezug auf das Letztere: „Ich habs allezeit gelesen, habs allezeit geredet, habs allezeit geschrieben, daß diesem also seie, aber anjetzo vermerke ich, daß nicht, also wie die Eltern, also die Kinder sein; Adam, ein guter Vater, Cain sein Sohn ein Erzbösewicht; Noah, der Vater, ein Heiliger, Cham sein Sohn ein Heilloser; Abrahmam, der Vater, ein Gottseelliger, Jsmael sein Sohn ein Gottloser; Jsaak, der Vater

ein Engel, Esau sein Sohn ein Bengel; Jakob, der Vater, ein Lamm, Ruben sein Sohn ein Trampel; David, der Vater, ein Freund Gottes, Absalon, sein Sohn, ein Feind Gottes ꝛc. Ja ich weiß, und zeig eine Dame, vor dero Schönheit die Helena aus Griechenland sich muß verkriechen; eine Dame, gegen dero Wohlgestalt mit seinem Aufputz der Frühling zu spät kommt; eine Dame, dero Angesicht sonnenklar, scheinender als die Sonne; eine Dame, vor dero weissen Gesicht die Lilien schamroth werden, eine Dame, vor deren Annehmlichkeit aus Wunder die Morgenröth erbleichen thut ꝛc, und dann noch diese schöne auserwählte Dame hat eine Tochter, an dero ein Haufen Unrath zu sehen, denn sie ist wild wie ein Misthaufen, schwarz wie ein Kohlhaufen, ungeschickt wie ein Scheiterhaufen, hartnäckig wie ein Steinhaufen, unrein wie ein Ameishaufen, schädlich wie ein Scheerhaufen, garstig wie ein Kothhaufen, ja wie der Teufel selbst, diese schönste Dame ist die Tugend, die Ehr, die Wissenschaft, ja alles Gute, ihre Tochter aber, die sie gebäret, ist der verdammte Neid.)

57. Des Andern Glück, ist des Neidischen Unglück.

58. Des Andern Segen, ist dem Neidischen ein Degen.

59. Des Andern Heil, ist dem Neidischen ein Seil.

60. Eines Andern Gut, ist dem Neidischen eine Gluth. — (Die ihn brennt.)

61. Des andern Würde, ist dem Neidischen eine Bürde. — (Die ihm drükkt, und unter der er schwitzt.)

62. Eines Andern Kunst, ist dem Neidischen ein Dunst. — (So ihm die Augen peinigt.)

63. Des Andern Schatz, ist dem Neidischen eine Katz. — (So ihn kratzet.)

64. Eines Andern Freud', ist dem Neidischen ein Leid. — (So ihm das Herz quälet.)

6

65. Des Einen Höhe, ist dem Neidischen eine Wehe. — (So ihn plagt.)

66. Eines Andern sein Gruß, ist dem Neidischen eine Buß. — (Die ihn drükke.)

67. Was dem Einen Schein, ist dem Neidischen Pein. — (Die ihn schmerzt.)

68. Es sind Brüder, wie der Wolf und das Schaf.

69. Sie sind sich ähnlich, wie der Weinstokk und der Schlehenstrauch.

70. Sie gleichen einander wie ein Topfbeckel, und ein Krebenzteller.

* 71. Er hat alle Tage Kirchtanz. (Vom reichen Manne.)

72. Oft steckt in einer guten Scheide eine rostige passauer Klinge.

73. Er machts wie die Klosterkatzen. — (Braten früh und spät essen.)

74. Man muß den alten Topf nicht unter den Herd stellen. — (Oft muß ein Kopf voller Wissenschaft unten bleiben, und der leere wird in die Höhe zum Officier erhoben.) Darauf bezieht sich auch:

75. Man muß den leeren Topf nicht zum Feuer stellen.

76. Der Daumen giebt einen schlechten Ohrräumer. — Die Natur ist eine witzige Mutter, als welche dem kleinen Finger an der Hand das Amt aufgetragen, daß er soll Ohrenräumer sein, nicht aber dem Daumen oder Zeigfinger, weil sich demnach der kleine besser hierzu schikket als die andern; deßgleichen soll man fein zu Ämter und Officier erheben, diejenigen, welche geschikkt sind, und nicht ungeschikkt sind. Manchesmal, obwohl mit merklichem Schaden, folgt man den Brunnen nach, wo der leere Amper oben ist, der angefüllte entgegen unterdrückt.

77. Der Feberbusch auf dem Hut macht keinen Sol=
daten. Sonst wäre auch der Wiedehopf ein Kriegsoffizier.

78. Eine Schärpe · macht keinen Soldaten. Sonst
wären auch die Engel am Frohnleichnamstage Soldaten.

79. Ein. Helm macht noch keinen Krieger. Sonst
wären auch die Kothlerchen Soldaten.

80. Ein Spieß über den Achseln macht keinen Solda=
ten. Sonst wären auch die Landboten Soldaten; son=
dern eine ansehnliche Tapferkeit, unerschrockene Generesität,
und unüberwindlicher Heldenmuth macht den Soldaten.

81. Aus den häßlichsten Larven werden die schönsten
Weinfalter. Bist Du nun Mensch, ein armer Erd=
wurm, und tritt Dich fast Jedermann mit Füßen, auch
Deine ganze Habschaft kannst in einen Bettelsack salviren,
so hoffe dennoch, so hoffe dennoch — denn wol öfter das
Glück in der armen Leute Häuser ist eingekehrt, es können
Dir noch wol Flügel wachsen, womit Du Dich weit über
Deines Nächsten Vermögen erhebst.

82. Er hat dem kaiserlichen Beutel die Register gezo=
gen. — (Hat sich auf Staatskosten bereichert.)

83. Er hat den Stiefkindern das Ihrige durch die
Hechel gezogen. — (Hat das Ihrige an sich gebracht.)

84. Die Mündelgelder schröpfen. — (Sie untreu zu
seinem Vortheil zu verwalten.)

85. Er weiß, wie viel Klößel man aus einem Mäßel
Mehl macht. — (Ist sehr genau, geizig.)

86. Er macht aus seinen Dienstboten Karthäuser. —
(Giebt ihnen wenig zu essen, setzt viel Fasttage an.)

87. In seinem Kalender ist nur ein Fasttag. — (Er
dauert das ganze Jahr, führt einen sehr kargen Tisch.)

88. Es sind nicht alle Lämmel Jakobis weiß gewesen. —
(Ungleichheit ist in der Natur begründet.)

89. Es sind nicht in allen drei Körben Mundsemmel gewesen, von denen Pharaos Diener geträumt. Sondern in einem ist auch schwarz Gesindebrot.

90. Es sind nicht lauter Paradiesvögel in Noahs Arche gewesen, sondern auch Gimpel und Lachtauben. — (Verlangen der Menschen sind nicht alle gleich).

91. Es waren nicht nur Forellen in Petri Netz, sondern auch Stockfische. — Also hat die Natur keine Gleichheit in Austheilung der Gesichter, sondern einem eine schönere Gestalt spendirt, als dem andern.

92. Der Neidische schadet Niemand mehr, als sich selbst.

93. Er schleift sich den Degen selbst, womit er sich sticht.

94. Er gleicht dem Tiger, wie die Wölfin dem Wolf.

95. Oft reist ein guter Germanus aus, und kommt ein schlechter Hermanus nach Haus.

96. Besser ehrlicher als herrlicher.

97. Es ist kein Land, wo der Neid nicht hat Bestand.

98. Es ist keine Gesellschaft, worin der Neid keine Herrschaft.

99. Aus keinem Haus ist der Neid heraus.

100. Hohe Gipfel leiden von den Winden am meisten.

101. Hohe Thürme trifft der Blitz am ersten. — (Gefahren hoher Stellungen.)

102. Der Neid hat seine Freitafeln zu Hofe.

103. Wer von Hofhunden gebissen wird, dessen Wunden schwären lange. — Ein solcher Hofhund ist vorzüglich der Neid.

104. Neidesgefahr plagt die Tugend immerdar.

105. Hofneid hat scharfe Zähne.

106. Er schickt sich dazu, wie die Sichel in eine Messcheide. — (Untauglichkeit für den Beruf.)

9

107. Sie (die Geiſtlichen) ſind Glokken, die andere zur Kirche rufen, kommen aber ſelber nicht hinein. — (Dies ſagt Abrah. ꝛc. anführend aus dem Munde der Weltleute, neben jeden Fehler, den ſie an Geiſtlichen finden, ins Unendliche vergrößern. Er läſſt dieſe Weltleute weiter reden: Sie machen uns die Hölle ſo heiß, den Teufel ſo ſchwarz, Gott ſo ſtreng, und ſie lubern mehr als wir Zärtling.)

108. Jemandem die Hölle heiß machen.

109. Jemandem den Teufel ſchwarz malen. — (Ihm für ſeine Sünde mit ſtrenger Strafe bedrohen.)

110. Die Kutte iſt ein Schelmfutteral. — (Ein Spottwort, wie Abrah. ſagt, der gottloſen Weltleute, wenn ſie an den Mönchen einen Fehler gewahren.)

111. Kein Licht ohne Schatten. — (Alſo auch keine Ehre und kein Lob ohne Neid, denn er iſt der ſtäte Begleitsmann des Lobes und der Tugenden.)

112. Rother Bart, Teufels Art. — (Abrah. widerlegt es. Es iſt gar nicht erwieſen, daß Judas einen rothen Bart gehabt hat, obgleich ihn die Malerſtäten ſo darſtellen, dann fingere und pingere ſind die vertrauteſten Spießgeſellen. Die plumpen Leute haben anfangs das Iſcharioth für „iſt gar roth‟ verſtanden. Dafern es aber ſollte der Wahrheit gemäß ſein, daß Judas mit einer ſolchen Safranfarbe notirt geweſen; wo ſteht es denn geſchrieben, daß rothe Bärte nichts nutz ſind? Wenn ſolche Aurora den wenigſten Schimpf oder Spott in ſich hielte, hätten mit denſelben nicht geprangt die alten Römer, welche ſogar auch die rothen Haare, als eine beſondere Zierde zu ihrem Nahmen und Titel ſelbſten gebraucht. Wer iſt geweſen der ſieghafte Kaiſer Fridericus Barbaroſſa, als eben ein Rothbart? Wer iſt geweſen Haquinus Ruffus, ein beſter König aus Gothen, als ebenfalls ein Rothbart?

Gaubentius, ein heil. Bischof. Wenn rothe Haar ein vermuthliches Kennzeichen wären, einer schlimmen Art, so hätte Gott etwann nicht ausbrücklich verlangt in dem alten Testament, daß man ihm soll eine rothe Kuh schlachten, und opfern. Die abgesagten Feind und Spötter der rothen Bärthe, müssen nicht für ihre Schützung anziehn, die ungerühmte That eines spanischen Edelmanns, welcher einen zu dem Strang verurtheilet, und henken lassen, keinen anderen Ursach halber, als weilen er einen rothen Barth hatte, und als man dessen Unschuld vorkehrte, wie wissentlich nicht bekannt seie, daß dieser gute Mann etwas Übels gethan; denen hat der verrückte Edelmann geantwortet: Er hat einen rothen Barth, hat er nichts Übels gethan, so hätte er doch etwas Übels stiften können. Dieser spanische Edelmann kommt mir wahrhaftig spanisch vor, indem er seine Weissagung nur auf solches rothfarbiges Testimonium steifet.)

115. Nach der Scheide den Degen beurtheilen. — Der allmächtige Gott kann seine Gnade sowohl in ein irrdenes Geschirr gießen, als in ein güldenes Gefäß, wenn es auch wahr ist, daß die öde, schnöde und blöde Welt so gern nur das Äußerliche beweget, und aus der Scheide den Degen beurtheilt, dahingegen der Menschen Augen hierinfalls betrogen werden.

114. Es ist nicht an der Länge gelegen. — Sonst wäre ein Wiesebaum mehr als ein Scepter.

115. Es ist nicht an der Größe gelegen. — Sonst gälte ein Bachzuber mehr als ein Pokal.

116. Es liegt nicht an der Dikke. — Sonst wäre ein Saukürbis besser als eine Melone.

117. Es kommt nicht auf die Gestalt an. — Sonst sänge ein Pfaulieblicher als eine Nachtigall, sondern es ist

image
not
available

wo Zween wegen einer begangenen Missethat im Argwohn seien, solle man am allererften benjenigen auf die Folter legen, welcher schändlich und ungeftalt von Geficht, und wollen gar etliche, daff man fich hüten 2c.

123. Der Leib von außen zeiget frei, daff ob drinnen wohne Schelmerei.

124. Er ift wie eine Schweizerkuh, er frifft Gras und Blumen. — Die Spottreden fliegen herum wie die Mücken in Egypten zu Pharaos Zeiten, und muff Einer fich wohl in Acht nehmen, daff er keinen Stich ausftehen darf. Solche zaumlofe aber nicht zahnlofe Mäuler machen es ungleich einer Schweizerkuh, welche eine ganze Wiefe durchprahnt, und auch der fchönften Blümlein nicht verfchont.

125. Man muff den Degen nicht nach der Scheide beurtheilen. — Indem Du mein Spöttler zu lernen haft, daff man keinen Menfchen wegen feiner Ungeftalt aushöhnen foll, weilen fo wohl unter die Gefchöpfe der göttlichen Hand gehört, als ein fchöner, graber und wohlgefchaffner Abfalon. Über das, fo muß Du aus der Scheide nicht allezeit den Degen beurtheilen. Denn:

126. Oft ift in einer fchlechten, zerriffenen Scheide eine treffliche Klinge.

127. Es ift oft ein fchöner Schatz in einer hölzernen Truhe.

128. Es ift gar oft Speck unter dem Kraut.

129. In einem fchlechten Bande fteckt oft ein gutes Buch.

130. In der fchlechteften Schweinsblafe find oft die fchwerften Dukaten.

131. In einer Bauernhütte kehrt oft ein groffer König ein. — S. 119. (Schliesse nicht von einem mangelhaften Leibe auf ein fchlechtes Gemüth.)

132. Wie die Perl, so mancher Kerl. — Es hat öfters die Beschaffenheit mit einem stattlichen Kerl wie mit einem stattlichen Perl; Du siehest eine schlechte rauhe Muschel, eine Mißgeburt des Wassers; wer soll ihm einbilden, daß in diesem wilden, ungestalten Geschirr soll etwas Gutes sein. Eröffne aber solches, so wirst Du finden ein köstbares schönes edles und stattliches Perl; wie das Perl, so mancher Kerl. Du wirst öfters antreffen ein treffliches Gemüth, eine lobreiche Fromkeit, eine ansehnliche Wissenschaft in einem so schlechten, und Augenschein-halber unachtbaren Mensch. Gleichwie gefunden worden ein kostbarer silberner Becher in dem schlechten Traidsakk des Benjamin. Denke nur:

133. Ein krummes Holz gibt so gut Hitze als ein grades. — Der römische Galba hatte einen großen Bukkel, und war ein unvergleichlicher Wohlredner. Äsop hatte ein Larvengesicht, und war gleichwol der witzigste Mann seiner Zeit. Der deutsche Kaiser Rudolph hatte eine ellenlange Nase, und dennoch war er das vornehmste Ehrzweig des weitberühmten österreichischen Stammbaumes. Philipp von Mazedonien und Hannibal waren einäugig, und dennoch berühmte Feldherrn. Heinrich II. deutsche Kaiser war krumm, und doch ein braver Fürst. Weil denn oft in einem mangelhaften Leib ein vollkommnes Gemüth, so verachte nicht den Menschen nach dem äußerlichen schlechten Ansehen, wenn er schon klein; ist schon genug, wenn er einen aufrichtigen Wandel führt; wenn er schon krumm ist schon genug, wenn er nur nicht in große Sünden fällt, wenn er schon schielet, oder einäugig ist, schon genug, wenn er Gott allzeit vor Augen hat; wenn er schon schwarz, ist schon genug, so er nur ein weisses Gewissen hat.

134. Was nützt der krause Kopf, wenn er mit Stroh gefüttert ist.

135. Der goldene Becher thuts nicht, wenn nur sauer Bier darin ist. — Was hilft es einen wohlgeschaffenen, wohlgenaturten, wohlgestalteten, wohlgeliebten ꝛc. Leib haben, worin aber alle Laster nisten. Weit rühmlicher ist es, einen ungestalteten Leib, als ein übelgestaltetes Gemüth tragen.

136. Schönheit vergeht, Tugend besteht. — Merks demnach wohl, daß Achten und Verachten sich nicht muß gründen auf das äusserliche Ansehen, achte Niemand desshalb, weil er schön von Leib ist, verachte auch Niemand derentwegen, weil er ein geringes Ansehen hat, achte und liebe Niemand weisser Hände halber, sondern unsträflichen Wandels halber, nicht des äusserlichen Scheins halber, sondern Gemüthshalber; denn Schönheit vergeht, ꝛc.

137. Ein gut Gemüth, ist besser als ein gut Geblüt.

128. Der Bettelstab ist kein Holz für ihn.

139. Er hat in der Arbeit ein Haar gefunden. — (Mag nicht arbeiten.)

140. Er zittert schon vor der Scheibe. — (Taugt nichts zum Soldaten, er kann die Säbel nicht sehen, kein Pulver riechen.)

141. Er versteht die allgemeine Kunst. — (Kann nur essen und trinken)

142. Hofbräuche wollen Hofbräuche.

143. Er kennt Hofweise und Hoffspeise. — (Ist ein Hofmann.)

144. Pfeifen, wie die Leute tanzen. — (Sich nach ihren Launen richten, alles, was beliebt ist, reden, ausgenommen die Wahrheit, als die bei den Schmeichlern ganz frisch und nagelneu, weil sie bei ihnen gar selten gebraucht wird, sondern weil sie:)

145. Die Suppen mit Lügen pfeffern. — (Nach dem Appetit des, dem sie dienen.)

146. Wer sucht, der findet. — Joseph hat seine Brüder gesucht, und hat sie gefunden; Joseph und Maria haben den zwölfjährigen Jesus gesucht, und haben ihn gefunden; der gute Hirt hat das verlorne Lämmel gesucht, und hat es gefunden; das Weib im Evangelium hat den verlornen Groschen gesucht, und hat ihn gefunden; ich aber habe lange etwas gesucht, und nicht gefunden; ich habe die Wahrheit gesucht, und nicht gefunden, allermaßen dieselbe der große Kirchenlehrer Augustin weit schöner hervorstreicht, als Helenam aus Griechenland.

147. Weder Land noch Pfand haben.

148. Weder Kron noch Thron haben.

149. Er hat weder Gesandten noch Trabanten. — (Wollen sagen, ist arm. Abrah. läßt den Pilatus zu Jesu diese Worte sagen.)

150. Bei Höfen und grossen Herrn ist die Wahrheit etwas Seltsames. — Zu Hof, wo die Politici nisten, ist die liebe Wahrheit verkannt, als habe sie die Pest, und so sie auch ein Foede vom Himmel hätte, so läßt man sie dennoch kaum ein. In Indien sind die Gläser etwas Seltsames, in Egypten ist der Schnee etwas Seltsames, in Norwegen der Wein, in Mauritanien ein weiß Gesicht, in Italien sind gelbe Haare, in Deütschland Elephanten, in Amerika Hunde, in China Pferde etwas Seltsames, bei Höfen und grossen Herrn ꝛc.)

151. Er hat noch nicht viel Haber gedroschen. — (Ist nicht an schwerer Arbeit gemacht.)

152. Seine Apostel sind nicht weit her. — (Klage gegen das Dienstpersonal eines Herrn.)

153. Er braucht wenig Brillen, er sieht durch die

Finger. — (Von Perſonen, die nicht ſtreng gegen ihre Un=
tergebenen ſind. Ein Bauer ſagt es von einem nachſichti=
gen Landesfürſten, und ſetzt hinzu in Beziehung auf den=
ſelben. Er läſſt die Edelleute hauſen nach dero Wohlge=
fallen, die gehen mit uns um, wie wir Bauern mit den
Felberbaümen im Nutzen.)

154. Bauer und Lauer ſind in eine Haut genäht. —
(Der Bauer hat eine ſehr geſunde Wahrnehmungsgabe, oft
ein ſehr richtiges Urtheil über das, was ſein muſſ, und
anders ſein könnte, beſonders wo ſie mit Beitrag in An=
ſpruch genommen werden.)

155. Was der Fiſcher gewinnt beim Fiſch, das ver=
ſauft er wieder bei Tiſch.

156. Zimmerleut und Maurer, ſind rechte Laurer;
ehe ſie eſſen, meſſen, ſtehen und ſich beſinnen, ſo iſt der
Tag von hinnen.

157. Zigeüner und Soldaten, wenn ſie ſchmekken einen
Braten, ſo thun ſie ſolchen wegtragen, wenn ſie auch ſoll=
ten die Beine auf dem Galgen abnagen.

158. Kutſcher und Fuhrleut ſind nichts nutz zu aller Zeit.

159. Bei Eſel und Roſſen treiben die Fuhrleüt die
größten Poſſen.

160. Auf dem Eſel und Pferdemiſt, ſelten ein guter
Vogel iſt.

161. Der wird ſich keinen Zahn davon ausbeiſſen. —
(Er trägt kein Verlangen banach.)

162. Als Petrus nach Hofe kam, verläugnete er ſeinen
Herrn. — Petrus hat die liebe Wahrheit an keinem an=
dern Orte vergeſſen, verloren, verſcherzt, als zu Hofe,
allba hat er einmal, (das iſt grob) allba hat er zweimal.
(das iſt grob,) allba hat er dreimal, (das iſt gar aus der
Weiſe,) die eingefleiſchte Wahrheit verläugnet.

163. Wer die Wahrheit geigt, dem schlägt man den Fidelbogen um den Kopf. — Ich frage mehrmalen die Frau Wahrheit, Madam, um Gotteswillen, warum sind eûre Korallen: Lefszen also geschwollen? Ich, war die Antwort, habe das nächstemal gegeigt, und da hat man mir den Fidelbogen um das Maul geschlagen, und mich sehr schmählig traktirt; wohl fängt das Wörtlein Wahrheit mit einem Wan, zumalen es lauter Wehausbrütet.

164. Gute Saiten verderben die guten Sitten. — (Verderblichen Einfluss des Tanzes auf die Sittlichkeit.)

165. Danzig und Leibzig sind nicht weit von einander, denn beim Tanzen ist die Ehre nicht selten gestolpert.

166. Die Wahrheit ist ein Zunder, welcher Feûer weßt.

167. Die Wahrheit ist ein Letten, so manch Wasser trübe macht.

168. Die Wahrheit ist ein Hammer, welcher Lärm schlägt.

169. Wer will die Wahrheit sagen, muss schnell von dannen jagen.

170. Man muss die Brillen brauchen, und nicht immer durch die Finger sehen.

171. Die Gesetze sind Spinnweben, wo die Vögel durchfliegen. S. 136. — Grosse Herren sollen mit der Justiz nicht umgehen, als mit einem Spinngewebe, wo die grossen Vögel rc.

172. Er ist wie ein Destillirkolben. — (Er saugt den letzten Tropfen aus, gebraucht von dem grossen Drukke der Höhern gegen den Niedern.)

173. Er ist wie die Glokken, die andern zur Kirche läuten, aber selber nicht hinein kommen. — (Von Geistlichen, die Andern predigen, selbst aber ungebessert bleiben.)

2

174. Er ist wie die Zimmerleûte Noahs, die Andern eine Arche bauten, und selbst ertranken.

175. Sein wie die Nachteûlen, welche das Öl aus den Kirchenlampen saufen, aber sonst nichts nützen. — (Die letzten beiden Aussprüche gelten ebenfalls von Geistlichen, die ihre eigne Besserung nicht betreiben.)

176. Er hat so viel Augen, wie eine Spitalsuppe. — (Von Magistraten und Obrigkeiten, die nicht sehen, wo sie sehen sollen.)

177. Er nimmt Mehl genug, aber zu wenig Teig. — (Von Bäkkern, welche das Bakkwerk zu klein liefern.)

178. Er verkauft Keinwein für Rheinwein. — (Wasser für Wein.)

179. Er ist einfältig wie Schweizerhosen, die hundert Falten haben. — (Von Bauern, die sich einfältig stellen, es aber durchaus nicht sind.)

180. Er ist keine passauer Klinge. — Von solchen, die sich nicht biegen lassen, Eigensinnige, Hartnäkkige, Karaktfesten. Die beste Probe der passauer Klinge, sagt Abrah., ist, daß sie sich biegen lassen.

181. Er ist wie die Uhr, nie ohne Unruh. — (Von Unstäten, Beweglichen, Flüchtigen 2c.)

182. Den Scharfhobel brauchen. — (Mit Strenge verfahren, die Wahrheit gradezu sagen.)

183. Das Wahrsagen, (Wahrheitsagen) bringt nur Klagen. — Wenn der Prediger auf solche Weise die Wahrheit redet, so bringt ihm solches Reden — Rädern, so bringen ihm solche Wörter — Schwerter, so bringt ihm solches Sagen — Klagen.

184. Das war ein grober Schnitt. — (Sehr stark gesagt, übel zu nehmen.)

185. Er sitzt beim Brett. — (Eine hochgestellte Person.)

186. Der Fuchsſchwanz iſt gut für den Meſſner, taugt aber nichts für den Beichtvater. — Der Kirchendiener kann damit den Staub vom Beichtſtuhle abkehren, aber der Beichtvater ſoll ihn nicht gebrauchen, er ſoll die Wahrheit ſagen, und auch wo ſie unangenehm iſt; bei mir ſagt Abraham, hat ſolcher nicht ſtatt, damit nicht etwa ſeine Seel und meine Seel einen unglükkſeligen Schiffbruch leiden.

187. Chriſtus ſagt den Phariſäern die Wahrheit, wenn ſie ihn auch zu Gäſte laden. — Er hat ihnen auf keine Weiſe ſchmeicheln wollen, da er von Ochſen und Eſeln die Gleichniſſ gegeben, welche ſie auch an den Sabbath aus dem Brunnen ziehen. Der Heiland hat den Apoſteln und uns Prieſtern allen den Titel gegeben: Ihr ſeid das Salz der Erde, er hat nicht geſagt ihr ſeid der Zukker der Erde, ſondern das Salz, welches beiſſt, muſſ alſo ein Prediger, ein Beichtvater ſich wohl herum beiſſen und die Wahrheit reden. Von ſolchen, die die Wahrheit aus irdiſchen Rükkſichten verläugnen, von den Heuchlern und Schmeichlern ſagt er Sprichwörter:

188. Solche Vögel gehören auf keine andere Leimruthe als wo die Raben ſitzen.

189. Solche Wäſche muſſ kein Andrer aufhängen, als Meiſter Knüpfauf.

190. Solche Hälſe verdienen keinen andern Kragen, als den der Sailer ſpinnt.

191. Die Bauern ſind Lauern, ſo lange ſie dauern, und wohnten ſie auch hinter hundert marmornen Mauern. — Dies legt Abraham einem Hofſchmeichler in den Mund, womit er ſeinem, in Geldnoth ſich befindenden Könige räth, ſie nur beſſer mit Abgaben heranzuziehen. Dieſe Trampel, läßt er ihn weiter reden, muſſ man darbieten wie die Lämbel, dieſe Kälber muſſ man ſtutzen wie die Felber,

2·

biefe Blökk muß man beſchneiden wie die Weinſtökk, dieſe
Regel muß man rupfen wie die Vögel.

192. Viel Mittel kann bringen einen Bauerntittel. —
Ihre Majeſtät, laſſt Abraham den Hoffuchs fortreden, thun
eins und ſchlagen eine Mauth auf, auf Butter und Schmalz,
auf Pfeffer und Salz, auf Linſen und Brein, auf Bier
und Wein, auf Vögel und Tauben, auf Pfirſig und Trau=
ben, was die Bauern auf den Markt tragen, und dies nur
zwei Jahre, Sie werden handgreiflich ſpüren, was
Mittel ꝛc.

193. Wie der Himmel, ſo die Luft. — Iſt er kalt, iſt
ſie kalt; iſt er warm, iſt ſie warm. Dieſe Eigenſchaften
findet man bei den Schmeichlern, welche ſich ganz und gar
richten und ſchlichten nach ihrer Herren Neigung. Iſt der
Herr geneigt zum Löffeln, ſo wird der Schmeichler weiter
nichts reden als von lauter Löffelenten. Sagt der Herr,
mir gefallen dieſe Geiſtlichen nicht, ſo ſchwätzt der Schmeich=
ler: Ja, ja Herr, ſie ſind nicht weit her.

194. Der Himmel iſt nicht für die Gänſe gebaut.

195. Wenn der Herr ſchläfert, ſo fängt der Schmeich=
ler an zu ſchnarchen.

196. Wenn der Herr ſpricht, mich friert, ſo zittert der
Knecht. (So ſchüttelt es auch den Knecht, d. h. hier den
Schmeichler) wenn es auch Juli iſt.

197. Hinkt der Herr, ſo geht der Diener (Schmeichler)
krumm.

198. Wenn man im präger Schloſſ die groſſe Glokke
lautet, ſo hört es der Bauer eine Stunde weit. Das
Beiſpiel von Oben ergreift die Niedern.

199. Die Ziege belekkt wol die Bäume, aber es iſt
ihnen nicht geſund. So die Schmeichler; wie viel Schmeich=
ler=Zungen haben Andre ins Verderben gebracht.

200. Der Rabe schielt, die Lerche, die in Alaudam ein Lobvogel. — Von Schmeichlern.

201. Er verwandelt bitteres Wasser in süßes. — Schmeichelt; ist der Herr ein Ehebrecher, so nennt ihn der Schmeichler einen galanten Mann; aus dem Geizhals macht er einen guten Wirth, den verlogenen falschen Bösewicht nennt er einen Hofmann 2c., macht das Böse gut, tauft die Laster in Tugenden, und strebt nur

202. Mäusekoth für Anißzukker zu verkaufen.

203. Nach Stallbalsam riechen. (Die deren Herkunft sein.) Deßgleichen:

204. Die Kieselsteine besser kennen als die Edelsteine.

205. Er führt Rüben auf den Markt — (Treibt Feld-wirthschaft, überhaupt gehört einem niedern Stande an.)

206. Wenn das Kalb gesogen hat, stößt es die Mut-terkuh. — Du Ochsenkopf Absalon, bist nicht besser als dieser Kalbskopf.

207. Die Glokke umhüllt den Klöppel, und wird den-noch von ihm geschlagen. — Du Galgenschwengel Absalon, (überhaupt für ungerathene, undankbare Söhne,) bist nicht besser als dieser Glokkenschwengel.

208. Hat der Baum zu viel Früchte, so brechen seine Äste. — Auf gleiche Weise geschieht es vielen Eltern, daß sie dem Undanke ihrer Kinder erliegen. Daher man sagen kann:

209. Ein schweres Gewicht die eignen Frücht.

210. Das Holz, welches das Feuer nährt, wird von ihm verzehrt — Was ebenfalls viele Eltern von ihren undank-baren Kindern erfahren, und daher das Wort rechtfertigen:

211. Die mich nähren, thu ich verzehren.

212. Die Dünste, die aus der Erde aufsteigen, fallen oft als Hagel nieder. — (Bild der Undankbarkeit;) darum:

213. Die wir heut tragen, morgen uns schlagen.

214. Was ich geboren, macht mich verloren. — Wort der über die Schlechtigkeit ihrer Kinder tief betrübten Mutter.

215. Das Pflaster führt zum Laster. — (Müssiges Umherstreichen.)

216. Sie liebt die Löffel mehr als die Kochlöffel. — (Geht lieber mit Mannspersonen-um, als daß sie sich um die Wirthschaft bekümmere.)

217. Sie denkt mehr aufs Nachtkissen, als aufs Näh=kissen. — Schlaf ist ihr lieber als nützliche Beschäftigung, auch Anspielung auf den Dienst niederer Begierden, daher:

218. Buhlen ist ihr lieber als Schulen.

219. Ihr Hals ist zugedeckt wie die Fleischbänke zu Fastnacht — Die Eltern sind meist schuld, wenn ihre Kin=der in Sünde gerathen, wenn sie es dulden, daß die Toch=ter hübsch lieberlich um den Hals ist, und man darauf le=sen kann, was im Herzen geschrieben ist, wenn er zuge=deckt ist.

220. Er ist wie der Feigenbaum. — Er hat Blätter, nämlich Kartenblätter, und keine Frucht, oder nur schlechte.

221. Sie reist gern nach Danzig, und bleibt in Leip=zig über Nacht.

222. Die Erde bringt keine Frucht, wenn man sie nicht mit dem Pflugeisen durchgräbt. — So thut die Jugend kein gut, wenn man sie nicht scharf hält.

223. Wenn man das Eisen nicht hämmert, so kann man es nicht gebrauchen. — Das Eisen, so erst aus den knopperten Bergwerk gebrochen, ist nichts Gutes, es komme denn der harte Hammerstreich darauf. Die Jugend bleibt nichts nutz, so man der Streiche schont.

224. Ohne Taktstreich verdirbt die besste Musik. —

Die Jugend wird sich eben so meist ungereimt verhalten, wenn der Takt der Eltern oder des Präzeptors mangelt.

225. Die Leinwand allein macht kein Gemälde, wenn der Maler den Streichpinsel nicht nimmt. — So wird die Jugend den Eltern keine Zierde bringen, wenn sie nicht wohl mit dem birkenen Streichpinsel auf die Leibfarbe anhalten.

226. Wenn die Blumen nicht umzäumt sind, kommt eine jede Sau darüber. — So müssen die Kinder mit Ruthen und Stekken umzäunt sein, wenn sie gedeihen sollen.

227. Wenn man die Ruthe spart, so werden die Kinder schlechter Art. — Nero wäre kein solcher Bösewicht geworden, wenn ihn seine Mutter Agrippina schärfer gehalten hätte. Jener Sohn hätte bei dem Galgen der Mutter das Ohr nicht abgebissen, wenn sie ihn besser in der Jugend gezüchtigt hätte.

228. Zu diesem Schifflein muss man Ruder brauchen, die der Besenbinder feil hat. — Von Kindern, die mit Schifflein verglichen werden, und nur durch das Ruder der Ruthe zu lenken sind.

229. Er ist wie die Brennnessel, je leiser man sie angreift, desto mehr brennt sie, wenn man sie aber stark reibt, so schadet sie nichts. — Von solchen die nicht mit Sanftmuth zu behandeln sind. Abraham sagt es in Beziehung auf Kinder, die zu erziehen sind.

230. Wo solcher Zeiger ist, da kann die Uhr nicht unrecht gehen. — Abraham legt diese Worte einem strafenden Lehrer, der die Ruthe damit anredet, in den Mund.

231. Der Feierabend ist in den Geldbeutel gekommen. (Sein Vermögen geht zu Ende.)

232. Um den Klosterhabit bitten. — (Mönch werden.

233. Er ist wie die Bildsäule des Königs Nebukadnezar. — Diese hatte ein goldnes Haupt, eine silberne Brust,

einen metallnen Leib, eiserne Schenkel und irdene Füße. Von Jemand, der anfänglich gut, in wenig Jahren aber merklich schlechter, und zuletzt gar irdisch wird.

234 Es geht ihm, wie dem David mit dem Harnisch. — (Er kann sich in seine Lage, Verhältnisse, Schikksale nicht finden.)

235. In fremde Sachen die Hände strekken. — (Stehlen.) Wenn die Stränge kommen, ist die Strenze zu spät. Wenn der Mensch verdorben ist, dann kann ihn die beste und strengste Zucht nicht bessern.

236. Jemanden mit der Birke bekannt machen. — Ihn mit der Ruthe züchtigen. Wie unbedachtsam handelt ihr, wenn ihr den Lehrmeistern so schimpflich nachredet, als brauchen sie in der Schulkur das Birkenwasser zu sehr, und verfahren gar zu streng mit euern Kindern. Aber glaubt mir darum:

237. Mancher Schilling gilt mehr, als acht halbe Kreuzer. — Und wenn ihr Eltern wollt einmal einen Schatz finden bei euern Kindern, so lasset seinem Zuchtmeister die Wünschruthen brauchen. Aber etliche Eltern sind heiklicher mit ihren Kindern, als die Venetianer mit ihrem Arsenal.

238. Jemandem den Strohsakk vor die Thür werfen. — (Ihn aus dem Hause vertreiben.)

239. Er kann zwei Bücher auf einmal lesen. — (Er schielt.)

240. Sich den Fuß vertreten, um den Schuh zu schonen.

241. Die Schale aufheben, und den Kern hinter die Thür werfen.

242. Die Dukaten verschütten, und die Saubläsen, (worin sie waren) aufheben.)

243. Den Degen verrosten lassen, und die Scheide vergolden.

244. Die Gans vor den Hund werfen, und den Fle-

berwisch auftragen. — So thöricht und verkehrt, wie dies
wäre, so verkehrt handeln die Eltern, welche mehr für den
Körper ihrer Kinder, als für die Seele thun. Er sagt
darüber: So und nicht anders pflegen viel Eltern zu häu=
sen, sie schauen auf alle Weg' und Steg, wie sie den Leib
der Kinder, so ja nur ein schwarzes und speres Hausbrodt
versorgen, schützen, verwahren, bedekken, zieren, und auf=
bringen, aber die Seel, welcher der oberste Theil, worin
das mehrste liegt, lassen sie unbewahrt offen stehen, denen
höllischen Raben zu einem Raub. Wenn die Eltern ein
Kind haben, welches einen Bukkel hat, so groß wie ein
Scheerhaufen im Majo; wie schämen sie sich so sehr, wenns
in den Augen schielet, daß es zwei Bücher auf einmal le=
sen kann, und mit einem Aug in die Höhe, und mit dem
Andern in die Tiefe schaut, wie eine Hausgans. Wie ver=
drüßt es sie so stark, wenn es auf einer Seite hinkt, wie
ein Hund, den die Köchin mit dem Nudelwalger bewill=
kommt. Wie schmerzt nicht solches die Eltern, wenns im
Gesicht ein ungeformtes Muttermal hat, etwa auf der Nase
eine Kirsche, daß der Stengel ins Maul hängt. Was
gäben die Eltern nicht darum, daß ein Kernbeisser solches
Obst verzehrte. Der geringste Leibestadel ist denen Eltern
verdrüßlich, da sucht man Augen=, Zähn=, Ohren=, Nasen=,
Maul= und Kinderärzte und Ärztinnen, in allen Orten und
Pforten, solches Uebel zu wenden. Aber wenn die Seele
ist wie eine Wüste, wo nicht Pachomius, sondern Baucha=
mius wohnt; denn die Seel ist, wie ein Tempel, wo nicht
ein heiliger Venantius, sondern eine heillose Venus verehrt
wird; wenn die Seel ist ein Garten, worinnen nicht mit
Nüssen, sondern Aergerniß, nicht ein riechender Salvi,
sondern eine stinkende salva venia wachset. Wenn die
Seele eine Gasse ist, aber nicht bei den zwölf Aposteln zu

Wien, sondern im Sauwinkel daselbst; das achten und betrachten die Eltern nicht, das schmerzt sie nicht; wenn ein Kind den Fuß bricht, da weint die Mutter, da ist näsferes Wetter, als im November; wenns aber Gott ver= achtet, da ist trokfners Wetter, als im Heumonat. Das kommt mir just vor, als wenn einer Achtung gäbe auf den Schuh und sich den Fuß 2c.

·245. Nicht wissen, wie man der Hakke einen Stiel finden soll. —(Über die Mittel zu irgend etwas in Verlegenheit sein.)

246. Dies Geläute wird das trübe Wetter bald ver= treiben. — Von einem Ereigniff, das geeignet ist, eine heitere Gemüthsstimmung an der Stelle der trüben zu set= zen. Der uneigentliche, sprichwörtliche Ausbrukf hat darin seine Quelle, daff man früher dem Glokfengeläute einen großen Einfluff auf die Witterung, auch sogar auf die Vertreibung der Gewitter zuschrieb.

247. Willst du heirathen, so besinne dich fein, sonnst bekommst du Effig für den Wein. —Schlimm gehts, wenn er nicht fragt, wie sie beschaffen, und sie nicht nachforscht, wie er genaturt.

248. Holdselig ist beffer als goldselig. — (Beffer eine tugendhafte, als eine reiche Frau.)

249. Schnelle Bekanntschaft, giebt schlechte Verwandt= schaft. — Übereilte Heirathen machen eine schlechte Ehe. Ein mancher verblendet sich, und verbrennt sich nur an der schönen Gestalt, da doch das gemeine Sprichwort uns erinnert: da

250. Die Schönheit vergeht, die Tugend besteht. — Im wenn die schöne Gestalt wäre wie die Kleider der Is= raeliten in der Wüste, die 40 Jahr unversehrt blieben. Aber mit der schönen Gestalt hat es weit andere Eigen= schaften, denn.

251. Man bleibt nicht immer in Schönau, man kommt auch nach Braunau. — (Die schöne Gestalt und Gesichts= farbe macht einer häfflichen Platz.) Oder:

252. Man bleibt nicht stets in Glatz (Schlesien), man kommt auch nach Zweifalt (in Schwaben.) — (Die Glätte der Haut zieht sich in Falten.)

253. Schwarze Augen sind schön, aber sie werden leicht roth.

254. Er bekommt eine herrliche, aber keine ehrliche.

255. Sich in die Scheide vernarren, und nicht wissen wie der Degen aussieht. — Eine Heirath eingehen, bloß auf Grund des schönen Küssern, ohne Kenntniß der Ge= müthsart. Denselben Sinn hat:

256. Er verliert sich an der Haut, und weiß nicht die Braut.

257. Die Tugend besteht, die Schönheit vergeht. — Freilich wol sein schön die rothen Wangen, aber nicht be= ständig, mit der Zeit werden sie einfallen, wie ausgepfiff= ner Dudelsack. Freilich wol ist schön eine weiße, und gleich= sam alabasterne Nase, aber nicht beständig, mit der Zeit wird ein alter Kalender daraus, worinnen stets feuchtes Wetter anzutreffen. Freilich wol ist schön ein Corallener Mund, aber nicht beständig, mit der Zeit sieht er auch aus, wie eine gerupfte Blaumaise. Freilich wol sein schön die silberweissen Zähne, aber nicht beständig, mit der Zeit werden auch gestumpfte Pallisaten daraus. Freilich wol ist angenehm die schöne Gestalt, aber nicht beständig, sie geht mit der Zeit auch zu Trümmern, wie die alabasterne Büchse der Magdalene. Aber die Tugend besteht, wenn Schönheit vergeht.

258. Ein Weib ohne Tugend, ist eine vergoldete Pille, auswendig hui, inwendig pfui.

259. Ein Weib ohne Tugend, ist ein schönes Buch mit leerem Register.

260. Ein Weib ohne Tugend, ist ein goldner Becher mit saurem Wein.

261. Sie hat ihrem Mann das türkische Wappen auf den Kopf gesetzt. — (Den Halbmond mit zwei Hörnern, ist ihm untreu geworden.

262. Es ist ihr gegangen, wie den grázer Landkutschern. — (Sie hat einen bösen Mann bekommen. Jene Kutscher kehrten stets zu Wien auf der Káronceftraße, in einem Gafthaufe ein, der den Titel führte: „zum wilden Manne".)

263. Jemanden Fünffingerkraut aufs Maul legen. — (Ihn aufs Maul schlagen.)

264. Es ist alle Tage Donnerstag bei ihm. — (Von einem Manne, der seine Frau täglich schlägt.)

265. Kapaunen und Kuhfleisch läßt sich nicht in einem Topfe gleich sieden.

266. Der alte Kalender vergleicht sich nicht mit dem neuen.

267. Neumarkt und Altmarkt liegen weit von einander.

268. Alte Spitalware mischt sich gern unter neuen Kram. — Von ungleichen Ehen, besonders dem Alter nach; Verbindungen zwischen sehr alten und jungen Personen thun selten gut. In dieser Beziehung sagt er auch:

269. Seneka ist nicht für Buben, die mit der Nase auf den Ärmel schreiben.

270. Jemanden mit Holzbirnen traktiren. — (Mit Prügeln.)

271. Ihre Köpfe sehen zu einander, wie des Kaisers Aller. — (Sie sind ganz uneins, eins will dies, das Andere etwas anders.)

272. Wer die Sache beim Licht beschaut, wird nicht hinter das Licht geführt.

273. Man muß den Kauf nicht zu schnell machen. — (Jede Sache bedarf Überlegung.)

274. Er ist wie der Himmel, alle Tage sternvoll. — (Nämlich betrunken.)

275. Seine Nase ist wie die Feiertage im Kalender. — (Roth, er ist ein Trunkenbold.)

276. Er geht grade wie die Donau bei Dillingen. — (Taumelt hin und her.)

277. Der Beutel wird eitel. — (Das Vermögen geht zu Ende.)

278. Aussehen wie die Arbeit der Weindrechsler. — (Sehr dürftig, ganz abgemagert sein, blos aus Haut und Knochen bestehen.)

279. Sein Haus ist aufgeputzt, wie die Altäre am Karfreitage. — (Alles ist leer, ausgeräumt; der Mann ist von allen Mitteln entblößt.)

280. Zu oft voll, macht bald leer. — (Unmässigkeit im Genuß, bringt Armuth.)

281. Er hat den Nagel selbst gespitzt, in den er getreten ist. — (Ist selbst an seinem Ungemach schuld.)

282. Er hat sich die Zwiebel selbst ins Auge gebracht, die ihn jetzt beißt. — Bedeutung eben so:

283. Er hat das Feuer selbst angelegt, welches sein Haus in Asche legt.

284. Die Schwalben sind ihm über die Augen gekommen wie dem Tobias. — (Er ist sehr verblendet.)

285. Es träumt ihm stäts wie dem Mundschenken des Königs Pharao. — (Von Weintrauben, er denkt nur an das Trinken.)

286. Der blinde Bub ohne Schutz, läßt ihm keine Ruh. — (Amor; er ist stäts voll Liebesgedanken.)

287. Obenhin, wie die Hunde aus dem Nil trinken. — (Von solchen, die alles flüchtig, ohne gründliche Überlegung thun, von den Oberflüchtigkeits-Menschen.)

288. Die Franzosen fürchten sich vor den spanischen Mücken. — (Span. Sprichw.) Abraham erzählt den Ursprung des Sprichw. so: „Als in Spanien die Stadt Gerunde von Karl, dem Könige von Sizilien, und Philipp, König von Frankreich erobert worden war, wollten die Franzosen das Grab des heil. Narziß berauben, wurden aber an diesem gottlosen Vorhaben, durch eine unzählige Menge Mücken gehindert, die wunderbarer Weise aus dem Grabe des heil. Narziß herausflogen. Dieser kleine Feind, mit seinen kaum sichtbaren Seillet, hat eine große Anzahl Franzosen erlegt, die übrigen alle spöttisch in die Flucht gejagt, also daß annoch bei den Herrn Spaniern das Sprichw. lauft: Die Franzosen 2c. So Abraham. Etwas davon ist sicher wahr; übrigens macht es den Spaniern immer wenig Ehre genug, daß ihre Mücken tapfrer sind, als ihre Soldaten, die sich ihre Festung nehmen liessen, welche die Mücken zu vertheidigen wissen.

289. Er wünschte, ihre Seufzer hätten Schellen, oder Glökkel, wie die Schweizerkühe, damit er wüsse, wo sie hingingen. — (Von einem eifersüchtigen Ehemanne.)

290. Wo der Hund bei der Herde fehlt, frisst der Wolf die Schaafe. — Abrah. betrachtet unter den Mönchsorden den Orden der Dominikaner, als den die Christenheit beschützenden. „Gewiß ist es,“ sagt er, daß viele unzählige Schäfel Christi durch die ketzerischen Wölfe wären in Verlust gerathen, wofern nicht die Dominikaner als **Domini cans** wachsame Hunde des Herrn, mit ihrer apostolischen Stimme hätten solche Unthier abgetrieben.

291. Je mehr Früchte ein Baum trägt, desto mehr

schlagen die Buben darein. — So geht es der Gesellschaft
Jesu, (Jesuiten) je mehr sie der Welt Hilfe*) reicht, je
ungestümer tobt die Welt wider sie, unter solchen Verfol=
gern, sind die meisten Ketzer**).

292. Auch der beste Baum kann wurmstichiges Obst
tragen.

293. Kein Haus ohne Winkel.

294. Kein Weinfaß ohne Lager.

295. Kein Garten ohne Nessel.

296. Kein Baum ohne wurmstichige Frucht.

297. Kein Weizen ohne Wicken. (Disteln.)

298. Keine Rosen ohne Dornen.

299. Kein Markt ohne Dieb.

300. Kein Garten ohne Sau.

301. Kein Licht ohne Butzen.

302. Kein Himmel ohne Wolken.

303. Kein Handwerk ohne Stümper.

304. Keine Scheuer ohne Stroh.

305. Keine Apotheke ohne Gift. — Erklärung von
293 bis 305. Kein Stand ohne böse unwürdige Mitglie=
der. Gewiß ist es, daß hoch herrlich, heilig jeder geist=
liche Stand, aber auch keiner eines Unkrauts befreit ist,
gleichwie kein Haus 2c.

306. Hinauf ist mein Lauf. — (Sollte der Wahlspruch
aller Geistlichen sein.)

307. Eine Sau aufheben. — In ein Laster fallen.)

---

*) Aber was für Hilfe?
**) D. h. Männer der Wahrheit, geistiger Freiheit, die
ihren Kopf nicht unter eine römische Gewissensherr=
schaft berücken wollen.

308. Auch unter den zwölf himmlischen Zeichen giebts einen Skorpion. — In jeder Verbindung, Gesellschaft ꝛc. wird man ein unwürdiges Glied finden, aber man muß deßhalb nicht alle verurtheilen und verwerfen. So sind auch nicht alle Geistlichen wegen eines unwürdigen zu verachten. Was kann Abel, der Unschuldige dafür, daß sein Bruder Kain nichts nutz gewesen, was Jakob, der gerechte, daß sein Bruder Esau ein schlimmer Gesell gewesen ist; was Isaak der Fromme, daß sein Bruder Ismael nicht weit hergewesen, was kann das wakkere Kriegsherr Josua dafür, daß einer unter ihnen einen Dieb abgegeben; was sollen dessenthalben die Religiösen und Geistlichen entgelten, wenn einer oder der andere nicht geistlich, sondern geißlich ist. Gibts doch unter den zwölf ꝛc. Gleiche Bedeutung haben:

309. Auch in der Arche Noahs ist ein Rabe gewesen.

310. Ein hochzeitliches Kleid anhaben. — Für eine Feierlichkeit, irgend einen feierlichen Zwekk nicht gerüstet sein, sich nicht in dem erforderlichen Zustande befinden.

311. Er schikkt sich dazu, wie die Sichel in ein Messergestekk.

312. Sein Zimmer hat nur ein Fenster. Oder:

313. Er gäbe einen guten Schützen ab. — (Hat nur ein Auge.)

314. Drei Dinge sind dem Hause überlegen: Der Rauch, ein böses Weib, und der Regen.

315. Er hat ein Gesicht wie Alpeier Leinwand, die nur auf einer Seite gebleicht ist.

316. Mit wem einer umgeht, deß Sitten zieht er an, so daß mancher fromme Jüngling aus einem Edmund, ein Immund, aus einem Engelbert ein Teufelswerth wird. Wundere Dich deß nicht; die schlimme Gesellschaft hat

ihm das Kleid der Unschuld ausgezogen, die bösen Kame=
raden haben ihm ihre Untugenden angehängt.

317. Ein Hase wird vielen bissigen Hunden zum Raube.

318. Die Fackel mag noch so schön brennen, endlich
erlischt sie doch.

319. Der beste Fuhrmann wirft um. — (Von Petri
Verläugnung.)

320. Der schärffte Degen bekommt am ersten eine
Scharte.

321. Der schönste Baum verdorrt einmal.

322. Auch aus gutem Weine wird Essig. — So ist
es geschehen, daß Petrus seinen Herrn, für den er zuvor
Gut und Blut gespendirt, meineidig und spöttlich hat ver=
läugnet.

323. Als Petrus nach Hofe kam 2c. — Petrus befand
sich zu Hof bei dem Feuer. Beim Feuer machte er einen
Feierabend seiner Treu, beim Feuer that er in der Liebe
erkalten; bei angezündeten Prügeln scheiterte seine Hei=
ligkeit.

324. Wenn die Fackel erlischt, wie soll es den Wachs=
lichtlein gehen! — Wenn der Starke, der in günstigen
Verhältnissen Lebende, fällt, wie viel Ursache hat der
Schwache auf seiner Hut zu sein., welcher der Verführung
preisgegeben ist.

325. Brennen wie dürres Haberstroh. — (Leicht für
äussere Eindrücke empfänglich, besonders der Verführung
leicht zugänzlich.) Eben so:

326. Fangen wie Zunder. — Merkt es förderst ihr
Eltern, daß ihr eure Kinder nicht leichtlich zu gottlosen
Buben gesellet, in Erwägung, daß gar wahr ist, was das
gemeine Sprichwort sagt:

327. Böse Gesellen schicken Manchen in die Höllen.

3

328. Mit Saufern wird man ein Schlemmer.

329. Bei Dieben lernt man Stehlen.

330. Wer mit Dieben umgeht, findet gar nicht sein Heil, aber sehr oft ein Seil.

331. Wer mit Pech umgeht der klebt.

332. Wer mit Schwamm umgeht, riecht nicht nach Weihrauch.

333. Was mit Essig zusammen kommt, sauert.

334. Wer mit Einheizen umgeht, der bründelt. (Riecht nach dem Brande.)

335. Wer mit Saifen umgeht, bökkelt.

336. Wer mit Säuen umgeht, schweinelt.

337. Wer mit Schelmen umgeht, schelmelt. — (Sprich= wörter von 327 bis 337, über den Gedanken, womit man umgeht, das hängt einen an.)

338. Ein Messer wetzt das andere. — So macht ein Vermessener den andern vermessen.

339. Ein brennender Span zündet auch den andern an. — So bringt ein lasterhafter Gespan auch den näch= sten zum Verderben.

340. Wenn das Kammrad schlecht ist, so gehen auch die andern übel. — So macht ein schlimmer Kamerad auch den nächsten schlimm.

341. Goldne Berge versprechen. — Von Gelübden der Juden, die sie ihrem Jehovah von Zeit zu Zeit machten.

342. Er hat das Maul in porzellanischen Geschirr. — Gefällt sich in garstigen Reden, unfläthigen Späßen.

343. Wenn er einem Hasen so ähnlich wäre, als einen Narren, so hätten ihn die Hunde schon längst gefressen.

344. Eine Schwalbe macht keinen Sommer.

345. Ein Krämer macht keinen Jahrmarkt. — Man muß nicht von einem schlechten Arzte auf alle schließen.

Es giebt wol zu Zeiten einen schlechten Dokter, über den kein Patient klage, denn er stopft ihnen allen das Maul mit Erde zu; aus dem aber folgt nicht, daſſ man alle Mebicus soll schimpfen; denn ein ꝛc.

346. Seitenweh haben. — (In schlechter Gesellschaft sein. Einen schlechten Gesellen an der Seite haben.)

547. Ein räubiges Schaaf stekkt die andern an.

548. Ein wenig Sauerteig durchsauert den ganzen Trog.

549. Ein fauler Apfel macht auch die andern faul.

550. Ein vom Berge fallender Stein, nimmt viel andere mit sich. — Also lokkt ein Boshafter viel Andere zur Bosheit.

351. Die geht wie der Palmesel acht Tage vor Ostern. — (Sehr geputzt.)

352. Jemandem mit scharfer Lauge den Kopf waschen. — Gott wusch mit der scharfen Lauge der Sünd-fluth, der sündigen Welt den Kopf.

555. Viele kommen von Reisen zurükk: Das Gewissen beschwert, die Gesundheit verzehrt, die Sünden vermehrt, die Sitten verkehrt, das Herz bethört, ein Brokken dem Teufel bescheert.

584. Gelegenheit macht Liebe und Diebe.

585. Gelegenheit bringt Manchen um die Reinigkeit.

586. Die Gelegenheit muſſ man meiden, sonst wird ein Kohle aus der Kreiden.

587. Die Donau wird eher zurükklaufen, eine Mükke wird eher das Meer aussaufen.

588. Es wird ein Mühlstein fliegen, und sich das Glas wie eine Senbe biegen. — (Ehe das und das geschieht, ehe ich das thun würde.)

589. Ein Tanzbär wird eher lernen pfeiffen, als daſſ ich mich sollte daran vergreifen.

3*

560. Keiner ist weit von der Sünde, der nahe bei der Gefahr ist.

561. Trau keinem Juden bei seinem Eid, trau keinem Wolfe auf grüner Haid.

562. Trau keiner untergrabenen Stätte, und keinem Hund an der Kette.

563. Bau auf keinen gefrornen Fluß, und trau nie einem Judaskuß.

564. Trau keinem Wetter im April, und keinem Schwörer in dem Spiel.

565. Trau keiner Katze bei ihrem Kosen, und keinem Diebe mit grossen Hosen.

566. Trau keinem Scheermesser mit einer Scharte, und keinem Mann mit rothem Barte.

567 Trau keinem Bruder bei dem Zechen, und keinem Lügner bei seinem Versprechen.

568. Trau keiner bösen Gelegenheit, sonst kommst du in Ungelegenheit. — Obgleich der Grund des rothen Meeres voller Koth gewesen, so haben die Israeliten ihre Füsse im mindesten nicht besudelt, sondern sind durch den Koth gegangen, wie die Sonnenstrahlen, unbemähligt durch eine Kothlacke. Es ist ein grosses Wunder, wenn Jemand im Koth steht, und durch Koth geht, und nicht bekothigt wird, doch aber ist ein grösseres Wunder, bei der Gelegenheit zu sündigen sein, und nicht sündigen.

569. Wo die Kerze auslischt, da muß ein Schwefelhölzlein nicht popen. — (Wo der Starke erliegt, muß sich der Schwache nicht vermessen.)

570. Wenn sich das Eis vorm Feuer fürchtet, wie kann ein Strohwisch entgehen. — Wenn ein Alter vor den Reizungen der Sinnlichkeit zittert, wie viel mehr Ursach hat ie weit empfänglichere Jugend. Ähnlich:

371. Wenn die Eiche zittert, muß sich die Staude nicht übernehmen. — Fallen mit einem Worte heilige Leúte, durch böse Gelegenheit, wie kann sich denn der Gebrechliche, Unvollkommene, den **Salvum conductum** versprechen.

372. Er weiß, wie die Ziegen meckern.

373. Wissen, wie solche Katzen schmeicheln.

374. Wissen, wie dergleichen Vögel singen. — (Er hat Erfahrung, besitzt Welt und Menschenkenntniß.)

375. Auf einen solchen Herd, gehört eine solche Gluth.

376. Auf einen solchen Kopf, gehört ein solcher Hut.

377. Auf einen solchen Hafen gehört ein solcher Deckel.

378. Zu solchem Felde gehört ein solcher Beutel.

379. Zu einer solchen Festung, gehört eine solche Schanze.

380. Zu solchem Kirchtag, gehört ein solcher Tanz.

381. Zu solchem Thurme, gehören solche Glokken.

382. Zu solchem Garten, solche Mauer.

383. Wie das Dorf so der Bauer.

384. Zu solchem Degen, gehört solche Scheide.

385. Zu solchem Vieh, gehört solche Weide.

386. Zu solchem Spiegel, gehört eine solche Rahme.

387. Wie das Pferd, so die Striegel.

388. Wie der Schelm so die Prügel. — (Jedem was ihm gebührt. Jedem das Seine. Gleich und gleich rc.)

389. Etwas mit krummen Händen bewillkommen. — Nehmen; von Judas, der die Kasse auf diese Weise grüßte.

390. Mit faulen Fischen umgehen. — (Betrügen.)

391. Auf der umgekehrten Bank fischen. — (Stehlen.)

392. Lange Finger haben. — (Stehlen)

393. Der Seidenwurm der Frauen, macht einen Gewissenswurm dem Manne. — (Uebermässiger Aufwand der Frau verführt den Mann oft zu unlautern Mitteln, ihn zu befriedigen.)

394. Einkehren, wo der Esel in der Wiege. liegt. — (Im Stalle.)

395. Er geht, als wenn er dem babylonischen Thurme den Kopf aufsetzen wollte. — (Sehr hochmüthig, die Nase hoch tragen.

396. Er steht da, wie ein Paar neue Schweizerhosen. — (Macht sich sehr breit und wichtig.)

397. Gottes Gnad und Menschen Fleiß machen aus einem Hausmeister einen Hofmeister, aus einem Trabanten einen Kommandanten, aus einem Vorgeher einen Vorsteher.

398. Die Kreide kann ihm nicht viel zuschreiben. — (Er ist arm, man kann ihm nicht viel Krebit geben.)

399. Jemanden mit Schlagbalsam versehen. — (Mit Prügeln.)

400. Der Wassermann wohnt in seinem Keller. — (Sein Wein ist gewässert.)

401. Sein Wein ist von Wasserburg. — (Reichlich mit Wasser ausgestattet.)

402. Wie gewonnen, so zerronnen. — Dieb und Ju= dasbrüder glauben fast, daß sie durch Stehlen reich wer= den; aber es zeigt die beständige Erfahrung das Wider= spiel, und erfährt, mag allemal daß wahr sei, was die Alten im Sprichwort hatten: Wie gewonnen ꝛc. Und man sagen muß (zu dem durch unerlaubte Mittel Reich gewor= denn:) Aber um Gotteswillen, Herr von Greifenfeld, wie habt ihr eine so schöne Summe Geld angewandt, daß ihr ein so armer Schlukker seid und

403. Mit der Nase auf den Ärmel schreiben muß.

404. Sein Hut hängt die Flügel,wie ein abgestoßnes Schwal= bennest. —(Er ist in Verlegenheit, besonders in Geldverlegen= heit; äußerer Zustand der Noth, der den Muth gelähmt hat.)

405. Die Zehe sieht zum Fenster heraus, um zu sehen,

ob Meister Hans bald mit dem Leisten kommen wird. —
(Seine Schuhe sind in schlechtem Zustande.)

406. Bei gestohlnen Dingen wills nicht gelingen.

407. Was man unrecht thut erwerben, das kommt nicht zum dritten Erben. — Der Hans Jakob hat so viel tausend empfangen, nun ist alles hin, jetzt giebt er einen Jakobs-Bruder ab. Der Christoph Reichard hat so viel Tausend geerbt, nun ist alles hin, jetzt ist aus einem Reichard ein Gebhard geworden. Um Gotteswillen, wo ist das Geld hingekommen. O fragt nicht lange! was man unrecht ꝛc. Denn ihr Vater war der und der; er hat sich in seinem Dienst mit fremdem Gut und Geld bereichert. Wie gewonnen ꝛc. Besser und erspriesslicher, wie auch nützlicher ist:

408. Ein gerechter Kreuzer, (den der Vater seinem Kinde hinterläßt) als hundert ungerechte Gulden.

409. Ein ungerechter Kreuzer verzehrt hundert gerechte Gulden. — Der gelehrte Aristoteles schreibt von den Adlersfedern, daß, wenn man sie zu andern Federn lege, sie dieselben verzehren und auffressen. Fast eine gleiche Beschaffenheit hat es mit dem, durch Betrug und Diebstahl erworbenen Gut, wenn man einen ungerechten Kreuzer zu einem gerechten Groschen legt, so wird der gerechte den ungerechten verzehren. Sobald ein ungerechter Gulden ins Haus kommt, so fliehen zehn gerechte aus dem Haus.

410. Wenn der Himmel trüb ist, so sieht man keinen Stern. — Dieb und trüb haben aber fast gleiche Art. Wenn der Himmel ein Dieb ist, so spürt man weder Stern noch Glück bei ihm. Ich bin kein Doktor, aber die Diebe kann ich kuriren. Wenn einer etwas gegessen hat, so ihm ungesund und sehr brükken thut, so ist das beste Mittel: Er gibts wieder (Vomi torium,) hart zwar kommts Einem an, wenn man muß:

411. Muſiciren, daſſ die Saue die Noten freſſen. — (Brechen.)

412. So grob reden, daſſ man die Wörter mit dem Beſen zuſammenkehren muſſ.

413. Würgen, als wollte man (er) Holzäpfel eſſen.

414. Sein Magen iſt ſo freigebig, wie ein Müllerbeütel, mit einem Wort, hart kommts ihn an, wenn er wiebergiebt. Aber nachdem es geſchehen, ſo frage ihn, wie er ſich befinde, wird er antworten, er befinde ſich ganz wohl ums Herz, es drükkt ihn nicht mehr, es iſt ihm nicht mehr ſo ängſtig. Ihr Diebe habt ein frembdes Gut zu euch genommen; gebts wieder zurükk, ſonſt iſt kein anderes Mittel denn:

415. Man kann keinen von Sünden löſen, er gebe denn zurükk das geſtohlne Weſen.

416. Mit Jemandes Gelde umgehen, wie der Habicht mit der Taube. — (Es treulos verwalten.)

417. Er ſaugt wie der Badeſchwamm. — (Sucht ſein Eigenthum auch auf ungerechte Weiſe zu vermehren.)

418. Er zieht den Prozeſſ wie der Schuſter das Leder — (Dehnt ihn ſehr in die Länge.)

419. Er macht eine kleine Sache ſo groſſ, wie die Nürnberger einen Dukaten ſchlagen. — (Von in die Länge ausgeſpannten Prozeſſen, überhaupt von unnöthigen Weitläuftigkeiten.)

420. Zu Fusniak vertreibt man die Mükken. — Vom heiligen Bernhard ſchreibt man, daſſ er auf eine Zeit ganz wunderlich die Mükken vertrieben. Er kam einſt in die Abtei Fusniak, wo er der erſten Weih einer neuen Kirche beiwohnen wollt; es hatte aber eine ſo unglaubliche Menge Mükken das neue Gotteshaus dergeſtalt eingenommen, daſſ die Leute von dem Schnurren und Stechen derſelben über die Maſſen beängſtigt wurden. Dies hat bem heil. Bernh. ſehr miſſfallen, baſſ ſo kleine Thiere ſo groſſe überlaſt ſollen verurſachen, er faſſte baher einen billigen Zorn gegen ſie, und hat bieſelben alleſammt erkommunizirt. Des anbern Tages waren bie Mükken alle todt, aus welchem Wunber nachher das gemeine Sprichw. entſtanden: Zu Fusniak ꝛc.

421. Ausſehen wie ein Eſſigkrug. — (Sauer, mürriſch.)

422. Hinter ben Ohren kratzen, wie ein Pubel im Juli. — (Grillen im Kopfe haben, über trüben Gebanken brüten.)

423. Seine Stirn ſetzt nur trübes Wetter. — (Sieht verbrieſſlich aus, verſpricht nichts Gutes.)

424. Er iſt ſtiller wie bie Glokken am Karfreitag. — (Sehr ſtill.)

425. Sein Gewerbe iſt unter bem Zeichen bes Krebſes. — (Geht rükkwärts.)

426. Sein Maul iſt unter bem Zeichen bes Waſſermanns. — (Er kann unb darf keinen Wein trinken.)

427. Seine Freunde ſind im Zeichen bes Skorpions. — (Sie laſſen ihn im Stich.)

428. Wo kein Gelb in ber Taſche, kein Wein in ber Flaſche, kein Getreibe in ber Scheüer, kein Haſen beim Feüer, uub kein Brot im Haus, ba iſt Alles aus.

429. Melancholie iſt bes Teüfels Amme.

430. Gott verläſſt keinen Deütſchen.

431. St. Nikola legt (beſchert) nicht alle Tage ein.

432. Gott verläſſt Keinen, ber ſich auf ihn verläſſt.

433. Löffelkraut iſt ihm lieber als Ehrenpreis. — (Er zieht das Schlechte bem Beſſern vor.)

434. Der Tiſchler halte ſeinen Hobel, unb ber Kürſchner bleibe bei ſeinem Zobel.

435. Der Schuster geh zu seinem Leder, und der Schreiber halte seine Feder.

436. Der Schlosser führe seine Feil, und der Metzger sein Beil.

437. Der Maurer halte die Kelle, und der Gerber schabe seine Felle.

438. Der Maler reibe seine Farben, und der Schnitter binde seine Garben. — Ein Jeder gehe zu seiner Arbeit, treibe sein Gewerbe, thue keinem Unrecht, lasse nichts mangeln an seinem Fleisse, im übrigen aber mache er sich weiter keine Mukken, sondern überlasse alles Gott, seinem himmlischen Vater. Lache und singe, hüpfe und springe, sei allezeit gutes Muthes. Solchergestalt wird Dich Gott zeitlich und ewig segnen.

439. Es ist aus dem Grase Heu geworden.

440. Der Baum ist wurmstichig geworden.

441. Der Bach ist trübe geworden. — (Die guten Eigenschaften eines Gegenstandes, einer Person, der günstige Zustand, hat sich zum Nachtheil verändert. Der Erfolg rechtfertigt die Erwartungen nicht.)

442. Wer kleine Mängel nicht acht, wird bald in grosse Laster gebracht. — Von Judas; er war anfangs ein kleiner, subtler, furchtsamer Dieb, denn er erstlich nur einen Groschen gemauft. Was wollt das sein! nachmals zwei Groschen gefischt, nach und nach drei Groschen gezogen, mit der Weil vier Groschen ertappt und immer mehr, bis er endlich allemal von zehn Gulden einen gestohlen, und zuletzt das höchste Gut Jesum, um Geld verkauft. Wer kleine &c.

443. Aus einer kleinen Sau, wird eine grosse Sau. — Die Sau, ein vornehmer Fluss in Slavonien. Diese Sau hat kein Maul, lebt nicht, und frist doch viel, da beisst sie

ein Stükk Akker hinweg, dort eine Reih Wiesen, ander=
wärts ein große Gestedten, an ei em andern Ort ein halbes
Dorf, und derhalb eine ganze Au, ei du grobe Sau! Wo
diese Sau entspringt, ist sie so klein, daß ein jähriges Kind
darin ohne Furcht eines Schiffbruchs tändeln kann und
scherzen, wie in einem Badwandel, etlich Spann breit, eine
halbe Spann tief, und dennoch, wann sie eine Weil rinnt
und lauft, wird aus einem so kleinen Wässerl, ein so gros=
ser Fluß, aus einer kleinen Sau, mit der Zeit eine groß=
mächtige Sau. Die Menschen, und forderst die lasterhaf=
ten Menschen, sein mehrentheils gesittet, und gesinnt wie
dieser Fluß Savus, die Sau. Keiner wird auf einmal
eine grobe Sau, eine unzüchtige Sau, ein wilder Sauma=
gen, sondern er fängt an, erstlich von kleinen Fehlern,
und so man die kleinen Unvollkommenheiten nicht achtet,
so wird man sich mit der Zeit unfehlbar in grosse und ab=
scheuliche Laster stürzen.

444. Wer den Funken nicht achte, den verzehrt die
Brunst.

445. Wer den Tropfen nicht achtet, dem fällt bald das
Haus auf den Kopf.

446. Wer das Löchlein übersieht, dem versinkt bald
das Schiff.

447. Beim Kleinen fängt man an, beim Grossen hört
man auf. — Wer ein kleines Sandkörnlein nicht achtet
in der Pulverstampf, der hat zu fürchten, daß alles in
Rauch aufgehet. Wer die kleinen Mängel rc. Adam und
Eva, die zwei glückseligen Kreaturen, sind bald hernach ins
größte Elend gerathen, aus dem Paradieß verbandisirt
worden, und ihnen, anstatt des Scepters, nachmalen der
Krampen eingehändigt worden; wie ist es hergegangen? also
und nicht anders. Sie haben von kleinen Fehlern angefangen,

nachmals also spöttlich gefallen. Die Eva hat vorwitziger
Weis zum Paradieß hinausgeschaut, das war ein kleiner
Fehler; die Eva hat ein unnutz Gespräch gehabt mit der
Schlange, mehr eine kleine Unvollkommenheit; die Eva hat
den Apfel abgebrochen, wieder eine kleine Sünd; der Adam
hat ihr derentwegen keinen Verweis gegeben, es war auch
das nicht recht; endlich sind auch alle beide so spöttlich gefallen in das größte Verderben, umweilen sie kleine Mängel
nicht geacht. Wer keine Funken rc.

448. Ein Aufraümer sein.

449. Ein Bankfischer sein.

450. Ein Tischleerer sein. — (448 bis 450, d. h. ein
Dieb.)

451. Gemach mit der Braut. — Man muß hübsch
behutsam sprechen, sich nicht zu starker Ausbrükke bedienen.
Abrah. redet den Haushalter Josephs, der dessen Brüder
als Diebe festgenommen also an: Herr Haushalter, gemach mit der Braut, halt das Maul. Was meint
Ihr? Soll der fromme Vater Jakob lauter Dieb an seinen Kindern erzogen haben?

452. Beim Kleinen fängt man an, beim Galgen hört
man auf. — Wie viel Eltern werden angetroffen, welche
an ihren Kindern die Schand erleben, da sie solche am
hellen lichten Galgen sehen henken, es sind aber Vater und
Mutter selbst die eigentliche Ursach des Unterganges ihrer
Kinder; denn hätten sie solche bei Zeiten mit scharfer Ruthe gezüchtigt, wie sie die kleinen Dinge geklaubt haben,
so würden nie solche Hauptdiebe drauß erwachsen sein.
Vom kleinen fängt rc. Anfangs stiehlt man eine Federkiel, vom Federkiel kommt man zum Handtuch, vom
Handtuch kommt man zum Handbeck rc. allzeit weiter.
Anfangs stiehlt man ein Handschuh, vom Handschuh kommt

man zum Handtuch, vom Handtuch kommt man zum
Handbeek, vom Handbeek kommt man zum Handpferd 2c.
Gleich wie man pflegt in andern Sachen zu steigen. An=
fangs einer ein Schüler, nachmals ein Student, nach=
mals ein Bakkalaureus, nachmals ein Magister, nach=
mals ein Licentiat, nachmals ein Doktor. Erstlich ist
einer ein Lehrjung, alsbann ein Gesell, alsbann ein
Meister, alsbann ein Bürger, alsbann ein Raths=
herr 2c. Erstlich ist einer ein Picanierer, mit der
Weil ein Gefreiter, mit der Zeit ein Fähnrich, mit der
Zeit Hauptmann, mit der Zeit ein Oberster. Deßgleichen
steigt auch der Mensch in den Untugenden; anfangs ist er ein
kleiner Dieb, steht nicht lange an, so wird er ein Grösserer:
wart eine Weil, so wird der grösste Dieb daraus. Solcher
Gestalten ist der Mensch wie einer, der durch einen tiefen Fluss
waten will. Erstlich geht er in das Wasser bis auf die
Kniee, nachgehends bis auf den Nabel, alsbann bis unter
die Arm, mit der Zeit gar, bis ihm das Wasser in das
Maul rinnet. Auf gleiche Weise wird sich keiner gleich in
die grösste Laster stürzen, sondern nach und nach. Erstlich
stiehlt er eine Nadel, nach sechs Tagen stiehlt ein Näh=
tüff, nach sechs Wochen stiehlt er mehr, nach sechs Mo=
nat wird er ein rechter Dieb, nach sechs Jahren wird er
gehenkt.

433. Ein Fehler giebt dem andern die Schnalle in die
Hand. — Wenn ein muthwilliges Kind in einen tiefen
Brunnen ein Steinlein wirft, so wird man wahrnehmen,
daß solches Steinchen auf dem Wasser ein Zirkelchen
macht, dieses kleine Zirkelchen macht gleich noch ein ande=
deres, und ein grösseres, dieses grössere macht mehrmalen
einen runden Kreis, bis endlich von einem kleinen solchen
Zirkel oder Kreisgrösse, grössere, die grössten Kreis ge=

macht werden. Ein fast gleiche Beschaffenheit hat es mit der Sünd, der Satan befleißt sich, wie er möge den Menschen zu einem kleinen Fehler bringen, wohlwissend, daß ein Fehler ꝛc.

454. Vom Sehen kommt man zum Denken, vom Denken kommt man zum Gefallen, vom Gefallen zum Wöllen vom Wöllen kommt man zum Höllen. — So sind die Augen die ersten Kurier und Feurir zum Sündigen, und zeigen dem menschlichen Willen den gebahnten Weg zu allen Lastern.

455. Er ist ein Bürger zu Kandelberg. — (Ein Saufer.)

456. Er sieht eine schwarze Kuh für einen Kapellan an. — (Betrunken ist er.)

457. Er will mit den Füssen hebräisch schreiben. — (Taumelt vor Betrunkenheit hin und her.)

458. Für einen solchen Kopf, gehört keine andere Lauge. — (Von einem betrunkenen, der in eine grosse Kothlake gefallen war.)

459. Vom Kandel kommt man zum versoffnen Wandel. — Der Trunkenbold hat zuerst ein Gläsel ausgetrunken, vom Gläsel ist er zum Glas, vom Glas zum Krug, vom Krug zum Kändel gegangen. Mit drei Jahren hat er geschrien: Mamma trinken, mit vier Jahren hat er geschrien: Mutter trinken, mit fünf Jahren hat er geschrien: Vater saufen. Im sechsten Jahre hat er seinen Vater schon ins Wirtshaus begleitet. Im sechzehnten Jahre ist er gangen am Sonntag zum weissen Rösel; am Montage zum blauen Kessel: am Erchtag zum goldnen Lämmel; am Mittwoch zum grünen Gümpel; am Pfingstage zur goldnen Sonn; am Freitag zum wilden Mann; am Sammstag bei den grünen Linden;

läſſt ſich alſo beim Saufen eine ganze W eche ſinden. Nach und nach lernt man die Untugenden.

460. Erſt ſpielt er um Pfennig und Hoſen, dann ſtiehlt er, und kommt zu Provoſen, vom Kleinen kommt man zum Groſſen.

461. Aus einem kleinen Funken wird eine groſſe Brunſt.

462. Aus einem kleinen Blätterlein wird ein groſſes Geſchwür.

463. Aus ſolchem Kern wird ſolcher Baum. — Aus dieſer kleinen Sünd entſpringen ſolche groſſe Laſter. Der Poet Anakreon iſt an einem Weinkörnlein erſtickt, iſt ja eine kleine Sache, ein Weinkörnlein. Henricus II., König in Frankreich, iſt von einem kleinen Splitter Holz geſtor= ben, ſo ihm in das Aug kommen, ein Splitter iſt ja ein kleines Ding. O nur gar zu viel ſind Erzdiebe worden, die Anfangs nur ein Pfennig entfremdet, ein Pfennig iſt ja nur ein klein Ding. Manche freilich wol, manche ſind die gröſſten Lügner und eidbrüchige Geſellen worden, wel= che anfangs nur ein wenig geſpikt, ſpikken iſt ja ein klei= nes Weſen, und demnach aus dieſem Funken iſt das groſſe Feuer entſtanden.

464. Die böſe Gewohnheit iſt ein eiſernes Pfaid, (im öſtr. und baierſchen für Hemd.) — (Der reiche Mann hat in der Hölle über und über gelitten,) dennoch ſich dieſer armſelige Tropf nur wegen der Zunge und des Durſtes. Verwundere dich deſſen aber nicht zu ſtark, ſondern ge= denke, daß die böſe Gewohnheit 2c. Was der Erzſchelm auf der Welt hat gewohnt, das hat er ſogar in der Hölle nicht gelaſſen. So gehts, wenn man einmal ein Laſter ge= wohnt hat, ſelbiges kann man ſo leichtlich nicht abge= wöhnen.

465. In die Luft bauen, ist umsonst bauen.

466. Wer auf Sand baut, hat umsonst gebaut.

467. Wer ins Wasser schlägt, hat umsonst geschlagen.

468. Einen Mohren waschen, ist umsonst waschen.

469. Einen alten Baum biegen, ist umsonst biegen.

470. Einen alten Schaden kuriren, heisst Binde und Salbe verlieren. — Eben so erfolglos ist es, eine böse Gewohnheit als ein eiserner Pfaid zu zerreissen.

471. Krumm sein und einen Boten abgeben, reimt sich nicht.

472. Wer kontrakt, muss nicht den Organisten spielen. Es ist nicht möglich, stumm sein, und einen Musikanten abgeben, nicht möglich, thöricht sein, und einen Beichtvater abgeben, kann nicht sein, blind sein, und einen Jäger abgeben, weil aber der Lamech das Jagen und hetzen gewöhnt hat in der Jugend, —

473. Die Gewohnheit aber ein eisernes Pfaid ist, so hat er es auch nicht lassen können. Wer ein schlimmer Jäger ist von Jugend, auch ein Hurenjäger, der wird es auch im Alter nicht lassen. Glaub Du mir, die Gewohnheit etc.

474. Wer viel Jahr Magdeburger gewesen ist, wird nie ein Reinfelder. — Wer viel Jahr ist der Venus ihr Canditatus, der wird mir selten werden ein Kandidus. Wer viel Jahr wird Ciprisch leben, denn aus dieser Insel Venus gebürtig, der wird niemals Ciprianisch werden. Mit einem Wort, Lamech war ein Diendeljäger in der Jugend, und hats nicht gelassen im Alter. Du oder ein anderer bist ein Diendeljäger in der Jugend, werdest auch nicht lassen im Alter. Die Gewohnheit etc.

475. Die Katze lässt das Mausen nicht. — Das wurden jene Mäuse gewahr, die beständig von einer weissen

Kaze verfolgt, diese auf einmal schwarz fanden, weil sie in ein Schaff mit Schusterschwärze gefallen war und nun glaubten, sie sei ins Kloster gegangen, habe die schwarze Kutte genommen und dürfe nun nicht mehr Fleisch essen. Sie wurden aber bald mit Schrekken gewahr, dass, wahr sei und bleibe das gemeine Sprichwort: Die Kaze lässt ꝛc. Es ist ihre Natur. Die böse Gewohnheit ist nicht nur ein eiserner Pfaid, sondern auch eine andere Natur, die sich nicht mehr verbessern lässt.

476. Unter dem dikksten Schnee liegt oft der hizigste Sommer. — (Auch unter dem grauen Haare wohnen Leidenschaften.)

477. Die Gewohnheit ist ein eisernes Pfaid. — Es ist ein alter Reim, wenn er sich schon übel reimt, so schikkt er sich gar wohl hieher:

Der Teufel war gar übel auf
und stund ihm schier das Leben drauf;
drum wollt er in die Kirche gehen
und von der alten Art abstehen.
Nachdem er aber genommen ein
und wieder kommen auf die Bein,
hat er's als wie zu vor getrieben
und ist der alte Teufel blieben.

478. Es lässt sich nicht waschen der Mohr, sondern bleibt allezeit wie zuvor. — Da den Antonius Paduamus die Einwohner von Rimini nicht hören wollte, so ging er ans Gestade des Meeres und predigte den Fischen. Nach vollendeter Predigt haben alle Fische die Köpfe geneigt und sich bedankt der wunderschönen Lehr. Nachmals wie, der unter das Wasser geschwommen. Aber Fisch verblieben, wie zuvor: der Stokkfisch ein plumper Großkopf geblieben, wie zuvor: der Hecht ein Karpfendieb geblieben, wie zu=

4

vor: die Schildkröt ein Faullenzer geblieben, wie zuvor: die Krebse zurückgegangen, wie zuvor: die Aalen, geile Gesellen geblieben, wie zuvor. In Summa, die Predigt hat ihnen gefallen, aber sie sind geblieben wie zuvor. Also gehen viel Neidige in die Predigt, hören, wie Gott so scharf gestraft den Neid des Kain, aber bessern sich nicht, viel Hoffärtige gehen in die Predigt, hören, wie der gerechte Gott so scharf gezüchtiget die Hoffart der Babylonier, aber bessern sich nicht; viel Diebe gehen in die Predigt, hören, wie die göttliche Justitz ist kommen, und gestraft haben den Diebstahl, und bessern sich nicht; viel Unzüchtige gehen in die Predigt, und vernehmen nicht ohne Schrekken, wie der Allmächtige gestraft hat die Sodomiter, und bessern sich nicht; denn sie können es nicht mehr lassen, wie die Katz das Mausen, wie der Wolf das Zausen, wie der Ochs das Rehren, wie das Schaf das Bleren.

479. Die Gewohnheit ist ein eisern Pfaid. — Die Gewohnheit ist schon in der Natur und die Natur ist in der Gewohnheit, denn:

480. Es ist schwer, einen alten Baum zu biegen.

481. Einem alten Hunde das Aufwarten lehren, lohnt schlecht.

482. Ein altes Mahl aus einem Kleide bringen ist umsonst. — Einem eine alte Sünde abgewöhnen, das kann ich noch weit weniger. Erst ein Weinkaufer, dann Weinsaufer, zuletzt ein Weintaufer. So stark und mächtig ist die Gewohnheit, dass man dieselbe gleichsam nicht kann. ablegen als mit dem Leben.

483. Wenn der Schuster von Rom kommt, macht er Schuhe wie zuvor. — Alte Sünder können wohl nach Rom gehen, um Ablass zu erhalten, wenn sie zurück kommen sind sie aber, wie sie gewesen sind.

484. Jemanden aus Porzellan traktiren, wie der verlorne Sohn. — (Ihn mit den Schweinen essen lassen.)

485. Sich zurückwünschen zum egyptischen Knobloch. — (Sich aus einer bessern, aber ungewohnten Lage in die frühere, zwar brükkendere, aber gewohntere Verhältnisse zurükksehnen.)

486. Ein alter Buhler läßt das Löffeln nicht.

487. Ein alter Geizhals läßt das Sparen nicht.

488. Ein alter Dieb läßt das Stehlen nicht. — Gott speiste die Israeliten in der Wüste selber mit seinem himmlischen Manna. Aber warum wässern diesen Maulaffen die Zähne gewässert mehrer, nach dem groben und schlechten Traktament der Egypter, als nach dem Brodt des Himmels? Darum, darum, sie haben dieselbe Bettelkost gewohnt, und was man einmal gewohnt, das kann man so bald nicht lassen. Also ein alter Buhler läßt das Löffeln nicht, ein alter Geizhals läßt das Sparen nicht, ein Dieb läßt das Stehlen nicht; denn sie haben es gewohnt, einmal, zweimal, dreimal fallen in eine Sünd, scheint ein schändlich Wasserfarb zu sein, welche der Teufel über die Seel, als ein göttliches Ebenbild streicht. Wasserfarb läßt sich noch abwaschen, aber in den Lastern eine Gewohnheit machen, das ist Ölfarb, die läßt sich gar nichts ausbringen, ohne sonderer göttlichen Mitwirkung, welche der Allerhöchste selten spendiret.

489. Wer das Stehlen gewohnt ist in der Jugend, der wirds nicht lassen bis ins Grab.

490. Jung gewohnt, alt gethan. — Wer, wie Noahs Rabe, dem stinkenden Fleisch nachstrebt, in der Jugend, der wirds nicht lassen bis ins Grab, wie dieser Rab. Wer den Fraß und der Völlerei nachgeht in der Jugend, der

4

wirds nicht laffea bis ins Grab, wie biefer Rab.. Denn Jung gewohnt 2c.

491. Wer will haben feifte Kühe, muff auch haben die Mühe.

492. Wer will (Reichthum) befigen, der muff auch fchwigen. — Aber Mancher will reich werden ohne Arbeit und es fällt ihm deffwegen ter Gedanke ein, daß fich Nie= mand beffer erhalte als bie Diebe, beren Finger 2c.

493. Seine Finger ziehen das Silber an, wie ber Mag= net das Eifen. — (Er ift ein Dieb.)

494. Er fürchtet fich vor bem Halstuch, das berMei= fter mit ben rothen Hofen fpenbirt.— (Es würbe ftehlen, fürchtet bloß ben Strikk, bie Strafe.)

495. Das Glükk ohne Strikk ertappen. — (Stehlen, ohne ergriffen zu werden.)

496. Es ift kein Jahrmarkt, wo er nicht Waaren um= fonft einkauft. — (Er geht auf ben Märkten herum ftehlen,)

497. Sein Herbft wird fchon kommen, worin er zeitig wird. — (Die Strafe wird ihn fchon treffen.)

498. Mit Ruthen ben Kehraus tanzen. — (Mit Ru= then (wegen Diebftahls) aus ber Stadt gepeitfcht werben.)

499. Den Jonas ins Waffer werfen. — (Seine be= gangene Sünben beweinen.)

500. Der Wolf ánbert bas Haar unb bleibt wie er war. — Wie bie graffirenbe Sucht ums Anno 1679 unb 80, als ein kleiner Sünbfluff ben Kopf gewafchen, ba war alles fromm; ba hat fchier oft mancher gebetet, baff ihm bie Zähne find reglich worben: ba hat man gefeüfzet, wie ein ganzer Walb voll Turteltauben, ba hat man ben Jo= nas ins Waffer geworfen, will fagen: alle Sünbe beweint: ba hat man auf bie Bruft gefchlagen, als wollt man unferm Herrn Jefum ein Feuerwerk machen; welches von lautern solchen Schläg und Inbrunst; da hat man in allen Händen Rosenkränze tragen, und wo vorhero so viel Knöpf waren, ist gleichsam das Land zu einem lautern Rosengarten worden da hat man Allmosen geben, und haben die Leut bekommen wie der h. Frnaciskus, alle durchbrochen: da hat sich Venus nicht blikken lassen, sondern auf der kalten Herberg verborgen: da hat sich die Hoffart in dem tiefen Graben eingezogen: da ist Fraß und Füllerei zum Wasserthor hinaus, und gleich wie im A B C auf das W gleich das X kommt, also auf solches allgemeine W in allen Gassen ist das X gefolgt: dann alle sind zum X oder zum Kreuz gelaufen; es lebten fast alle heilig. Sobald aber diese große Straf vorbei, und der gewünschte und gesunde Lufft wiederum ankommen; so hat das Sanum das Sanktum vertrieben: da hat der schöne Paris die hübsche Helena wieder besucht; der Stolze, den Altum wieder gesungen; der Geizige den Gebhard*) wieder ins Haus genommen; und viel, viel will nicht sagen, die mehrste wie die Hund, was sie vorhero von sich geben, nachmals wiederum geschlikkt, denn sie hatten es schon gewohnt.

301. Was schwarz ist, bleibt schwarz. — Im Winter wird man bisweilen wahrnehmen, daß ein Raab auf einem Baum sitzet, ganz überschnieben, zeigt nur allein einen schwarzen Kopf, es scheint; als trage dieser Gesell einen weissen Chorokk an; aber du mußt wissen, daß dieser nur auswendig, nicht inwendig. Es ist um einen Flug zu thun, so ist die weiße Livere ausgezogen. Also zeigt sich auch dieser Patient weiß, aber nur auswendig; warte nur, bis die Archen des Bundes: mit dem Manna durch den Fluß; warte nur, bis der h. Communiontag vorbei; so wird der

*) D. h. hier, der hart zum Geben ist.

Jordan seinen alten Lauf nehmen, so wird dieser in die
Mistpfützen, in das vorige Saubad wieder eilen. Warum?
er hat's gewohnt, er kanns nicht lassen und wird's nicht
lassen bis in den Tod, auch dort wird er's nicht lassen,
sondern verlassen werden.

502. Was an den Galgen gehört, ertrinkt nicht. —
Als Petrus eine Weile auf dem Meere gegangen war,
fängt er an, sich zu fürchten und zu sinken, und sofern
der Herr seine Hand nicht hätte ausgestrekkt, so wäre Pe=
trus ersoffen. Von dem Juden aber wäre es im Zweifel
gestanden, denn was an den Galgen 2c.

503. Heüt süß und morgen sauer, heüt ein Heiliger
und morgen ein Lauer.

504. Heüte Feüer morgen Wasser, heüte mäßig, mor=
gen wieder ein Prasser.

505. Heüte Kreide, morgen Kohle, heüt Allmosen und
morgen sie wiederholen.

506. Heüte Gold und morgen Blech, heüt ein Fasttag
und morgen wieder eine Zech.

507. Heüte schön und morgen trüb, heüte fromm und
morgen wieder ein Dieb.

508. Heüte still und morgen Getümmel, heüte ehrbar
und morgen wieder ein Lümmel, so kommt man nicht in
den Himmel. — (Abrah. will mit diesen Sprüchen sagen,
daß sich die Menschen gar oft zu bessern Vorsätzen erhe=
ben, auch diese wol zur Richtschnur ihres Handelns auf
eine kurze Zeit machen, aber nur zu bald von der alten
Gewohnheit ins vorige Leben heruntergezogen werden.)

509. Ein Liedlein, welches der Vogel gewohnt ist, das
läßt er nicht mehr. — Was ein Pferd gewohnt ist, läßt
es nicht mehr; eine Kunst die der Hund gewohnt ist, läßt

er nicht mehr; auch eine Untugend, die ein Menſch ge=
wohnt iſt, läſſt er ebenfalls nicht mehr.

810. Wenn ein Mohr weiß werden wird, alsbann wird
aus einem Kain ein Kajetan werden, alsbann wird der
Sünder die böſe Gewohnheit laſſen.

811. Mit einer Schüſſel voll guten Willens für lieb
nehmen. —| Loth zog die zwei Engel in ſeine Behauſung,
ſie bittend mit einer ſchlechten Suppe und einer Schüſſel ꝛc.

812. Mit einem Fuß im Grabe ſtehen.

813. Mit einer Hand ſchon die Schnallen der Ewig=
keit halten.

814. Mit einem Auge ſchon in die andere Welt ſchauen.

815. Wie man lebt, ſo ſtirbt man. — Das macht die
böſe Gewohnheit. Ein reicher Handelsmann fragte noch
ſterbend den ihm zugeführten Pater, dem er nicht beichten
wollte: Pater, wie theuer iſt der Zentner Pfeffer? Wer
erſt anfängt zu ſündigen, der iſt noch wol zum Leben zu
bringen, er iſt noch friſch; wer aber ſchon darin verhartet
und bereits eine lange Gewohnheit angezogen, der iſt hart
zu bekehren.

816. Die Gewohnheit iſt ein eiſern Pfaid. — Petrus
hat in der Frühe geſündigt, wie der Hahn hat gekräht,
wie der Tag hat angefangen. Die erſt angefangen zu ſün=
digen, die können noch wol leicht zur Buß geleitet werden.
Adam hat Nachmittag geſündigt. Solche, die ſchon ſpät
in Jahren eine üble Gewohnheit haben, die ſind gar hart
zu bewegen.

817. Der Hund läſſt das Bellen nicht.

818. Der Dieb läſſt das Stehlen nicht.

819. Der Dachs läſſt das Graben nicht.

820. Der Geizige läſſt das Schaben nicht.

821. Die Sau läſſt das Wühlen nicht.

522. Das Kalb läßt das Blöken nicht.

523. Der Flucher läßt das Schwören nicht.

524. Der Hirsch läßt das Laufen nicht.

525. Der Schlemmer läßt das Saufen nicht. — Holofernes hat das Schlemmen gewohnt, und hat's nicht gelassen; Sanherib hat das Gotteslästern gewohnt, und hat's nicht gelassen; Herodes war das Bulen gewohnt, und hat's nicht gelassen; Annaias hat den Geiz gewohnt, und hat ihn nicht gelassen; Judas hat das Stehlen gewohnt, und hat's nicht gelassen. Daß kohlschwarze Raben nach stinkendem Aas trachten, ist kein Wunder. Daß schwarze Kothkäfer in Mist und Unflath herumwühlen, ist kein Wunder; aber von weißen Tauben wunderte mich. Zwei alte Richter zu Babylon, schon weiß wie Tauben, haben noch ungebührende Augen geworfen in die Weibsbilder. Auf solche Weise heißt es:

526. Unter der grauen Asche findet man oft eine Gluth. Oder:

527. Auch unter den grauen Haaren findet man Kitzel und Wuth. — Auf solche Weise ist es wahr:

528. Unter dem weißen Schnee findet man oft einen Misthaufen, und unter den weißen Haaren thut oft ein Kupdo schlafen. — Solche alte Krausköpfe und Mausköpfe sind natürlich auf einer Seite ganz weiß, auf der andern ganz grün; also waren diese alten Richter richtige Gesellen, unter deren weißen Haaren noch ein großer Muthwillen grünte. Diese zwei alten Vögel sind fast gewesen, wie der Berg Ätna, welcher zur Winterszeit über sich mit Schnee bedeckt, und doch inwendig mit lauter Feuer gefüttert; diese zwei alten Lümmel sind gewesen, wie der Kalk, welcher zwar weiß, jedoch voller Hitze ist.

529. Die Menschen kann man hinter das Licht führen,

aber Gott nicht. — Er ist selber das Licht, so alles durch=
leucht. Er sieht nicht allein das Auswendige, son=
dern auch das Inwendige; er sieht nicht allein das Offene,
sondern auch das Verborgene; er sieht nicht allein das
Bestandene, sondern auch das Verschwiegene; er sieht nicht
allein das Ertappte, sondern auch das Vertuschte; er sieht
nicht allein das Wahre und Bloße, sondern auch das Ver=
blümlete; er sieht Alles.

530. Raub, klaub, bakk in Sakk, stiehl viel in der
Mühl, es siehts Niemand, aber Gott.

531. Gott läßt sich die Augen nicht verbinden. — Er
siehet durch die Mauer, soll auch selbe bikker als der ganze
Erdboden. Adam hat auch vermeint, er wolle sich hinter
die Stauden verbergen, aber umsonst, Gott sieht Alles.

532. Der Menschen Urtheil gehet auf Stelzen — (Es
ist oft unrichtig, weil sie nicht auf dem Grund stehen)

533. Von Achan, der bei der Eroberung von Jericho
einen Mantel 2c. gestohlen, in dem Glauben, es sähe es
Niemand: Ei du plumper Mantelbieb! Nicht doch, Nie=
mand? Niemand sieht mich. Halt Maul!

534. Auf eine solche Lüge gehört eine Maultasche, es
ist ja der allerhöchste Gott, der dich sieht.

535. Der Niemand stiehlt am mehrsten. — Augustin,
der große Erzvater, da er noch ein muthwilliger Bube
war, ist mehrere Mal den Leuten in die Obstgärten
gestiegen, aber allezeit in Obacht genommen, ob ihn
Niemand sehe. Wenn er merkte, daß der Herr zum
Fenster hinausschaute, so ließ er es sein. Der Mensch
wird nicht ein Spennadel entfremden: der Bube wird
nicht einen Pfennig verrukken, der Diener wird nicht eine
halbe Elle taffende Bänder einschieben, wenn er wahr=
nimmt, daß ihn der Herr sieht. Ich habe noch nie gehö=

ret, daß auch der frecheste Dieb, hat auf einem Jahrmarkt krumme Finger gemacht, wann ihn der Stockrichter hat zugeschauet. Wie kannst du dann, so frei ohne Scheu und ohne Reú, so manche Schelmerei gegeben, indem du gewiß bist; daß dir der obere Herr zuschaue. Laut des gemeinen Sprichwort heißt's:

536. Das Letzte, das Beßte. — Wie denn in der Wahrheit, auf der Hochzeit zu Kana, der beste Trunk, den man auf die Tafel brachte, der allerbeste war, und der halbe Theil besser, als der erste. Aber in der Wahl und Aufnahme der Apostelgeschichte das Widerspiel Maßen in den apostolischen Kollegio Thaddäus der Elfte war, nach diesem ist erst Judas Ischarioth, als der Zwölfte und letzte berufen worden. Dieser Letzte ist gewesen der letzeste, indem er sein:m heiligen Peruf nicht gemäß gelebt hat, sondern sein heiliges Amt spöttlich verunehrt hat.

537. Eine Sünde macht der andern die Thür auf.

538. Eine Sünde kommt selten allein, sondern führt mehrentheils eine Begleitschaft vieler andern mit sich, wie denn jene Mörder dem armen Tropfe, welcher von Jerusalem nach Jericho gereist, nicht nur eine sondern viele Wunden versetzt. Also war die Seel des Judas nicht nur mit einer Sünde, sondern mit mehren durch die höllischen Mörder verwundet; und es ist gar glaublich, daß er ein unverschämter Lügner zum öftern sei gewesen, denn das

539. Lügen und Stehlen sind verwandt wie Jakob und Esau, und steht den diebischen Händen Niemand besser an die Hand, als die verlogene Zunge. Wenn Judas allezeit eine Maultasche nach dem Sprichwort hätte müssen aushalten, so oft er gelogen, ich halte davor der Dieb wäre selten ohne geschwollene Backen gewesen. Es ist wahr, vor diesem hat's geheißen:

540. Ein Mann—ein Mann, ein Wort—ein Wort. — Was man dazumal versprochen, ist unveränderlich gehalten worden. Dazumal hat ein garola mehr Glauben gehabt, als jetzt ein Pergamentbrief, woran Siegel hängen wie Pantalier an einem Soldaten.

541. Der Kredit ist todt. — Die Rubrica das Missals setzen alle Sonntage in der heiligen Messe ein Kredo, aber bei dem jetzigen Weltlauf findet man weder am Sonntag, noch am Werktag ein Kredo, und hört man fast täglich: dieser und jener hat kein Kredit mehr bei mir, dann hat er mit seinen Worten nicht zugehalten.

542. Etwas stäts auf dem Teller haben. — (Sehr nahe; auch sich etwas häufig müssen vorsagen lassen.)

543. Es ist nicht alles Gold, was glänzt. Es heißt öfters

514. Ficta non facta. (Erdichtet ist nicht verrichtet.)

545. Auswendig süß, inwendig Spieß.

546. Außen Hui, innen Pfui.

547. Auswendig Kuss, inwendig ein Verdruß.

548. Auswendig mein Schatz, inwendig, daß dich der Teufel kratz.

549. Auswendig lieb, inwendig ein Dieb.

550. Außen andächtig, innen verdächtig.

551. Auswendig fein, inwendig ein Schwein.

552. Auswendig geziert, inwendig geschmiert.

553. Von Außen Engel — innen ein Bengel. (Ficta non facta.) — Die Pharisäer und Schriftgelehrten waren über einen solchen Leisten geschlagen. Diese Gesellen stellten sich, als wären sie heilig, über und über heilig. In den Tempel haben sie öfters etliche Stunden gebetet, dem Schein nach so inbrünstig und eifrig, daß sie mit ihrer Inbrunst ein Strohdach gar leicht hätten angezündet. Sie

haben untenher an dem Saum der Kleider ſtechende Dör=
ner eingemacht, welche ſie nicht wenig verwundeten. Auweh!
hat es geheiſſen bei den Juden; der, der iſt ein heiliger
Mann, wie Mancher iſt mit untergeſchlagenen Augen daher
gegangen, daſſ ihm dieſfalls die Schwalben des alten To=
bias keinen Schaden hätten können zufügen. Schaut!
ſchaut, der iſt gar ein Engel! Jener hebte immer zu die
Augen in die Höhe, und ſtellte ſich, als wäre ſeine Seele
in der Audienz bei Gott. O mein Gott! dieſer iſt wohl
ein groſſer Heiliger, haben alſo das gemeine Volk derge=
ſtalten behört, daſſ es der gänzlichen Meinung geworden,
dieſe Leute ſind alle heilig, derentwegen viel Gut und Gold
ihnen anhängt. Ja etliche fromme Wittwen, die weder
Freund noch Kinder hatten, haben öfters ihre ganze Hab=
ſchaft ihnen im Teſtament überlaſſen. Unterdeſſen waren
dieſe die allergröſſten Schelme, welche mit lauter Schmeich=
lerei und ſolcher Gleiſſnerei die armen Leute betrogen.
Dieſem böſen Geſinde, ſchlimmen und falſchen Vögeln, war
der Herr Jeſus alſo Feind und miſſgünſtig, daſſ er ihnen
öfters ihre Heuchelei und Gleißnerei vorgerauft, und kein
Laſter gleich gefaſſt, gleich wie dieſes*).

554. Es iſt nicht Alles unſchuldig, was weiſſ iſt.

555. Es iſt nicht Jeder ſelig, der heilig ſcheint.

556. Auswendig roth, inwendig todt.

557. Auſſen gut, innen Gluth. — Auf gleiche Weiſe
ſind die Gleiſſner beſchaffen, ſie verkaufen ſich äuſſerlich für

*) Guter, ehrlicher Abrah.; die Zeichnung iſt ſo gelun=
gen, das Gemälde ſo ſprechend, als wenn du in unſern
Tagen gelebt, und dir unſere haargeſcheitelten kopfge=
ſenkten Phariſäer geſeſſen, als wenn du die Glieder=
ſchaft einer unſerer Betbrüderzünfte geſchildert hätteſt.

fromm und gewiſſenhaft, aber hinter dem Vorhang ſtekkt ein Judas.

558. Es iſt ein ſeidner Beutel, aber inwendig ſchlechte Dantus.

559. Wenn man die Kinder und Narren zu Markte ſchikkt, ſo löſen die Krämer Geld. — Der Eſau war ein Linſennarr, giebt um eine ſo geringe ſchlechte Bauernſpeiſe dieſe ſo ſtattliche Prärogative. Wenn es Mandelkoch geweſt wäre, ſo wär es ihm kein ſo groſſer Spott, aber um etliche Löffel Linſen, eine ſotche Würdigkeit zu verkaufen, ſcheint die gröſſte Thorheit, iſt wol wahr, wenn man die Kinder ꝛc.

560. Der Baum iſt geſchüttelt worden, ehe die Frucht zeitig war. — (Von einer Frühgeburt.) Ein mancher Federhans und Prahler will (weis nicht was für)

561. Bäume ausreiſſen. — Wie der Xerxes, welcher mit 100000 Mann Griechenland überfallen. Es hat des Königs Pharao Mundſchenk dem Joſeph

562. Goldene Berge verſprochen. — Weil er ihm den Traum ſo glükklich ausgelegt, es iſt gleichwol nachgehends ſolches Verſprechen mit Pfui verſiegelt geweſen,

563. Sich bükken wie ein Taſchenmeſſer. (Klafterlange Komplimente machen.)

564. Den Hals neigen, wie die Gänſe, wenn ſie unter einem Stege durchſchwimmen. — Nur kalt, gleichgiltig grüſſen. Abraham ſagt von Denen, die etwas haben wollen, und von denſelben, wenn ſie das Erbetene erlangt, aber ſchnell genug vergeſſen haben:

565. Der Kirchtag iſt aus. — Wenn der Undankbare hat, was er haben will, ſo iſt der Kirchtag aus, ſeine Komplemente ſingen das Kompletorium; ſein Aufwarten citirt den Kurtium; ſeine Anerbietungen floriren, wie der

Feigenbaum am Weg, den Christus erkommunitirt; ja oft zeigt er die Feigen gar absonderlich, wenn die Blätter der Versprechungen abfallen, und werden oft die Gutthaten mit Übelthaten vergolten. O Judas-Bruder.

566. Müssiggang ist aller Laster Anfang. — Denn für wahr, ein grosser Unterschied ist zwischen den Holz= äpfeln und dem Menschen; die Holzäpfel werden im Liegen gut, die Menschen werden im Liegen schlimm; eine andere Beschaffenheit hat es mit der Druthenne, und mit dem Menschen, eine Druthenn brütet mit Sitzen gute Hühnlein aus, ein Faullenzer mit Sitzen brütet böse Eier aus. Es ist gar keine Gleichheit, zwischen einen faulen Holz, und zwischen einen faulen Menschen, denn ein fau= les Holz, absonderlich ein Eichenes, glänzet im Finstern, aber ein fauler Mensch, der ranzt sich im Finstern.

567. Fleiss und Fleisch können sich nicht mit einander vertragen. — Sie sind wie die zwei Amper in dem Brun= nen, wenn einer oben ist, so muss nothwendig der andere hinunter, wenn der Fleiss, verstehet die Arbeit, die Ober= hand hat, so wird das Fleisch und dessen Üppigkeit unter= drückt; wenn aber das Fleisch herrschet, so nimmt der Fleiss das Valet.

568. Der Lenz sticht ihn. — Den König David hat einmal der Lenz gestochen, deswegen er Nachmittag Lang= weilhalber sich niedergelegt, und den Polster gelegt.

569. Er ist in das Zeichen des Widders gekommen. — (Seine Frau ist ihm untreu geworden.)

570. Wo der Müssiggang, da ist des Teufels Anhang.

571. Die Sauglocke läuten. — (Schmutzige Reden füh= ren.) Sie sind wie die Wiedehopfen, der sich am meisten an wilden und stinkenden Orten aufhält, und seinen Schna= bel immerzu stekket in Koth, Mist und Unflath.

572. Lügen, daß sich der Thurm zu Köln möchte biegen.

573. Jemanden den Planeten lesen. — (Abrah. braucht diese Rede auch von Frauen, die ihre Männer auszanken.)

574. Der Müssiggang ist ein Amboß, worauf alle Sünden geschmiedet werden. — Der Müssiggang brütet nichts anders aus, als alles übel. Er ist eine Wurzel, aus der alles übel wächst, ein Brunnen, aus dem alle Bosheit rinnet, eine Mutter, die alle Laster gebiert, ein Präzeptor, der alle Leichtfertigkeit lehret.

575. Der Müssiggang ist ein Haus, wo kommen alle Sünden heraus, er ist ein Meister, der alle Untugenden schnitzelt.

576. Eine Uhr, die stehet, ist nichts nütz.

577. Ein Wasser, das steht, wird faul.

578. Ein Schifflein, das da immer auf den trokknen Lande stehet, uud nicht gehet, ist nichts nütz, ein Faullenzer, der immer müssig stehet, und nicht gehet, ist auch nichts nütz. Groß und Klein unter den Jsraeliten wären nicht so grob gefallen, wenn sie nicht wären müssig gegangen.

579. Bete und arbeite. — Es muß bei dem Beten das Arbeiten, und beim Arbeiten das Beten sein. Beten und Arbeiten sind zwei Riegel, welche dem bösen Feind die Thür verschliessen. Arbeiten und Beten sind zwei Flügel, mit welcher der Mensch die Sünde flieht. Beten und Arbeiten sind zwei Zügel, mit welchem des Menschen Sinnlichkeiten gezäumt werden.

580. Arbeiten ohne Beten ist eine Nuss ohne Kern und ein Himmel ohne Stern.

581. Arbeiten ohne Beten, ist ein Faß ohne Wein, und ein Gold ohne Schein.

382. Arbeiten ohne Beten, ist ein Teich ohne Fisch, und eine Stube ohne Tisch. Herz und Zunge hat Gott dem Menschen gegeben zum Gebet, Hände und Füße zur Arbeit.

383. Armuth wehe thut.

384. Bethlehem und Leiden, liegen nicht weit von einander.

385. Der Bettelstab ist das härteste Holz — Ebenholz ist ein hartes Holz, Eichenholz ist ein hartes Holz, Buchenholz ist ein hartes Holz, aber kein Holz ist härter als der Bettelstab.

386. Ein bittres Kraut um eine arme Haut. — Der Arme trägt freilich zerrissene Kleider, aber dabei ein Koller von Elend=Leder, denn allerseits der Arme am Elend reich ist. Wie bei den Juden der Speck, wie bei der Henne der Fuchs, wie bei den Tauben der Geier, wie bei den Schaafen der Wolf, wie bei den Fröschen der Storch, wie bei den Hasen der Hund, wie bei dem Bauer der Schauer, wie bei den Pelzen die Schaben, wie bei dem Jahrmarkt der Dieb, wie beim Spielmann der Quatember, wie bei dem Wasser die Gluth, so ist bei armen Leuten die Armuth verfeindet.

387. Die Reichen jubiliren, die Armen lamentiren.

388. Der Reiche reitet, der Arme leidet.

389. Der Markt hat ein Ende. — O Verlust, jetzt haben sie, (die Verdammten in der Hölle, die ihre Lebenszeit verschwendet haben) keine Zeit mehr, die Thür ist verschlossen, der Sentenz ist ergangen, der Markt hat ein Ende, der Gnadenbaum ist ausgetroknet, ihr habt keinen Augenblick mehr zur Busse, da ihr vorher mit so viel goldner Zeit seid versehen gewesen.

390. Wer spielt, der verliert Ehre, Ruf, Zeit, Geld, Gewissen.

591. Andel und Kandel machen einen bösen Wandel. — Die schöne Summe Geldes, welche er, (der verlorne Sohn) von seinem Vater empfangen, hat er in kurzer Zeit mit Schlemmen angebracht. Vinum und Venus haben ihm Elend geschmiedet.

592. Glükk und Glas, wie bald (verdorret das. — Von Jonas und seinem schattengebenden Kürbis. Wenn die Spieler eine Karte sehen, so glauben sie:

593. Der Himmel hängt voll Geigen.

594. Nicht wissen, ob man Mandel oder Mangel essen soll. — (Sehr dürftig sein.)

595. Das Bad austrinken müssen. — Von den drei Jüngern, die Jesus im Garten schlafend fand. Dem Jakobus und Johannes sagte er nichts, Petrus mußte allein das Bad 2c. Mich wundert nichts mehr, als wegen der fünf thörichten Jungfrauen, welche von dem himmlischen Bräutigam haben

596. Einen Korb bekommen, und also:

597. Mit einer langen Nase müssen abziehen. — Die Wachteln, welche Gott den Israeliten ins Lager schikkte, waren nicht gebraten; die Israeliten sollten auch etwas thun dabei; denn Gott will nicht, daß:

598. Einem die gebratenen Vögel ins Maul fliegen, sondern er hat ihm deßwegen Händ und Füß und andere Leibeskräfte ertheilet, mittelst deren er soll sein Brot gewinnen, will er aber:

599. Die Hände in den Sakk schieben, so wird er mit Armuth erfüllet werden.

600. Willst du dir einen Nutzen machen, so schaue selbst auf deine Sachen. — Ein Mann, dessen Hauswesen ganz herunter gekommen war, suchte bei einer alten Frau Rath, daß er möchte zu Mitteln kommen. Diese erkennt die Ur-

5

sache des Verfalls der Wirthschaft und gab ihm ein klein Schächtelein wohl verschlossen und befahl ihm, er solle es alle Tage wenigstens ein mal in die Küche, in Keller, Stall und Getreideboden tragen, in einem halben Jahre werde er schon merklich sein Aufkommen verspüren. Er folgt. Wie er in die Küche kommt, so ertappt er die Köchinn, daß sie dem Knechte ein gutes Frühstück anrichtet. So sehe ich wohl, sagt er, heißt das gehaust, erwische ich euch einmal, so jage ich euch beide zum Teufel. Er trägt das Schächterlein in den Keller, da trifft er seinen Sohn an, welcher mit einem grossen Krug Wein ihm entgegen kam, worüber der Bube also erschrokken, daß er gar nicht reden konnte, sondern in der Hand auf das Maul zeigte als wollt er sagen! Vater zum Trinken. Wie er mit dem Schächterlein in den Stall kam, so findet er, daß aus Unachtsamkeit der Dienstmagd eine Kuh das Kalb zertreten. Nachdem er nun alle Tage das verpetschierte Schächterlein an alle Örter getragen, so sind die Dienstboten so ämsig und getreu in ihren Verrichtungen geworden, daß in einem halben Jahr augenscheinlich die Wirthschaft gewonnen. Der Gesell merkt, daß er ziemlich wieder aufnehme, und erkennt sich sehr verbunden dieser Frauen, wird aber doch durch den Vorwitz angetrieben, zu sehen, was doch in den verpetschirten Schächterlein müsse verborgen sein, Kraft dessen seine Wirthschaft wieder ins Aufnehmen kommen, eröffnet daher gedachtes Büchslein, findet aber nichts darin, als einen geringen Zettel, worauf diese wenigen Worte geschrieben standen: Willst du dir einen Nutzen machen, so schau selbst auf Deine Sachen. Aus diesem hat der faule Phantast wohl gemerkt, daß nicht dieses Schächterlein eine Ursach seines Aufnehmens, sondern seine Aufsicht.

601. Müßiggang macht den Beutel eitel.

602. Müssiggang an allen Orten, öffnet der Armuth die Pforten.

603. Müssiggang ist alles Unglükks Anfang.

604. Auf seinem Tisch ist alle Tage Quatember. — (Fasttag.)

605. In seiner Küche ist stets Dezember. — (Sehr kalt.)

606. Stehe früh auf, und lege dich spät nieder, so bekommst Du Deinen Reichthum wieder. — Siehe diese Vöglein, von Frühmorgens befleissigen sich hin und her immermehr als zu sehr, wie sie ihre Nahrung bekommen. Desgleichen sollst du auch thun, so wird dir nie etwas mangeln, aber wenn Du den Müssigang nachgehest, so wirst du mit Armuth überführt.

607. Von den Federn aufs Stroh kommen. — '(In schlechtere Umstände gerathen) Der Josua hat kein Stern kein Glükk gehabt, bei dem Städtlein Hai, sondern ist von den Federn 2c.

608. Es ist ihm so Angst wie einem Floh zwischen zwei Daumen. — (Von den Brüdern Josephs, die auf seinen Befehl gefangen gehalten wurden.)

609. Wenn das Schwein am besten gemästet ist, so hat es den Metzger zr fürchten. — Der Gedanke: Wenns Glükk mit uns am besten meint, so sieht es uns mit drohenden Augen an.

610. Auf die übermüthige Fastnacht folgt die traurige Aschermittwoch.

611. Dastehen wie eine Rose unter Dornen.

612. In der rauhsten Muschel, ist oft die schönste Perle.

613. Er ist ein Licht in einer finstern Laterne.

614. Unter der harten Schale ist oft ein süsser Kern.

5 *

Das war, wie der Pater Abraham sagt, der heil. Eremit Abraham. in der Wüste.

615. Mancher ist wohl alt, aber nicht kalt. — (Die Sinnlichkeit schläft auch im Alter nicht.)

616. Magdeburg ist ihm lieber als Fünfkirchen. — (Der Umgang mit Mädchen ist ihm lieber als die Kirche.)

617. Es ist nicht Jeder ein Koch, der lange Messer trägt.

618. Nicht Jeder ist ein Jäger, der grün einhergeht.

619. Nicht Alles was Kappen trägt, ist ein Narr.

620. Es ist nicht Alles ein Vogel, was pfeift.

621. Es ist nicht Alles Licht, was leuchtet. — Nicht Alles, was böse scheint, ist böse. Der Berg im Wasser kommt uns vor, als stehe er auf der Spitze, hat sich wohl Spitz, die Sonne kommt uns vor, als sei sie nicht grösser als ein Fassboden, hat sich wohl Fassboden. Sie ist weit grösser als der ganze Erdboden. Das faule Holz in der Finsterniss kommt uns vor, wie ein Licht, hat sich wohl Licht. Der Schein trügt.

622. Aus jedem Funken eine Flamme machen.

623. Aus jedem Zwerge einen Goliath machen.

624. Aus jedem Splitter einen Wiesebaum machen. — Von der Vergrösserungssucht des Argwohns, die in keinem Stande grösser und gefährlicher als im Ehestande sei. Der Argwohn macht in allen das Widerspiel, was unser Herr gethan. Christus der Herr hat die Blinden sehend gemacht, der Argwohn macht die Sehenden blind, denn er sagt ihnen, sie soll keinen anschaun. Christus der Herr hat die Stummen redend gemacht, der Argwohn macht die Redenden stumm, denn er gebietet ihnen, sie sollen mit keinen reden. Christus der Herr hat die Krummen und Lahmen grad gemacht, der Argwohn macht die Graden

lahm und krumm, denn er befiehlt ihnen, fie follen nirgends hingehen, fondern zu Haufe bleiben. Wir (Argwöhnifchen) find wie Diejenigen, welche durch rothe Brillen fchauen, diefen dünket alles roth zu fein und

625. Glauben, jeder Müller trage einen Karbinalhut, alfo glauben wir auch öfters, Andere feien, wie wir befchaffen.

626. Zu viel Oktoberfaft eingenommen haben.

627. Augen haben, wie ein abgeftochener Bokk.

628. Einen Kopf haben, wie ein Saukürbis. — (Unförmlich groß.)

629. Er glaubt ftäts, feine Frau habe auf einem andern Markte eingekramt. (Von eiferfüchtigen, argwöhnifchen Ehemännern, wenn ihnen ihr Kind nicht gleicht.)

630. Mit den fünf Fingern einkaufen. (Stehlen.)

631. Der Menfchen Urtheil geht auf Stelzen. O Menfchen-Urtheil, wenn Du auch vier Füße hätteft, du würdeft gleichwohl hinken.

632. Mit den Pfaffen hat der Teufel zu fchaffen. — Das Geld ift ein Vice-Gott auf der Erde; es ift eine Angel der Digcitäten, ein Kuppler der Feindfchaft, ein Schlüffel der Gemüther, daher fagt der Reiche:

633. Das Geld ift mir lieb, wer mirs ftiehlt, ift ein Dieb.

634. Guter Name ift beffer als baares Geld. — Der Achan hat zu Jericho einen Mantel geftohlen; es giebt noch größere Diebe. Die Philipper haben Ochfen und Kameele geftohlen; es giebt noch größere Diebe. Die Rahel hat ihrem Vater, dem Laban, die goldenen Götzenbilder geftohlen; es giebt noch größere Diebe. Die Ehrendiebe, diefe find die größten Diebe. Alle Erbfchaften, und mit den Erbfchaften alle Gewerbfchaften, und mit den Gewerbfchaf-

ten alle Wirthschaften, und mit den Wirthschaften alle
Herrschaften, und mit den Herrschaften alle Habschaften,
sind nicht zu vergleichen einem ehrlichen Namen.

635. Das beste Kleinod so mich ziert, der beste Ge-
leitsmann der mich führt; der beste Platz, den ich erhalten,
die beste Luft, die mich erfreut, der beste Segen, der mir
gedeiht, ist meine Ehr, mein guter Name.

636. Fraus und Frau wohnen in einer Au. — Der
betrogenen Weiber giebts so viel, daß sie einer ohne Betrug nicht zählen kann. Bei diesen unsern Zeiten ist der
betrogenen Weiber-Zahl unzählbar. Der gute Samson hat
eine solche gehabt mit Namen Dalila, in deren Lieb er
sich also verhaspelt, verwickelt, daß er in ihrer Gemeinschaft nicht könnte müssig gehen; aber gemeiniglich, wie
man aus den Rosen Wasser brennt, also bringt auch
oft manchen seine Rosina oder Rosimunda ein Wasser und
macht, daß ihm die Augen übergehen; das hat der starke
Samson erfahren, indem ihm seine Dalila die Haare abgeschnitten, und mit den Haaren seine Stärke. Dieses einzige Schneiden hat gemacht, daß er Samson bei den phi-
listerischen Volk zu Schand und Spott geworden. O verruchte
Scheer, welche den wackern Nazarenern so viel abgeschnitten. Aber noch verfluchter ist die Zunge, welche einem die
Ehr abschneidet.

637. Gehör verlieren, ist viel verlieren, die Ehr verlieren ist Alles verlieren. — Wenn ich schon kein gutes Haus
habe, aber einen guten Namen, so bin ich wohl bewohnt.
Wenn ich schon kein gutes Kleid habe aber einen guten
Namen, so bin ich wol bedeckt. Wenn ich schon keine gute
Tafel habe, aber einen guten Namen, so bin ich wohl be-
speisst.

638. Ehrenpreis ist besser als Tausendgulbenkraut. —

Daher iſt mir die Ehre lieb, und wer mir ſie ſtiehlt, der iſt ein Dieb.

639. Je mehr man die Saite ſpannt, je ſchöner klingt ſie, alſo auch Hiob, wenn dieſer nicht iſt angeſpannt wor= den, ſo weiſſ ich nicht, ob er geſungen.

640. Eine gute Klinge erkennt man am Biegen. — So wurde auch Hiob von Gott hin und hergebogen und gezogen.

641. Die Immen ſaugen aus den bitterſten Kräutern den beſſten Honig. — Alſo auch Hiob; ſo bitter es ihm auch ergangen, hat er doch nie ſauer ausgeſchaut; und al= les mit Gebuld übertragen, nur eins, daſſ man ihm ſeine Ehre abgeſchnitten. Als ſpreche gleichſam Hiob zu ſeinem Gott: O mein Gott, plag mich, und ſchlag mich, wie du willſt, mir iſt es ſchon recht; mindere und plündere mir das Mei= nige wie du willſt, mir iſts ſchon recht; rupf mich, und zupf mich wie du willſt auf allen Seiten, mir iſts ſchon recht: aber meine Ehr, und meinen ehrlichen Namen, dieſen laſſe ich nicht.

642. Es iſt nicht Koſtbarers, als ein guter Name. — Auch ein barfüſſiger Geiſtlicher, welcher in einem rauhen Sakk ſtekkt, und mitten in der evangeliſchen Armuth ſit= zet, der ſchätzt ſich gleich wohl reich, wenn einer einen gu= ten Namen hat, daher kein gröſſerer Dieb iſt, als der ei= nem die Ehre ſtiehlt.

643. Ein guter Name riecht beſſer als arabiſcher Weih= rauch. — Schön ſein, wie Rahel iſt, und nicht ehrlich ſein, iſt nichts ſein; weiſe ſein, wie Salamo, und nicht ehr= lich ſein, iſt nichts ſein; reich ſein, wie Nebukadnezar, und nicht ehrlich ſein, iſt nichts ſein; mächtig ſein, wie Pha= rao, und nicht ehrlich ſein, iſt nichts ſein; aber arm ſein, und ehrlich ſein, iſt über alles ſein; der Zibeth von Zey= lon ſchmekkt nicht ſo wohl, die Nägelein von Muluza rie= chen nicht ſo wohl, die Ambra von Moſuch riechet nicht ſo

wohl, der Pisam von Pego riechet nicht so wohl, der Spi=
tanard von Kambria, riecht nicht so wohl, der Kaffia von
Kalekuth riechet nicht so wohl, der Weihrauch aus Arabien
riecht nicht so wohl, als ein ehrlicher Name.

644. Der Pasquillus hat es gethan. — Pasquinus *),
oder wie etliche schreiben, Pasquillus war ein Schneider
zu Rom, und zwar ein Hofschneider daselbst. Dieser
ist ein solcher Schmähler, und unverschämter Ehrenabschnei=
der gewesen, daß er fast männiglich übel nachgeredet, denen
Hofherrn nicht, Kardinälen nicht, und sogar dem Papste
selber nicht verschont, wovon das allgemeine Sprichwort
gekommen ist, so oft eine ehrenrührische Schrift oder Au=
thore gefunden wurden, so hieß es, der Pasquillus hat es
gethan. Nach dem Tode des saubern Schneiders hat man
ungefähr ein steinernes Bildniß, welches einen Fechter vor=
stellte, bei seinem Hause ausgegraben, und an gedachten

---

*) Nach Campe wird der Ursprung des ital. Worts Pas-
quino, woraus Pasquill und Pasquinade abgeleitet
sind, auf folgende Weise angeben: Pasquino soll ein
Schuhflikker oder nach andern ein Schneider zu Rom
gewesen sein, und die Gabe der Spötterei in einem
hohen Grade besessen haben, daher seine Werkstatt
immer voll von Leuten war, die sich an seinen Ein=
fällen ergötzten. Nach seinem Tode, da man sein Haus
neu aufbauen wollte, fand man eine verschüttete, schon
etwas verstümmelte Bildsäule, die einen Fechter vor=
stellte. Diese richtete man an dem Orte, wo sie ge=
funden war auf, und sie bekam den Namen des Pas=
quino, welcher daselbst gewohnt hatte. Die Erinne=
rung an den Hang und die Gabe zum Spotten, wo=
durch dieser Mann sich ausgezeichnet hatte, gab
Anlaß, daß man alle beissenden Anmerkungen,
Spöttereien und Schmähungen, die man öffentlich be=
kannt machen wollte, an diese Bildsäule klebte.

Ort aufgerichtet. Diese Statüe hat der Pöbel, durch ge=
meinen Scherz den Pasquill genannt. Und weil solcher
Gesell bei Lebenszeiten Jedermann übel nachgeredet, also
hat er auch solches nach dem Tode nicht gelassen, massen
allerlei Schimpfschriften, Spottbüchel, ehrabschneiderische
Epigrammata, daselbst angeheftet worden, und noch bis
auf den heutigen Tag, lässt dieser Ehrenstutzer sein Schmäh=
len nicht.

645. Aber, Wenn und Gar, ist des Teufels Waar. —
Das schöne Bildniss des Königs Nebukadnezars hat ein
klein Steinlein also getroffen, dass, ungeachtet das Haupt
vom besten Gold, die Brust vom schönsten Silber, der Leib
vom Metall, gleich wol Alles zu Trümmern gegangen.
Bei einer Tafel und Mahlzeit thut sich öfter ein kleines
Wörtchen hervor, welches auch wie gesagtes Steinlein, das
Bildniss eines ehrlichen Namens, dessen Haupt von Gold,
verstehe ein Haupt Lob, gänzlich und spöttlich zertrümmert.
Ein solches ist das Aber, ein solches ist das Wenn,
ein solches ist das Gar. Aber, wenn und gar, ist
des Teufels Waar. Dieser Herr ist nichts als gelehrt,
so geht die Red, er hat fast die Wissenschaft eines Sa=
lomo, aber:

646. Wenn man die Abschnitte von seinen Nägeln
säete, es würden Bakkalauren daraus wachsen. — Er hat
in allen Sachen die beste Erfahrung und:

647. Er weiss (so manierlich) seinen Kram nach einer
jeden Elle zu messen. — Bei dem Allen ist er nicht stolz
und will nicht allezeit:

648. Oben schwimmen, wie das Pantoffelholz. — Sie
ist eine stattliche Wirthin,

649. Sie kann es der Kuh an den Augen ansehen,
wie viel sie Milch giebt.

630. Wenn der Hahn ein Körnlein ausgescharrt, so macht er ein großes Geschrei. — Etliche grübeln und grübeln so lange nach, bis sie an ihren Nebenmenschen einen Mangel finden, als dann muß diese Waar öffentlich ausgelegt werden; man schreit es aus, und die Rede wächst wie der Schnee, den die bösen Buben auf den Gassen zusammenrollen, welcher immer größer nnd größer wird. Die Leúte sind jeglicher Zeit, wie die Egel, welche aus dem Menschen nur das üble und unreine Blut heraussaugen; also sind gar viele anzutreffen, die nur auf die Fehler des Menschen acht geben, und nicht seine Tugenden erwegen. Die Leúte sind jetzt wie die Dornhekken, welche keinen lassen vorbei gehen, den sie nicht rupfen.

631. Seines Gleichen findet man auf jeder Bauernkirmeß.

632. Mit dem guten Namen (Anderer) umgehen, wie Simson mit den Feldern der Philistern.

633. Mit des Nächsten Ehre umgehen, wie Moses mit den Tafeln der Zehngebote (die er zertrümmerte).

634. Mit des Nächsten Ruf verfahren, wie der Teúfel mit Hiob, (den er über und über verwundet ꝛc.). — In solcher Gesellschaft sind die Wörter Schwerter, die Erzählung ist eine Vorstellung, das Schwätzen ist ein Schwärzen, das Schmutzen ein Stutzen, das Lachen ein Verlachen, nnd gar oft eine solche Zusammenkunft ist des Teúfels Zunft.

635. Jemandem die Ehre abschneiden. — O du unbehutsamer Mensch mit deiner Zunge! Gehe hin, verkleinere deinen Nächsten, wisse aber, daß die Verkleinerung eine Vergrößerung sei des göttlichen Zorns; gehe hin und verschwärze den guten Namen deines Nächstens, wisse aber, daß du derenthalben werdest verzeichnet werden in das schwarze Buch der Verdammten; gehe hin und schneide deinem Nächsten die Ehr ab, wisse aber, daß du dir die Hoffnung der Seligkeit abschneidest; gehe hin und giesse böse Wörter aus, wisse aber, daß du am jüngsten Tage keine andere Wörter von dem göttlichen Richter hören wirst, als diese: gehe hin in das ewige Feuer; gehe hin und bringe deinen Nächsten in ein übles Geschrei, wisse aber, daß du derenthalben das ewige Heulen und Zähn= klappern ausstehen wirst müssen.

656. Jemandem eine Wäsche zurichten. — Adam, was bedeutet der Schweiß auf dem Angesicht, die Hakken in den Händen, der Schafpelz auf dem Leibe, der Hunger im Magen, die Thränen in den Augen, die Seufzer auf dem Herzen, die Sorgen auf dem Rükken, was bedeutet diese deine Melancholei? Hab ich doch vermeint, daß du seist ein Edelmann, jetzt sehe ich wohl, du bist ein Knebelmann. Ach Gott, sagt Adam, ein Weib, und zwar die meinige hat mir eine solche Wäsche zugerichtet.

657. Wer ins Rathhaus gehört, den muß man nicht ins Stokkhaus bringen. — (Von Joseph, der unschuldig ins Gefängniß gekommen war.)

658. Wem goldne Ketten gehören, den muß man nicht mit eisernen binden. — Potiphars Frau hat dem Joseph, Bathseba dem David, Delila dem Simson eine schlimme Wäsche zugericht. Zu größerer Ehre und Ruhm sag ich: Maria Magdalena

659. Diese hat eine saubere Wäsche zugerichtet, indem sie die Füße Jesu mit Thränen gewaschen. Das ist eine solche saubere Wäsche, dergleichen die ganze Welt nie ge= sehen.

660. Es ist Thorheit, Rosen eine kurze Zeit und da= für Dörner die Ewigkeit. — Ewigkeit, sagte die Magda=

lena, du bist ein Meer ohne Grund, du bist ein Irrgarten ohne Ausgang, du bist eine Zahl ohne Ziel, du bist ein Lauf ohne Ende, du bist eine Länge ohne Maaß. Soll ich Magdalena, eine so kurze Zeit die Rosen braken, den zeitlichen Wollüsten kosten, und als dann ewig die Dornen kosten. Magdalena geht in das Haus des Pharisäers, fällt auf ihre Knie nieder und wäscht Jesu die Füße mit ihren Thränen. Ihr Engel, was sagt ihr zu dieser unerhörten Wäsche. Was sagt ihr zu dieser Laugen aus den Augen. Alle üppigen Anschläge sind:

661. Ihr zu Wasser geworden. — Ein Gastmahl und ein garstiges Mahl sind einander nicht abhold, und:

662. Bachus und Venus sind gern beisammen, und:

663. Wenn die Flora ten Baum schüttelt, so klaubt gemeiniglich der blinde Bube die Birnen auf. — Also war auch das Essen und Vermessen bei Magdalena so vielfältig, daß sie also ins gemein die Sünderin genannt worden. Nachdem sie aber erkannt hat, was sie sich durch dieses Leben für eine Wäsche in jener Welt zurichte, hat's geheißen: O Gott, aus den Augen, welche du mir hast gegeben, damit ich aus denselben gläserne Fenster sollt mit dem Noaeüsche Tauben ausschütten, hab ich dafür fleischgierige Raben ausgesandt. O Gott den Mund hast du mir gegeben, damit ich dich solle in dieser Instrumentstube loben und preisen, ich aber habe denselben gemacht, zu einem Schmidt, worinnen Kupido seinen Pfeil gespitzet. O Gott, du hast mir den Leib gegeben, damit ich denselben zu einem untergebenen Leibeigenen der Seelen mache, ich aber habe die Seele dem Leibe dienstbar unterworfen, o Gott, was hab ich nicht für eine Wäsch zugerichtet. Alle ihr Augen, richtet euch:

664. Zu einer andern Wäsche, gebt Wasser, laßt ein-

nen, netzet die Füße Christi, den ich Sünden halber schon
so oft:

663. Mit Füßen getreten habe, waschet die Füße Jesu,
damit er mir am jüngsten Tage nicht:

666. Den Kopf wasche, waschet die Füße meines Heilandes mit diesem Fußbad, damit ich in jener Welt nicht
darf:

667. Das Bad austrinken. — O was für eine herrliche Wäsch hat dieses Weib zugerichtet.

668. Hochmuth und Stolz wachsen auf einem Holz. —
Es ist Gott dem Moses in einem brennden Dornbusche
erschienen. Warum aber mein Gott nimmst du deinen
Thron in einem Dornbusch, warum nicht auf einer hohen
Zeder, nein, nein, nein, saget Gott, denn eine Zeder wächst
sehr hoch, und ist derenthalben ein Sinnbild eines hochmüthigen Menschens, von dem der Poet sagt und singt:
Hochmuth und Stolz ꝛc. Warum nicht auf einem Cypressenbaum? Nein, nein, sagt Gott, der Cypressenbaum
ist das Sinnbild eines Gleißners, weil er nur mit Blättern
und nicht mit Früchten prangt, daher man spricht:

669. Auswendig Gold, inwendig Blei, ist der Gleißner Schelmerei. — Was hat endlich Magdalena nach einer so langjährigen Wäsche aufzuhängen gehabt? Gott
hat ihr nach solcher dreijährigen Buße die ewige Glorie
ertheilt.

670. Nach (einem so) langen Regen scheint (sie) all-
dort (wie) die (strahende) Sonne.

Aus: Judas, der Erzschelm, für ehrliche
Leüte ꝛc. Zweiter Theil.

671. Ich will diesen Fisch nicht ausweiden. — Wo aber
der Name Dragoner herrühre, ist mir allbereits nicht be=
kannt, will auch dermalen diesen Fisch ꝛc. In der Zueig=
nungsschrift des 2ten Th. an den Grafen Hans Ja=
kob Kießl): Im übrigen sind Éuer Hochgräflichen Gnaden
Hr. Obrister mir ein Trapeiner, welches unser Konvent im
Münzgarten öfters erfährt, und ist halt noch wahr, daß
uns Gott:

672. Keinen bessern Stein in den Garten geworfen,
als den Obersten Kießl. (Ebd.)

673. Er wird nach Strikksburg reisen. — (Wird an
den Galgen kommen.)

674. Er wird mit des Seilers Halstuch beschenkt wer=
den. — (Wird gehängt werden.)

675. Er gilt so viel, wie Speck in der Judenküche.

676. Ihr Mann ist im Zeichen des Widders geboren.
— (Sie hat ihm Hörner aufgesetzt.)

677. Es gehört ihr ein hölzernes Unterbett, woranf
der Vogel Phönix stirbt. — (Sie verdient, verbrannt zu
werden.) Von Wahrsagern.

678 Je öfter du den Beütel ziehst, desto voller wird
er. — (Wohltxáigkeit macht nicht ärmer.) Je gütiger du
gegen die Armen bist, je begüterter wirst du. Deine Hab=
schaft, deine Wirthschaft, deine Baarschaft ꝛc. ist Alles
zum bessern geschafft, wenn du den Armen, Hungrigen Brot
schaffst, den Nakkenden Kleider, den Fremden Herberg und
den Rothleidenden Hilfe schaffst.

. **679.** Wer wohlthut, bem werben feine Kreuzer zu Thalern.

680. Wer ben Armen giebt, bem wirb fein Korn zu Weißen.

681. Wer bem Bloßen einen Mantel giebt, bes Zwillig wirb zu Sammet. — Du wirst feßen unb hören unb empfinden, baff all bein Auskommens, Einkommens, Fortkommen vermehrt wirb burch bas Wegkommen, wenn nämlich ein Almofen von bir kommt in ben Schoß ber Armen. Das wirb machen, baff bu wirst:

682. Genug zu nagen unb zu beißen haben. — Dies wirb (beine):

683. (Die) Küche fpikken. — Dies macht, baff bu wirst:

684. Vom Efel aufs Pferb kommen.

685. Es giebt nirgenbs mehr Scherben als bei Krügen. — (Durch ein Vorfpiel, mittelft beffen Abrah. Krüge unb Kriege, bie er gleichfchreibt, verwechfelt, fpielt er auf bie vielen Krüppel an, bie ber Krieg mache.

686. Es ift nicht Jeber ein Strohkopf, ber unter bem Strohbach geboren wirb.

687. Er kann ben Knopf nicht auflöfen. — (Eine Aufl., ein Räthfel 2c.)

688. Eine Sau aufheben.

689. Leibfarb unb Liebfarb fchießen balb ab, unb gleich wie grünes Gras zu Frühjahr, alfo ift mancher Fromme auch fchlimm worben.

690. Zu einem Tanz gehört ein gut Paar Schuß. — Obfchon bie göttliche Schrift bem Pech wenig Lob nachfagt, geftalten ber Ecclefiasticus fich hören läfft:

691. Wer Pech angreift, befubelt fich, fo ift gleichwol zu glauben, baff biefen fo treu = unb milbherzigen Handwerker (ein Schuhmacher, von bem Abrah. erzählt, baff

er all sein Erübrigtes den Armen gegeben), sein Schuster=
pech nicht wenig geziert habe, mit welchem er sich die ewige
Krone erworben.

692. Zu einem guten Tanz gehört ein guter Spiel=
mann. — Denn ganz gewiß bei dem Tanz der üppigen
Herodias, wo der Kehraus auf Johannem gesprungen, gute
Geiger und anders wohlgestimmtes Saitenspiel sich haben
eingefunden, damit denn der liebche Musikschall, welcher
auch den groben Bauernstiefeln die Noten vorschreibt, dies=
seits nicht mangle. Lobens= und liebenswerth ist dieser
Pfeifer (von dessen Wohlthätigkeit Abrah. eben gesprochen)
und solcher:

693. Pfeift dir (ein Reicher) ein Lieblein auf, darnach
du sollst tanzen. — Die Prediger lassen oft von der Höhe
herunter ein Lieblein hören, aber die vermögliche Patzen=
hofer, will das Tanzen gar nicht ankommen, deren sind
meistens acht, das erste gehet in Trippel und heißt: So =
lig sind die Armen, dies Lieblein ist dem Reichen zu=
wider, als denen lieber ist, das golbe Kalb, als der Ochse
des Krippels, das andere geht etwas traurig und heißt:
Selig sind die da Leid tragen und weinen; dies ist gar
Tanz vor den Reichen, denn:

694. Wo die golbene Sonne scheint, da ist keine Zeit
fürs Regenwetter. — Das dritte gehet und lautet ganz
sanft: Selig sind die Sanftmüthigen, diese Sarabenda
schmekket den Reichen gar nicht, denn:

695. Wo lange Gelbsäkke sind, da ist man kurz an=
gebunden. — Das Fünfte heißt: Selig sind die reines
Herzens sind, aber

696. Viel Rheinisch macht wenig rein. — Das sechste
heißt: Selig sind die Friedsamen, die mehrsten Rechts=
händel führen die Reichen, denn

697. Sie haben daran zu setzen. — Das siebente heißt: Selig die Verfolgung leiden, das schikkt sich nicht für die Reichen, denn

698. Gott macht hold.

699. Diese Linsen sind theuer bezahlt. — (Von Esau und Jakob entlehnt.)

700. Hurtig meine alte Henne, sonst lehrt dich der Fuchs tanzen. — Abrah. fordert damit zur Wohlthätigkeit gegen Arme auf. O Gott, dessen bist du gewiß, wenn du den Armen nicht vergißt, nur hui Alte, dreh dich wohl herum, und tanz eins, wie dir David mit der Harfen aufspielt: Selig der sich der Armen annimmt. Hurtig meine Alte ꝛc.

701. Eine Stafette nach Speier schikken. — Von einem, der unmässig genossen, und mit die Finger den Magen zur Wiedergabe erinnert.

702. Sein Lager bei Kandelberg aufschlagen. — (Bei der Weinflasche sitzen.) Ein kellnerischer und nicht kölnerischer Poet hat den ungereimten Reim gemacht:

703. Ede, bibe, lude in festo Simonis et Judae. — (Friß, sauf ꝛc.) Aber bei Manchen trifft das Liedel nicht zu, weil er fast alle Tage sein Lager in ꝛc.

704. Er sauft, daß ihm die Haare geschwellen wie halbjährigen Binsenstauben.

705. Saufen, daß die Nase aussieht, als hätte sie der Zimmermann mit Röthel gemessen.

706. Vom Lamm wird keine Sau geworfen. — Indeß ist es nichts Neues, daß sich einer beim weißen Lämmel so anpleppert, daß er nicht anders von bannen kommt, als eine Sau.

707. Wer dem Fleisch zu viel nachsetzt, wird bald dahin kommen, daß er kein Brot mehr zu beißen hat. —

6

Wer Buhlschaften nachgeht, wird um das Seinige kom=
men, wie es dem verlornen Sohne ging. — Die schlim=
men uud gewissenlosen Brüder haben ihren Bruder Joseph
in eine alte Cisterne geworfen, da ist wol dem alten Va=
ter Jakob

708. Die Hoffnung in den Brunnen gefallen. — Diese
und jene, welche nicht allenthalben eine Jungfrau, sondern
mit Ehren zu melden eine H. komplentirst du wie ein
Götzenbild; dein Aufwarten muß ämsiger sein als des Ja=
kobs und der Rachel, aber es muß auch Opfer dabei sein,
denn:

709. Solche Fratzen kosten Batzen.

710. Solche Zaschen leeren die Taschen.

711. Solche Goschen wollen Groschen.

712. Solche Waare will Denare.

713. Solche Kittel brauchen Mittel.

714. Mit dem Rükken gegen den Mondschein sitzen. —
(Abrah. gebraucht es von Solchen, die im Spiel verloren
haben.)

715. Beten, daß das Maul stäubt. — (Sehr ämsig.)

716. Er verdient einen Balsam, woran die Wiedehopfe
ihren Schnabel wetzen. — (Von Judas, den das Narden=
wasser reute, womit Jesus gesalbt wurde, überhaupt von
Jemand, der etwas Gutes nicht werth ist.)

717. Ein Gaimetzer macht auch seinen Nächsten (Nach=
bar) gaimetzen. — (Das böse Beispiel ist anstekkend.) Die=
sem ist nicht ungleich ein loser und lasterhafter Mensch,
welcher mit seinem bösen Exempel und öffentlichem Ärger=
niß Andere zu gleichmäßigen Unthaten veranlaßt, besonders,
wenn ein solcher in einem Amt, oder hohen Ansehen ist,
alsdann heißt es:

718. Wie der Vater, so der Sohn, wie der Herr, also der Unterthan.

719. Wie der Baum also das Obst, wie der Bischof also der Probst.

720. Wie der Christoph so der Löffel, wie die Sophie also die Söffel.

721. Wie der Oberst so der Reiter, wie der Lieutnant so ein Gefreiter.

722. Wie der Akker so die Rüben, wie der Meister so die Buben.

723. Wie der Jäger so die Jagd, wie die Frau also die Magd.

724. Wie das Haupt also die Glieder, ist jenes krank, so liegen diese nieder.

725. Wenn ein grosser Stein vom Berge fällt, so fallen ihm bald viele kleine nach.

726. Wenn ein groß Rad in der Uhr zu laufen anfangt, so schnurren gleich die andern mit.

727. Wenn ein alter Wolf (im Buchwald) heult, so singen die jungen die gleiche Motette. — Sündigt ohne Gewissen, ohne Schamröthe, ohne Furcht ein Oberer, so werden die Unteren ohne Scheu nachfolgen.

728. Wie der Körper, so der Schatten. — Große Herrn sind wie ein Leib, ihre Unterworfenen aber sind wie der Schatten. Nur ist es allbekannt, was seltsame Affenart der Schatten an sich habe und in allen des Leibes seine Bewegungen nach mache.

729. Wenn das Haupt hin ist, so ist Alles hin. — Darum, sagt Abrah., forderte Herodias von Herodes nicht die Hände, oder die Beine, oder die Zunge, sondern das Haupt. Denn wenn das Haupt ꝛc. Ist der Landesfürst nichtsnutz, so ist das Volk auch nicht gut, der obere Theil

6*

des Daches, an jedem Gebäude wird der Fürst genennt.
Wenn dieser nichts werth, sondern ganz baufällig ist, daß
allerseits das Regenwasser eindringt, so wird das Gebäude
zu Grunde gehen. Wenn große Fürsten und Herrn ohne
Mangel und Missethaten, so wird unfehlbar das unterge=
hende Volk nicht heilig sein.

730. Wie der Wibber, so die Schafe. — Ihr Für=
sten, Herrn und Herrscher vieler Länder und Landschaften,
ihr seid wie ein Wibber bei den Schafen, wie ihr wandelt,
wie ihr gehet, so folgen euch die Unterthanen und Vasal=
len nach, stürzt ihr euch in allen Muthwillen und Laster,
so eilet das Volk auf dem Fuße nach. Wehe solchen Für=
sten und sündigen Herrn, die mit ihrem sündigen Wandel
und Aergernissen auch andere zum Verderben ziehen, daß
in eurem Lande eine schändliche, schädliche Venusbrunst ent=
standen; ihr seid daran schuld, denn ihr habt das Feuer
angeblasen mit eurem bösen Exempel an Seel und Selig=
keit Schiffbruch gelitten; ihr seid daran schuld, daß ihr
habt solche Wellen und Ungestüm erweckt mit eurem bösen
Exempel, daß so unzählbar viel Unterthanen zu ewigen Un=
tergang eilen seid ihr daran schuld, denn ihr habt ihn den
Weg gewiesen durch euer böses Exempel. Wie werdet ihr
bestehen? O wehe euch, wenn ihr sollt, und müßt und
werdet Rechenschaft geben, vor dem göttlichen Richter, nicht
nur wegen euern Seelen, sondern wegen viel 1000 und
1000, die ihr durch Aergerniss und böses Beispiel zum sün=
digen geleitet, sie dem gerechten Gott, ungerechter Weise
entfremdet, und dem Teufel geopfert, wehe Euch!

751. Wenn eine Kerze auslischt, so stinkts. — Wehe
den Geistlichen, durch welche Aergerniss kommen. Ihr habt
den Namen von Christo Jesu erhalten, daß ihr ein Licht
und brennende Kerze auf den Leuchter steckt, und wißt ihr

gar wohl,' wenn eine Kerze auslöscht pfui Teu=
fel wie stinkts, und ist solcher widerwärtiger Gestank höchst
schädlich, kann auch derselbe üble Krankheiten verursachen.
Was verursacht aber mehr übles und merklichen Schaden,
als wenn ein Geistlicher, ein Priester, als ein schön schei=
nendes Licht, welches den Weltmenschen in der Liebe Got=
tes, und Tugendwandel leuchten soll, erlöscht und folgsam
einen verdammlichen Gestank von sich giebt.

732. Eher Wasser aus einem Kieselstein lokken, als aus
ihm Gold. — (Von dem Geiz der Pfaffen, Abrah. wird
davon zu reden veranlaßt durch das Vorübergehen des
Priesters und Leviten vor dem, der unter die Mörder ge=
fallen war, denen es vielleicht um die paar Pfennige ge=
wesen ist, die es sie kosten könne.) Werden, fährt er fort,
die Leute nicht gesagt haben: Sind das nicht heilige Pfaf=
fen! Sie streichen uns so stark hervor die Werke der Barm=
herzigkeit, und inzwischen könnte Einer eher Wasser re.
Was gilts:

733. Die Hölle muß nicht so heiß sein.

734. Der Teufel ist nicht so schwarz.

735. Der Weg gen Himmel ist nicht so schmal, wie
sie uns vormalen, indem sie selbst also schlecht, oder gar
nicht halten, noch beobachten. Mehre Herrn Geistliche kom=
men mir vor*) wie:

736. Die Glokken läuten andern zur Kirche, bleiben
aber selber draußen. Sie wollen uns:

737. Einen Schein auf den Kopf nageln, aber unter
sich leben sie, daß es den Henker möchte erbarmen, d. h.:

---

*) Dies läßt Abraham ebenfalls wieder Personen sagen,
die verleitet durch einzelne unwürdige Glieder, den gan=
zen Stand schmähen.

dicunt, et non faciunt. — Unb man muſſ iḫnen
ſagen:

738. Nimm bid bei beiner Naſe. — Der ſünbige Ko=
rád ging ju Grunbe, ſeine Söḫne niḏt. O Wunber. Ein
Vater geḫt zu Grunbe unb ſeine Söḫne niḏt. Ein Vater
fáḫrt zum Teúfel unb ſeine Söḫne niḏt. Sonſt gemei=
niglid nad bem Vater leben bie Söḫne, ḫab aud nie an=
berß geḫórt.

739. Wenn bie alten Fröſde quaken, ſingen bie jun=
gen nod niḏt wie Naḏtigallen.

740. Wenn bie alten Raben Aaß freſſen, fliegen bie
jungen niḏt zum Sḏweizerbäkker.

741. Wenn bie alten Krebſe ḫinter ſid geḫen, ſpazie=
ren bie jungen niḏt vorwártß. — Ein gróßeß Wunber iſt
eß, wenn bie Eltern laſterḫaft leben unb bie Kinber tugenb=
ḫaft, gemeiniglid an ben Eltern ſpiegeln ſid bie Kinber.

742. Wie bie Mutter, ſo bie Tóḏter. — Iḫre Maje=
ſtát bie Königinn Miḏal, beß Davibß Gemaḫlinn, war
eine über allemaßen ſtolze Dokken, barum ḫat ſie Gott mit
Unfruḏtbarkeit geſtraft, weil er ḫat vorḫergeſeḫen, wenn
ſie ſollte Tóḏter erzeugen, würben gleidmäßig nad bem
Exempel ber Mutter ſolde ḫoffartige Grinb=Sḏippel ba=
rauß werben. Wie bie Mutter ꝛc.

743. Wie ber Vater, ſo bie Söḫne. — David iſt ben
Weibern niḏt gar feinb geweſen, Ammon unb Salomon, ſeine
Herr Söḫne, waren gleidmäſſig von ſolder Lieb angeſtekkt.
Wie ber Vater ꝛc.

744. Wenn ber Vater lügt, ſo wirb aud ber Soḫn
bie Waḫrḫeit ſparen.

745. Wie ber Vater, ſo ber Soḫn. — Iſt ber Vater
ein Spieler, ſo wirb aud ber Soḫn beḫerzt ſein im Herz,
floriren in Grün, nárriſd in Sḏellen, ſáuiſd in Eideln

sein. Ist der Vater ein Flucher und Gotteslästerer, bei
dem es auch im Winter donnert und hagelt, der wie ein
grüner Frosch mit seiner Pfundgosche und verdrießlichen
Tenor ben Himmel selbst umquakt und also der Lümmel
ben Himmel antastet mit Getümmel: so wird auch der
Sohn jedes Wort mit hunderttausend Teufeln füttern. Ist
der Vater ein Dieb, so wird auch der Sohn

746. Wissen beim hellen Sonnenschein Einen hinter
das Licht zu führen.

747. Wie die Mutter, so die Tochter. — Ist die Mut=
ter faul, wie ein Sommergaul; ist die Mutter stolz, wie
ein Lederbolz; ist die Mutter beschaffen, wie die geliebten
Affen; ist die Mutter eine Bulen, wie die Venusschulen;
ist die Mutter im Trinken, wie im Sommer die Finken:
so wird die Tochter selten anders sein.

748. Wie ein groß Rad in der Uhr geht, so gehen
auch die kleinen.

749. Wie die alten Spatzen pfeiffen, so piepen auch die
jungen.

750. Wie die Sonne gehet, so wendet sich auch die
Sonnenblume — wie die obern Gestirn, also auch die un=
tern Geschöpf, wegen dero Influenz.

751. Wie die Eltern, so die Kinder. — (Bei bem rei=
chen Prasser.)

752. Wär es alle Tage Kirmeß, allezeit eine Mahlzeit,
allemal ein Gastmahl, aber wegen seines vielen Freffens
hat er bei unsern Herrn

753. Die Suppe verschüttet. — Beim Armen war
alleweil das Fasten, es wünschte sich der hunrige Tropf,
daß er dürfe die Brosamlein unter dem Tische aufklau=
ben und

734. Mit den Hunden in die Kost gehen. — (Wenn Vater und Mutter schläfrig sind im Dienst Gottes.)

735. Nur Messe hören, wenn es im Kalender roth geschrieben steht, so werden die Kinder ebenmäßig, so:

736. Inbrünstig sein, wie ein Eiszapfen im Januar (und folglich)

737. Lieber zum Tanz, als zum Rosenkranz gehen.

738. Ein schlimmer Vogel ein schlimmes Ei.

739. Ein schlimmer Baum, eine schlimme Frucht.

760. Wie der Acker, so das Getreide.

761. Wie der Autor, so das Buch.

762. Wie der Weinstock, so die Trauben.

763. Ein schlimmer Fisch hat schlimmen Rogen, sind die Eltern nichts nutz, sind die Kinder unerzogen.

764. Der Wolf sein, welcher das Lamm zerrissen hat. — (Von bösen Eltern, die ihre Kinder durch ein schlechtes Beispiel ins Verderben geführt haben.) Wenn die Mutter mit Galanen umgeht, die Töchter spiegeln sich daran; aber du, Mutter, gib Rechenschaft, du bist der Wolf, welcher 2c. Führen die Eltern einen sträflichen Wandel und lasterhaft Leben, so schämen sich die Kinder nicht, in deren Fußstapfen zu treten: aber, ihr Eltern, ihr gebt Rechenschaft: denn

765. Ihr habt das Gift gemischt, das sie getrunken.

766. Es muß nicht Quatember sein, denn die Fleischbänke stehen offen. — (Von Frauen, die sehr bloß um den Hals und die Brust gehen.)

767. Ein gutes Beispiel geht über Alles, besonders der großen Fürsten und Herrn, dies ist ein Spiegel der Unterthanen, dies ist eine Regel der Vasaln, dieses ist eine Richtschnur des Volkes, dieses ist ein Sporn für die Tugenden, dieses ist eine Predigt dem gemeinen Manne, dies

ift ein goldener Wegweifer, dies ift eine herrliche Zeiguhr, dies ift ein löblicher Zwang zu allen herrlichen Thaten.

768. Das ift Kraut für dich. — (Es geht dich insbefondere an! Merke dirs.)

769. Den Taffent mit dem·Sakke vertaufchen. — (Der Eitelkeit entfagen und Buße thun.) Nach Jonä Predigt find die Niniviten anf ihre Knie gefallen und nur auf. folche Weife läßt fich die Ungnade Gottes

770. Uebers Knie brechen, ein Jeder die Hände gen Himmel erhob, denn (dies)

771. Beten ift das befte Handwerk, ein Jeder hat fein Haupt mit Afche bedeckt, und

772. Gott vergißt des Fafchings, worauf ein (folcher, wahrer) Afchermittwoch folgt.

773. Das gute Beifpiel eines Großen ift eine Mutter, die viel fromme Kinder gebärt.

774. Das gute Beifpiel eines Hohen ift eine goldne Kette, die viel Glieder nach fich zieht. — Er zieht, wie die Sonne die Erddämpfe, wie der Magnet das Eifen, wie der Aytftein den Strohhalm; es predigt aber mit den Händen; es ermahnt aber mit dem Werk, es lohnt aber mit der That, was Chriftus gefagt: Folge mir nach.

775. Wenn der Wochner das **Deus in adjutorium** zu fingen anfängt, fo folgen die andern fogleich nach.

776. Wie der Präzeptor vorfchreibt, fo fchreiben die Schüler nach.

777. Wenn der Fahnträger fortgeht, fo folgt die ganze Prozeffion. — Sobald große Fürften und Herrn fich in der Jugend üben, fo folgen die Landfaffen nach.

778. Sie find wie die Bienen, die Honig fammeln und nicht genieffen. — Von den Geizigen.

779. Die Geizigen haben Schaben und Graben, damit ihre Erben sich damit laben.

780. Gute Nacht ihr Falschen, ihr seid wie die Bienen, die tragen vorn Süß und hinten Spieß. (Es sind)

781. Es sind Tisch= und Fischfreunde, und:

782. Katzen, die vorn lokken und hinten kratzen.

783. Der Stein, den man auf Andere wirft, fällt uns meist selbst auf den Kopf. — (Von Zornigen, die sich durch ihre Hitze in der Regel am meisten selbst schaden.)

784. Man läßt eher eine Nachtigal singen als eine Amsel. — (Große, meint Abrah., ließen sich eher eine Wahrheit von einer schönen Dame, als von einem Priester sagen.) Die Herrn Geistlichen zeigen sich zuweilen so ernsthaft auf der Kanzel und im Beichtstuhl wider dieses und jenes Laster, fehlen aber gar oft, treffen das Herz nicht.

785. Es ist nur Wasserstreich.

786. Es ist eine Büchse mit Papier geladen.

787. Es sind Blühten ohne Früchte.

788. Es sind Wörter und keine Schwerter.

789. Es ist nur Rauschgold. — Aber wenn sie dasjenige in den Werk selbst zeigen, was sie durch die Lehre vortragen, das trifft das Herz, das gewinnt das Gemüth, das lokket zur Nachfolge, das spiegelt den Nächsten, das fruchtet auf Erden, das heilet die Wunden, das zieret die Kirchen, das prediget zum besten, das erwekket den Eifer, das trutzet dem Teufel, das erfreut die Engel, das heiliget den Menschen, das bereicht den Himmel, das riecht und zieht, das lehrt und mehrt, das bringt und zwingt den Menschen zur Nachfolg.

790. Sie haben den gefischt. — Zunächst von Mönchen, die Einen für ihren Orden gewinnen, dann überhaupt auch, Jemanden für seine Ansichten, Zwekke ꝛc. geneigt

machen. Wenn sie den und den gefischt haben, so wer=
den sie

791. Guten Rogen ziehen. — Viel Nutzen davon ha=
ben. Als die Juden nach 40jährigem Zuge in der Wüste
an den Jordan kamen, standen sie, obgleich sie den Durch=
marsch ihrer Voreltern durchs rothe Meer noch in gutem
Gedächtniß hatten, nicht in geringer Furcht, sie würden hier
ihrer Sünden wegen

792. Das Bad austrinken müssen. — Wie Pharao
mit seinen Egyptern, weßhalb ein Jeder fast (pflegte)

793. Einen Trustflekk von Hasenbalg (zu) tragen und
sie sich

794. Vor dem Rassen fürchteten, denn

795. Es kann nicht jeder schwimmen. — Besonders
wer ein schweres Gewissen hat.

796. Er ist wie die Krüge auf der Hochzeit von Kana. —
(Voll Weines.) Es ist nicht genug, daß die Geistlichen den
Leuten vorstreichen die schöne Tugend der Demuth, und
sagen:

797. Der tiefe Baß ist Gott lieber, als der hohe Dis=
kant. — Sondern es ist von nöthen, daß wir Jesu nach=
folgen, der uns in der Höhe des Kreuzes die Niedrigkeit
gelehrt hat.

798. Dult und Messe sind der Priester beste Jahr=
märkte. — Abraham ermahnt damit die Geistlichen
zur Tugend der Geduld, und überhaupt zur treuen Ver=
waltung ihres Amtes. Der Witz des Sprichworts liegt in
der Doppelsinnigkeit der Wörter Dult (Jahrmarkt) und
Messe (grossen Markt) wovon er das erstere für Geduld=
und das andere für die kirchliche Messe gebraucht. Zu de=
nen, welche sich bei Johannes, dem Taüfer erkundigen soll=

ten, wer er sei, sagt Abraham in der Anrede: Gehet ihr zu Hause, meine Herrn Priester, und zwar

799. Ihr seid nicht weit her, — und sagt zu Jerusalem c. Abraham erzählt von einem Frauenzimmer, die sich ganz behutsam von aller Gesellschaft entfernt und sagt: das war recht; benn

800. Weit davon ist gut vor den Schuß, — nämlich des muthwilligen Buben Kupidos; sie ist mit grossem Eifer stäts in die Kirchen und Gotteshäuser gelaufen, und gar recht, benn

801. In den Tempeln lernt man mehr als bei den Tölpeln. — Sie hat alle Kopulation und Cuppulation beständig geweigert, und gar recht, benn

802. Chorschwestern gelten mehr als Thorschwestern. Endlich weiß ich nicht

803. Welcher Wind dies Licht auslöscht.

804. Durch was für Hitze das Gras zu Heu geworden ist.

805. Ich weiß nicht, welche Gewalt das Gebäude umgeworfen.

806. Ich weiß nicht, warum dieser Fisch abgestanden ist.

807. Nicht wissen, warum dies Brodt geschimmelt ist.

808. Ich weiß nicht, warum dieser Wein zu Essig geworden ist. — Ich weiß nicht, warum sie in ihrem guten Vorhaben ist wankelmüthig geworden, daß anstatt der Arche Gottes, der philistäische Dagon den Tempel ihres Herzens betreten.

809. Die grössten Stämme kommen von kleinen Stauden.

810. Die grosse Donau hat einen kleinen Ursprung. — Von Adam her ist keiner besser, als der andere, benn wir sind alle insgesammt von Leim zusammengepappt, und

ſchreiben uns alle von einem Stammhaus. Mutterhalber
ſind wir ins gemein verbrüdert, und verſchweſtert, und
und küſſ ich den Tag etliche mal die Mutter, die Erde;
Vaterhalber ſind wir auch groſſe Monarchen, meine Brüder, dann beten ſie alle, Vater unſer, der. du biſt. im Himmel; daher zu wiſſen, daſſ.der höchſte Stamm, von geringen Stauben aufgewachſen, und der groſſe Donauſtrom
von einem ſchlechten Urſprung; groſſe Potentaten, wenn ſie
den erſten ihres Hauſes wollen ſuchen, ſo wird ſich ein gemeiner Menſch anmelden, und ſind von Hakken und Pflug
die Scepter gekommen.

811. Als Adam ſakkt und Eva ſpann, wer war damals
ein Edelmann. — Niemand, ſondern derſelbige, welcher.
herrliche Tugenden, und vor andern heroiſchen Thaten erwieſen hat, iſt adelich genannt worden, woraus dann ſon-
nenklar erhellt, daſſ die Tugenden einen adeln.
Weshalb der Kaiſer Maximilian einen ſchlechten Menſchen
niedrigen Herkommens, und ſeines Handwerks ein Lederer,
doch aber bei guten Mitteln, gar ſchön geantwortet, ein ſolcher verlangte ein Edelmann zu werden; reich kann ich
dich ſchon machen, ſagte der Kaiſer mein Kerl, aber adelich
nicht, da dich deine eigenen Tugenden nicht adeln. Karl V,
römiſcher Kaiſer, pflegte öfters ſeinen Kavalieren, die ſich
von gutem Geblüt berühmten, zu ſagen, der Bauern Blut
iſt auch roth, und oft geſundheithalber ſchöner, als der
Edelleute, beſteht alſo der Adel in den Tugenden, und nicht
in der Geſtalt.

812. Sich mit fremden Federn ſchmükken. — Von
dem Adel, der ſich auf die Zahl ſeiner Ahnen und ihre
Verdienſte viel einbildet. Du biſt, ſagt Abraham, nicht
geſcheidt, wenn du zu deinem Lobe fremde Glorie nimmſt.
Was hilft es dich, wenn dein Vater zwei Augen gehabt,

du aber bist blind? wenn du von den Eltern das Leben hast, und nicht das Löbliche, so bist du nicht adelich, sondern du bist, wie jener von Gott vermaledeite Feigenbaum, welcher mit vielen Blättern geprangt, aber mit keiner Frucht, du bist wie der unbesonnenen Israeliter geschmelzter Gott; dann diese das beste und feinste Gold herausspendirt, damit daraus soll ein Gott werden, und siehe, da ist ein Kalb herausgekommen. Zu Nutz und Glorie ist es, wenn deine Eltern goldene Leüte sind gewesen, du aber ein Kalb geworden, oder gar ein Ochsenkopf. Mein lieber Prahlhans (der Ahnenstolze) hör was dir ein alter Paulus Minutius

813. Unter die Nase reibt.

814. Der Hochmuth ist ihr von hintenher gewachsen. — (Sie ist bucklich.)

815. Mancher Baum ist aus einem königlichen Walde, und gibt doch nur ein Hackeklotz ab. — Das Herkommen thut nichts. Abraham sagt: Nicht eine geringe Thorheit ist es auch bei manchen, welcher einen tadelhaften, uud mit vielen Lastern beknothigten Wandel führt, in allen wüst herumeilt, und dennoch beinebens mit aufgeblasenen Balken das Gloria singt seines adelichen Herkommens, welcher ihm doch mehr Schamröthe soll austreiben, und wär kein Wunder, es thäte die an der Wand hängende Kontrafeh, seiner adelichen Voreltern mit lauter Stimme wehmüthig klagen und bedauern, daß auch ihrem Stammbaume ein solcher wurmstichiger Apfel, daß in ihrem Stammhause ein solcher zermoderter Träm, daß in ihrem Geblüt eine solche ungesunde Ader entsprossen, was helfen einem solchen die Glorie und Ruhm seines Vaters, welche ihn schon erloschen. Der Cham ist gleichwohl als ein Bösewicht und nichtswerther Gesell gehalten worden, ob schon sein Vater

der Noa der alleredelste Mann war, so geschieht auch mehr=
mals, daß ein Baum auf einem königl. Forst und Wald
abgehauen, gleichwohl zu einem schlechten Hackstock wird,
und also wegen seines Herkommens wenig Preis davon
trägt. Das ist wahr und bleibt wahr:

816. Wer edel thut, der ist edles Blut. Und

817. Das heißt recht abelig gelebt, wenn man nach
Ehr und Tugend strebt. — Hat also gar ungereimt jene
Dame zu Baben in Östreich einmal geredet, daß sie lieber
wolle in der Hölle bei einem Edelmann sitzen, als bei einem
Bauern im Himmel. Es ist schädlich und schimpflich,
wenn man Esel und Strohköpfe promovirt, darum Rahel
gar wohl gehandelt, wie sie aufs Stroh, worunter Götzen=
bilder waren, gesessen, denn

818. Auf einen solchen Kopf gehört ein solcher Hut. —
Es ist kein schlimmerer Zustand in einem Lande, als wenn
die Eselsköpfe im großen Werthe sind, wenn Idioten den
obern Sitz haben, und die groben Blöcke

819. Beim Brette sitzen. — David, klein an Person,
groß an Courage, zielt, wirft, trifft den eisernen Maulaf=
fen (Goliath) also an die Stirn, daß er gleich niedergesun=
ken und

820. In das Gras beissen — mußte, der lange genug
ein Unkraut gewesen.

821. Es fehlt ihm, wo es dem Goliath fehlte. —
Am Kopf, Goliath war überall wohl bepanzert, nur an
der Stirn nicht. Als Abraham mit Isaak zur Opferung
auf den Berg wollte, befahl er den Knechten mit den Eseln
unten am Berge zu warten und gar recht, denn die unge=
schickten Esel gehören nicht in die Höhe, und

822. Was nicht hat Witz und Spitz, nehme unten sei=

nen Sitz. — Wo nur leer und nicht Lehr ist, wenn amen und stramen beisammen ist, bleibe herunten, denn

823. Was soll ein Knopf in der Höhe, wo nicht über sich eine Spitze geht. — Spitzfinbige und Gelehrte sollen in allweg den Vorzug haben.

824. Es ist schlimm, wenn der besser fortkommt, welcher die Fenster einschlägt, als der, welcher sie einsetzt.

825. Da ist nicht gut sein, wo es der besser hat, welcher die Zeche macht, als der sie bezahlt. — Wenn man die Verdienste nicht anschaut, sondern etwan einen forthilft, hinauf hilft, der plump ist, und muß ein wackerer, ansehnlicher, wohlverständiger Kerl unten bleiben, das erbittert das Gemüth, schmerzt das Herz, verwirrt den Verstand, zwingt den Willen dahin, daß ein Vorhaben erwacht, wovon nachmals erfolgt, daß keiner mehr in einem Reich, in einem Land, in einer Republik, in einem Kloster, in einer Gemeinde, Lust und Lieb hat, etwas Gutes zu thun, wenn man siehet, daß der besser fortkommt, welcher die Fenster einschlägt, als der sie einsetzt, daß der eher promovirt wird, der die Zeche macht, als der sie bezahlt, daß der mehr gilt, welcher abbricht, und nicht der aufbaut, wenn man wahrnimmt, daß ein Esau dem Jakob, ein Elias dem Rahel, ein Israel dem Isaak, ein Kain dem Abel, ein Judas dem Peter vorgezogen wird, wer hat Lust, nachgehendens sich wohl und gut sich ehrlich und treu zu halten.

826. Es steht schlimm um die Köpfe, wo die Rosen weniger gelten, als die Knöpfe.

827. Da ist Tugend theuer, wo der Rauch werther ist als das Feuer.

828. Wo die Karren mehr sind, als die Wagen, da kann man sich mit Recht beklagen. — Sei ihm wie ihm wolle, des verlorenen Sohnes Bruder ist sogar nicht für

übel gehalten, daß er fo ſtark gemurrt gegen feinen Herrn
Vater, und weil er dem ſchlimmen Bürſchel ſo all ſein
Haab und Gut mit Anbeln und Kandeln verſchwendet,
eine ſtattliche Mahlzeit gehalten, ihm aber, der ſich Tag
und Nacht gefreut, nicht einmal ein Brätlein ſei vergön-
net worden. Wer will auf ſolche Weiſe ſich wohl halten,
wenn die Knöpfe mehr gelten ꝛc.

829. Kunſt wiegt mehr als Gunſt. — Es ſoll aller-
ſeits hergehen wie auf einer Geige; auf dieſer werden vie-
lerlei Saiten geſpannt, grobe, ſubtile und mittlere, welche
aber aus dieſen iſt die erſte, und welche die letzte? Antwort: die ſubtile Saite iſt die allererſte, dieſer geht voran
eine ſtärkere, die grobe gehört auf die letzte. Mit den Sitten ſoll man umgehen, wie mit den Saiten, grobe und
ungeſchlachtete Sitten ſoll man jederzeit nachſetzen. Die
ſubtile geht voran; und ſoll Kunſt vielmehr mögen
als Gunſt. Ein Land, eine Republik, eine Stadt, eine
Gemeinde ſoll beſchaffen ſein, wie jene Matron, welche
Johannes geſehen, und Apokalypſi, dieſe war gekleidet mit
der Sonne, zwölf Sterne über ihren Haupt, und den
Mondſchein unter den Füßen. Durch die Sterne werden
bedeutet hocherleuchtete Männer, beswegen ſind ſolche in
der Höhe; durch den Mond wird nachgebildet ein unge-
ſchickter plumper Phantaſt, daher ſolcher hinunter gehört.

830. Die Thaler helfen einem auf den Berg.

831. Haſt du Geld, ſo kommſt du fort, haſt du keins,
ſo bleibe dort.

832. Haſt du Geld, ſo ſetz dich nieder, haſt du keins,
ſo bin ich dir zuwider. — Geld macht Affekt in der Welt,
Geld macht Effekt in der Welt, Geld macht Inſect in
der Welt, Geld macht Defect in der Welt, Geld macht

7

Prolect in der Welt, Geld macht Präfect in der Welt. Haft Geld, so kummst du ꝛc.

833. Geld vermag Alles in der Welt. — Ich reise in die Länder, etwas zu sehen und zu hören, damit man nicht von mir sagen möge:

834. Er ist nicht über seines Vaters Zaun gestiegen.

835. Ehestand — Weheständ. — Der Ehestand ist ein Acker, der Wittwenstand ein Garten, der Jungfraustand ein Paradies. Der Ehestand ist von Blei, der Wittwenstand von Silber, der Jungfraustand von Gold. Der Ehestand ist ein Stern, der Wittwenstand ist der Mond, der Jungfraustand ist die Sonne. Der Ehestand ist ein Dorf, der Wittwenstand ist ein Markt, der Jungfraustand ist eine Stadt. Der Ehestand ist ein Wasser, der Wittwenstand ist ein Bier, der Jungfraustand ist ein Wein. Der Ehestand ist ein Türkis, der Wittwenstand ist ein Rubin, der Jungfraustand ist ein Diamant. Der Ehestand ist eine Leinwand, der Wittwenstand ist ein Taffent, der Jungfraustand ist ein Atlas. Der Ehestand ist menschlich, der Wittwenstand ist heilig, der Jungfraustand ist englisch. Der Ehestand ist gut, der Wittwenstand ist besser, der Jungfraustand ist der beste. Ein Phantast bildete sich ein, er sei von lauter Glas zusammengefügt. Eine solche Einbildung wäre nicht übel bei den jungen Töchtern, wenn sie fein öfters die eigene Schwachheit vor Augen stellten, und sich dem gebrechlichen Glas nicht ungleich schätzten, denn:

836. Glück und Glas, wie bald wird eine Jungfrau zu was. (?) — Es ist weit besser, wenn die Jungfrauen heiklich sind, denn

837. Heiklig und Heilig, denn sind zwei Blutsverwandte.

838. Behutsam in Augen und Ohren, wer will bleiben auserkoren.

839. Behutsam im Gehen und Stehen, wer nicht will übersehen.

840. Wer will die Ehre davon bringen, sei behutsam in allen Dingen. — (837—39 empfiehlt Abrah. vorzüglich den Jungfrauen.)

841. Er wird die hölzerne Schreibfeder in die Hand bekommen. — (Die Ruderstange, man wird ihn auf die Galeere bringen.)

842. Es ist besser, man kehrt beim weißen Engel als beim schwarzen Bären ein. — (Für die, welche sich verheirathen wollen.)

843. Der Oktobermonat macht den Fröschen das Maul zu und der Oktobersaft macht es den Weibern auf. — Als die Samariterin beim Brunnen war, hat unser liebster Heiland mit ihr eine trostreiche Ansprache gehalten. So lang die Weiber beim Wasser sind, so ist noch gut mit ihnen zu reden, wenn sie sich aber beim Wein einfinden, der Kukuk red mit ihnen. Petrus hat es dazumal gar gut gemeint, als manche bei dem jähen Sturme und ungestümen Anfall des hebräischen Lottergesindels sahe, so

844. Beherzt vom Leder ziehen. — Und den Malp..m als

845. Ein (en) Rädelsführer

846. Zwischen die Ohren hauen; aber die berauschten Weibergefecht lassen sich sobald nicht stillen, weil ihr Degen die Zunge, das Maul aber die Scheide, so wird es auf hundertmal wiederholten Befehl kaum zum Einstekken (wie Petrus Jesus gehorchte: Stekke dein ꝛc.) und Maul halten kommen. Als Tobias nach Hause kam, fragte er seine Frau, ob nicht etwa die Geis, die er schreien höre, gestohlen sei. O lieber Tobias:

847. Du hast wol einen Bokk geschossen.

848. Sie muß allemal das letzte Kyrie eleison haben. — (Das letzte Wort. Von einer zänkischen Frau.)

849. Schweig, mein Kundel, schweig, ich kauf dir bald ein Wiederzeüg. — (Zur Erläuterung diene: Ein Mann hatte eine äußerst zänkische Frau, die stäts das letzte Wort haben wollte. Alle sanften Erinnerungen des nicht aus seiner Ruhe zu bringenden Mannes blieben fruchtlos. Als sie einst ein neúes Gezänk begann, sagte er zu ihr: meine Kunigunde, ich sehe schon, wo der Fehler stekkt, du bist in deiner Jugend nicht genug gewiegt worden, daher kannst du gar nicht schweigen. Er hatte zwei baumstarke Männer bestellt, welche ihr Hände und Füße banden, in eine große Wiege legten und mit einem Wiegenbande wol verwahrten. Der verständige Mann nahm das Wiegenband selbst in die Hand und fing trotz ihres Schreiens sanft zu wiegen an und sang stäts dazu; Schweig, mein Kundel, schweig zc. Sie war drei und einen halben Tag in diesem Wiegenarrest, worin sie wie ein Kind gepflegt wurde, dann sagte sie zu ihrem Manne: O, mein Engel, ich bitte, laß mich los. Himmel und Erde sollen Zeuge sein, daß ich hinfort stäts schweigen werde.

850. Was die Zunge verwirkt, muß oft der Bukkel büßen. — (Von zänkischen Frauen.)

851. Weiber und Weinbeer reimen sich schlecht. — (Der Genuß berauschender Getränke verträgt sich nicht mit Weiblichkeit.) Denselben Sinn hat:

852. Kandel und Kundel sind keine gute Gespielen. — Viel Unheil in der Ehe rührt daher, wenn Squphia und Sophia beisammen sitzen, wenn die Frau Bibiana den Herrn Calixtum zum Buhlen hat, und ist also zwischen der Mühl und Müllerin nur der Unterschied, daß die Mühle vom Wasser bewegt wird und klappert, die Müllerin aber vom Wein.

853. Die alten Weine hitzen besser als die jungen. — Bei diesen unsern Zeiten fragen die gelbsüchtigen Eltern die Töchter nicht viel mehr, ob sie Diesen und Diesen haben wollen, sondern es heißt: du mußt ihn haben, wenn er schon alt ist, was schadet es, die alten Weine 2c., wenn er schon ganz kupferig im Gesicht, was irrts: ▬

854. Goldgelb im Beütel ist besser als leibfarb im Gesicht. — Muß also manche junge Tochter wider ihren Willen und wider ihre Neigung einen Batzenhofner heirathen, daß hernach dem goldnen Lümmel

855. Fremde Hähne auf seinem Miste kratzen, davon ist Ursach das verfluchte Geld.

856. Wo man Geld zählt, zählt man die Gebote nicht.

857. Sammet dem Zwillig vorziehen.

858. Die Waisen gleich halten den Weisen, heißt Gott preisen. — Wenn man bei den Tribunalen und Gerichten wird mitten durchgehen und sich nicht wird lenken auf die rechte Seite, noch auf die linke, einen nicht aufhelfen, die andern nicht abhelfen, weil er arm ist, einen nicht befördern, weil er ein Schwager ist, dem andern nicht verstoßen, weil er ein Schwacher ist, dem andern nicht zulegen, weil er hochgeachtet ist, dem Barthelme nicht ablegen, weil er verachtet ist, sondern mitten durch ohne Unterschied der Personen, dem Bürger sowol anhören als den Burggrafen, den Sammet nicht vorziehn dem Zwillig, den Waisen gleichhalten den Weisen, auf solche Art preiset man Gott, und da ist Glück und Wohlstand zu hoffen. Als er dem Justin (etwas in) die Hand gedrükt, so sah man ihn gleich:

859. Andere Saiten aufziehen. — (Er meint, die Sache bedürfe einer reiferen Bewegung und Nachsuchung,) denn:

860. Was nicht rechte Füße (habe) hat, (müsse) soll man nicht gleich über die Knie biegen.

861. Wasserguß und Feuersbrunst, Teufelsbahner und Herenkunst, Weiberzorn und Löwenbrüllen sind wol stäts gar schwer zu stillen. — Als die Hohenpriester ꝛc. die Kunde von der Auferstehung Jesu bekamen, spürten sie handgreiflich, daß sie

862. Einen krummen Handel (haben) hatten. — Wie ist denn zu helfen? Was ist zu thun, daß ein krummer Handel grade werde? Sie gaben den Kriegsknechten Geld; das heißt:

863. Das Krumme grade machen. — Denn dem Gelde ist Alles leicht zu thun, das Krumme grade machen, Berge eben, das Schwarze weiß machen.

864. Das Geld richtet Alles in der Welt. — Einer adlichen Dame war ihr Schoßhündlein gestorben, das sie über alle Maßen lieb gehabt hatte und auch im Tode noch ehren wollte. Sie bat daher den Bürgermeister, es mitten im Rathhause, bei der steinernen Säule, begraben zu lassen, was dieser jedoch unbedingt verneinte, aber eben so schnell bewilligte, als er erfuhr, daß das Hündlein ein Testament gemacht und ihn darin mit 50 Thalern bedacht habe. In diesem Falle, sagte der Bürgermeister, kann es gar wohl sein; das Geld richtet ꝛc. — Warum bekam Eliaser für den Isaak so schnell eine Braut und Jakob mußte 2 Mal 7 Jahre dienen? Frag nicht lange! Beim Eliaser hat man frisch Silber und Gold gesehen, beim Jakob aber eine pure Armuth, ein Handpferd von einer Haselnußstaude und weiter hatte Jakob nichts. Darum heißt es:

865. Hast du was, so setz dich nieder, hast du nichts, so bin ich dir zu wider.

866. Wer gibt Gut, Geld und Gaben, der kann Al=
les haben.

867. Wer gut bauen will, muß mehr Gibs als Steine
brauchen. — Ein Richter wollte zwischen zwei streitigen
Parteien kein Urtheil sprechen bis rechtmäſſige Zeügen vor=
handen; und der alsdann den besten Zeügen würde haben,
dem solle das Urtheil zugesprochen sein. Einer aus diesem
hat der Frau Richterin einen schönen und theuern Wieder=
zeüg bemüthigst offerirt, die Sach war gewonnen, dieser
Zeüg hat durchgebrungen. Wer halt gut will bauen ꝛc.

868. Der Hahn krähet nicht allein, sondern schlägt
auch mit den Flügeln. — Fragst du, welches die besten
Obrigkeiten sind? Die, welche Ernst, Hartmann und
bergl. heißen, welche mit allem Ernst das Böse strafen.
Der Hahn krähet ꝛc. Der Samariter hat nicht allein Öl
in die Wunde gegossen, sondern auch Wein, der beißt. In
der Arche des Bundes war nicht allein das süße Manna,
sondern auch die Ruthe Mosis. Josua hat mit der Po=
saunen Schall die starken Mauern der festen Stadt Je=
richo zu Boden geworfen, wie er aber vor das kleine
Städtlein Ai gerükt; da:

869. Ist er aufs Stroh gekommen. — Der Prophet
Micha hat der Stadt Jerusalem:

870. Die Wahrheit unter die Nase gerieben.

871. Die kleinen Diebe fängt man, die großen läßt
man laufen. Oder: behängt man (mit Orden und bergl.)
— Wenn man bei dir die Tauben arrestirt, und die Ra=
ben privilegirt; wenn du die kleinen Diebe aufhängst, und
den großen Alles anhängst; wenn du die kleinen Hueſten
(Huren) ausstreichest, und die Vornehmen hervorstreichst;
wenn du der Armen ihr Verbrechen aufsiehest, und den
Reichen ihre Missethat nachsiehest; wenn bei dir das Schwert

der Justiz rostig ist, so wird bei mir das Glükk in schlech=
ten Glanz stehen; wenn bei dir der Galgen leer stehet, so
wird das Land voller Diebe sein; wenn bei dir Kirchen
und Gefängnisse offen stehen, so wird bei dir Glükk und
Segen hinten stehen.

872. Ein Halstuch vom Seiler tragen.

873. Tausendguldenkraut und Frauenmünze heilen alle
Schäden. — Wie viele hätten sollen vom Seiler ein Hals=
tuch tragen, wenn sie nicht spendirt hätten. Wie viele
hätten sollen

874. Den obern Stokk verlieren, wenn sie sich nicht
mit Geld hätten losgekauft. — O wie Vielen hätte sollen
der Henker:

875. Auf den Bukkel mit grober Fraktur schreiben,
wenn sie nicht wären mit Geld aufgezogen.

876. Die Gerechtigkeit muß tanzen, wie man auf den
Regalien aufspielt. — Es ist nicht wenig zu verwundern,
was die Schmiralien bei den Ämtern und Amtsverwaltern,
alle 7 Stund und alle Tag auswirken. Der Akusativus
gilt nichts, wo der Dativus darzu kommt; die Substanz
der Justiz muß vor der Thüre warten. Wenn die Acci=
benzia bei der Audienz sein, muß die Gerechtigkeit pfeifen,
wie man auf den Regalien aufspielt. Die Frau Billigkeit
traktirt man mit dem Ab esse, wenn das Interesse bei der
Tafel sizt. O vermaledeites Geld!

877. Ein Sünder ohne Reü, ein Musketir ohne Blei,
eine Karte ohne Saü, ein Pferdestall ohne Heü, ein Metz=
ger ohne Gei, ein schwäbisch Frühstükk ohne Brei, ein Sol=
dat ohne Treü, sind pur lautere Fretterei. — Von polli-
cari kommt Politicus her, desswegen dieser viel' verspricht,
und wenig hält: aber bei einem rechtschaffnen Soldaten die

Treue, so er versprochen, muß mit Verlust des Lebens un=
weigerlich gehalten werden.

878. Wegen einer Feder kann der Adler fliegen. —
(Ein Großer ist durch einen kleinen Verlust nicht zu Grunde
gerichtet.) Trotz Teufel, vor diesem hast du der Eva einen
Apfel gezeigt, aber:

879. Ich zeige dir jetzt die Feigen *).

880. Was nützt dem Teufel das Baden, er wird doch
nicht weißer. — (Es ist ihm kein Ernst mit der Besserung.)

881. April und Weiberwill, ändern sich gar bald und viel.

882. Die Braut heimführen. — (Die Erfüllung seiner
Wünsche erreichen.) Der Teufel hatte eine große Freude,
als er Adam und Eva

883. Hinter das Licht geführt — und ihnen vorgelo=
gen, sie würden wie die Götter werden. Alle Schwüre
muß bereits der Teufel versiegeln und glaubt man, die
Wahrheit könne nicht gehen, sie müsse

884. Auf dem Teufel reiten. — Nunmehr kann man
dem Teufel den Trotz bieten und ihn

885. Bei der Nase ziehen — weil ihn zu verjagen
nur Herz nöthig ist. Er ist ein gar armer Teufel, ein
blöder Teufel, ein furchtsamer Teufel, ein verlaßner Teu=
fel, ein ohnmächtiger Teufel, ein kühler Teufel, ein ge=
schreckiger Teufel, ein flüchtiger Teufel.

886. Der Teufel ist ein Hund, der bellen kann, aber
nicht beißen.

———

*) Von Drohungen. Was den geschichtlichen Ursprung
dieser Redensart betrifft, so verweise ich auf mein in
einiger Zeit erscheinendes vollständiges Sprichwör=
ter=Lexikon.

887. Der Teufel ist ein Dieb, der steigen kann, aber nicht stehlen.

888. Der Teufel ist ein Feind, der das Schwert zuk=
ken kann, aber nicht stechen, — Er kann führen, aber nicht
verführen, locken, aber nicht zwingen, drohen, aber nicht
schlagen ohne Gottes Willen und Zulassung. Nur ein Herz
wider ihn. Wohl recht ist der Teufel im Paradies in die
Schlange, dies kriechende Thier eingetreten, denn

889. Er muß sich verkriechen, — mit aller seiner
Stärke und Macht. Die Frau irrt sich, denn die

890. Weiberreden sind selten am rechten Probierstein
gerieben.

891. Zangen und Zungen beissen sich oft selbst eine
Scharte. — Besonders beim Frauenvolk, die da

892. Reden, was gesichtig, aber nicht gewichtig und
richtig. Mit Erlaubniß Frau Kananäerin, euer Memorial
ist nicht gar wohl gereimt, stilisirt.

893. Die Bitte geht auf Stelzen. — Ihr schreit:
Meine Tochter wird vom Teufel übel geplagt; das ist übel
geredet, meine Frau; die Plage, so einem der Teufel an=
thut, ist nicht übel, sondern gut, denn

894. Es ist keine Krone im Himmel, die der Satan
nicht geschmiedet hat. — Es bringt uns dieser abgesagte
Feind wider Willen Nutzen. Jener Herr klagt, daß er den
Fuß gebrochen, weil ihn der Teufel vom Pferde geworfen,
aber es ist dies ein Uebel, aus dem viel Gutes wächst.
Vorhin war bei diesem Herrn das Beichten so

895. Rar, wie Speck in einer Judenküche. — Die
Andacht war so

896. Brünstig, wie Eiszapfen im Januar.

897. Er kam die Woche einmal übers Vaterunser, wie
die Gänse über den Hafer. — Als er aber in besagtes

Unglükk gerathen, hat er ein befferes Leben gelebt. So ift
ihm der Teüfel nüß gewefen.

898. Gott den Rükken zeigen. — Gar viele Menfchen
find alfo gefittet und gefinnt, fo lang es ihnen klar und
wohl geht, daff fie ewig an Gott denken, macht fie alfo
das klare Waffer nicht gefund, fobald ihn aber der allmäch=
tige Gott durch böfe Engel, maffen diefe Gottesfchärgen
und Henker fein, ihren Wandel betrübt macht, da werden
fie an der Seele gefund. Jonas der Prophet hat dem
Herrn den Rükken gezeigt unter deffen fein Predigtamt re=
fignirt, den Befehl Gottes als wie nichts geachtet, und fein
gutes Ding alfo fortgefegelt, keine harte Strafe im weichen
Waffer er ihm eingebildet, fobald ihm aber 3 W. überfal=
len: Wetter, Waffer, Wallfifch, da er alfo angefangen hat
Gott zu fchreien.

899. Es ift nichts fo böfe, es ift zu Etwas gut. —
Alfo gefchieht gar oft, daff dasjenige Uebel, welches uns
durch göttliche Zulaffung der böfe Feind anthut, uns zum
Guten bringt. Ja folche Unglükke, welche der Satan fchnit=
zelt, find mehrmal Sporn, welche uns zur Furcht Gottes
antreiben, find Magnet, welche uns zur Andacht ziehen,
find Fußbäder, welche uns vom Uebel= und Unrecht gehen
abhalten, welche uns lehren beten, fondern groffen Dank
Herr Teüfel, du nüßeft uns viel.

900. Er bildet fich ein, der babylonifche Thurm ift
drei Spannen niedriger, als er.

901. Die Wunden machen einen Gefunden. — Es ge=
fchieht oft, daff uns der Böfe etwas Gutes ausbrütet.
Plinius fchreibt von Ferreo Jasone, wie folcher an einem
nwendigen Gefchwür unfägliche Schmerzen gelitten, wes=
halb er fich gänzlich entfchloffen, in den Krieg zu ziehen,
und an der Spiße der Armee zu ftehen, damit er nur ein=

mal ben befagten Wehtagen ein Enbe mache, wie es bann nicht gar lange angeftanben, baß gebachter Jafon von einem Degen eine groffe Wunbe empfangen, bie allen Gebanken nach töbtlich fcheinte, wovon er aber allein nicht geftorben, fonbern es ihm burch folche Wunben, bas fo gefährliche Apoftema geöffnet worben, unb folcher Geftalten zu gewünfchter Gefunbheit gelangt bie Wunben.

902. Dem Golbe nützt ber Hammer, bem Menfchen ber Jammer. — Der verlorne Sohn wäre wol nicht gut geworben, wenn es ihm nicht übel gegangen.

903. Dem Weinftoll nützt bas Schneiben, unb bem Menfchen bas Leiben. — Jgnaz Loyola hat wol niemals fo heilige Gebanken gefchöpft, als ba er im Felbe ftark verwunbet worben.

904. Dem Ballen nützt bas Schlagen, unb bem Menfchen bas Plagen. — Auguftin hat niemals gebacht von feinem Jrrthum abzuftehen, als wie er von einer gefährlichen Krankheit überfallen worben. Der Menfch pflegt meiftens gut zu thun, wenn es ihm böfe geht. Der heil. Märtyrer Laurentius hat fich um Gotteswillen auf einem glühenben Roft braten laffen, bamit ihm ber Himmel nicht vorwerfen könne er fei,

905. Weber gebraten, noch gefotten. — Armenia unb Bartholomäus haben fich laffen wegen bes wahren Glaubens lebenbig fchinben, bamit ihnen ber Himmel nicht könne vorwerfen, baß fie

906. In keiner guten Haut fteklen. Nach verfloffenen fieben Jahren wollte Jakob

907. Die Braut heim führen. — Aber ber vortheilhafte Laban führte ihm in bie finftere Schlaffammer ftatt ber fchönen Rahel bie häffliche Lea, unb als Jakob bie vom Schlaf verbunkelten Augen gewifcht, fo hat er

908. Ein Pfui für das Hui (finden) gefunden.

909. Erst die Leiden, dann die Freuden.

810. Zwei Parabiese gehen nicht aufeinander.

911. Mit Kreuzern hat Christus den Himmel erkauft. — Es wollte Gott haben, daß der Jakob erstlich die Lea heirathete, nachmals die Rahel, das Schlechte gehet vor dem Guten, die Arbeit vor dem Lohn, der Streit vor der Viktoria, das Leiden vor den Freuden, das Getümmel vor dem Himmel, Mühseligkeit vor Seligkeit, Trübsal vor dem Himmel; zwei Parabiese gehen nicht auf einander. Mit Kreuzern hat Gott den Himmel erkauft, Man muß leiden, laß dir das Muß schmekken, nimm nur einen Löffel voll. Wer in Trübsal und Drangsal lebt, der hat ein Zeichen an sich der ewigen Auserwählung. Der Widder des Abraham hat Gott gefallen, die Widerwärtigkeit des Menschen, die er geduldig ausstehet, gefällt nicht weniger dem Allmächtigen. Es nützet demnach der Teufel sehr viel, als welcher dem Menschen viel Widerwärtigkeiten zufügt.

912. Wer in den Himmel kommen will, muß zuvor einen Sturm ausstehen. — Elias wurde auf einem feurigen Wagen durch einen Sturmwind gen Himmel getragen. Das Himmelreich, sagt Christus, gleicht einem Sauerteig, und nicht einem süßen Bisquitteige.

913. Mit Essen und Trinken, mit Faullenzen und Stinken, mit Springen und Tanzen, mit Liegen und Rangen, mit Räppel und Schemmel, kommt man, weiß Gott, nicht in den Himmel, sondern durch Leiden. Der heilige Petrus ist durch einen Engel aus seinem Arrest und harten Gefängniß erledigt, und nach Jerusalem geführt worden, aber er mußte zuvor gehen durch das eiserne Thor. Willst in die obere Stadt Jerusalem, allwo der Platz und Schatz der Auser-

wählten ist, so ist nothwendig den Weg zunehmen durch das eiserne Thor, durch einen harten Wandel, durch Kreuz und Trübsal, denn mit Essen und Trinken ꝛc. Ein reisender Handwerksgesell nahm seine Herberge bei einem gewissenlosen Wirthe, welcher gewohnt war, mit der weissen Kreide

914. Es gar zu braun (zu) machen.

915. Die Wassersucht in den Augen, die Gelbsucht in dem Herzen. — (Von lachenden Erben hinter dem Sarge des Erblassers.)

916. Der Geizige hat seinen Gott im Kasten. — Die Geizigen haben nicht allein goldene Mäuler, weil sie stets von Gold reden; goldene Zungen, weil sie immer nach Gold schlecken; goldene Zähne, weil ihnen solche allezeit nach Gold wässern, sondern auch ein goldenes Herz, weil solches das Gold wie einen Gott verehrt und liebt. Ein Geiziger ist mehr goldselig als gottselig; sein Glauben ist klauben, sein Schutzengel ist Schatzengel; sein Name heisst nehmen, sein Salben ist Silber; sein Verhalten heisst behalten, sein Wachs heisst Wechsel, sein Gewohnen heisst Gewinnen, sein Wachen heisst wuchern, seine Scheiben heisst schaben, seine Semmeln heissen sammeln, sein Viertel heisst Portel, seine Kammer heisst Kummer, sein Gold heisst Gott, das ist ja ein Spott. O Heid und Abgötter, weil du den Pluto für deinen Gott hältest. Diesem deinen mammonischen Gott gebührt keine andere Ehre als jene, welche die schöne Rahel den goldenen Götzenbildern, die sie ihrem Vater entwand, erwiesen hat, indem sie darauf gesessen hat, denn

917. Auf einen solchen Kopf, gehört kein anderer Hut.

918. Auf einen solchen Herd gehört keine andere Gluth.

919. Auf einen solchen Aker gehört kein anderer Pflug

920. Anf einen solchen Tisch gehört kein anderer Krug.

921. Auf eine solche Nase gehört keine andere Brille.

922. Auf ein solches Bett gehört keine andere Hülle.

923. Auf einen solchen Fuß gehört kein anderer Schuh.

924. Für einen solchen Degen gehört keine andere Scheide.

925. Auf eine solche Wiese gehört keine andere Weide, und für einen solchen Gott gehört ein solcher Spott. Jener Sohn wollte dem Vater gute Worte geben, und ihn auf alle Weise bedienen, damit er von demselben im Testament wohl bedacht würde und könne

926 Den Rogen ziehen. — Herr Frauhofen hat ein sehr stattliches Einkommen. Mit der ersten Frau

927. Hat er einen guten Rogen gezogen.

928. Naschen: treibt das Geld aus den Taschen. — Abraham versteht hier unter Naschen, fremde Weiber, fremde Buhlschaften. Mancher muß

929. In den Beutel blasen. — So braucht es denn nicht viel Probirens, solche

930. Buhlschaft verbirbt die Wirthschaft.

931. Die grossen Diebe hängen die kleinen.

932. Die Mükken bleiben in den Spinnweben hängen, die Vögel fliegen durch. — Das Gold gebietet dem Geizigen nicht wenig, sondern viel zu stehlen. Unser erster Vater Abraham hat nicht allein den Gedanken gehabt, den Apfel als ein kleines Bagatell zu stehlen, sondern auch dem Allerhöchsten seine Gottheit. Lieber etwas Rechtschaffenes, saget das Gold, zumalen nur die kleinen Diebe mit den Störchen ihr Nest in der Höhe machen, und Luftspringer müssen aber geben, die grossen aber in sonderen Ehren und Reputationen erhalten werden, fast auf diese Weise, wie die kleinen Mükken und Fliegen in den Spinngeweben henken bleiben, die grossen Vögel aber Alles durchreissen.

933. Auf einer fetten Saite ist nicht gut geigen. — So wenig taugt ein feister Bauch zum Gebet, und doch sind Viele, welche

934. Ein krummes Maul machen über die Fasten=speise, wenn sie auch wissen sollten, daß der Teüfel heftig den Herrn um die Erlaubniß ersucht hat, in die Schweine zu fahren; daraus ersieht man:

935. Spekkfeist ist der Teüfel Fraß.

936. Fraß und Frauen sitzen beisammen im besten Vertrauen. — Der Mond erleidet nie eine Finsterniß auß=ser er sei im Vollschein; also der Mensch sich so leicht nicht in die Werke der Finsterniß einlasse, ausser er sei voll und mit Speis und Trank angefüllt; Löffel und Löffeln, essen und vermessen, Speis und Gefäß, Tafel und Teüfel, Nachtmal und Nachtmeil, Fraß und Frauen, sitzen bei einander im besten Vertrauen. Der wakkere Hofprediger Daniel hat

937. Kein Blatt vor den Mund genommen — sondern ganz kekk und beherzt dem Nebukadnezar

938. Unter die Nase gerieben — wo bald seine Woh=nung sein werde. Viele sind bereits in dem obern Vater=lande in Gesellschaft der Engel, aber

939. Der Geizhals ist hienieden ein Märtyrer des Teü=fels, — dessen Mutter ihm einen Schrin auf den Kopf setzen wird. Im Evangelium sind jene Arbeiter für ihre gehabte Mühwaltung nach Contento belohnt worden, aber

940. Der Geizige hat (für sein ausgestandnes Fasten) des Teüfels Dank. — Er macht sich tausend Sorgen, es möchte ihm

941. Eine Maus über den Käse kommen. — (Ein Dieb übers Geld.)

942. Er zittert wie ein Bachstelzenschweif.

943. Er seufzt wie eine ungeschmierte Garnhaspel. — Der Geizhals; er sorgt immerzu, es komme ihm Einer über das Geld, wie Rahel über die Götzen.

944. Was die Spinnerin in einem Tage ausgemergelt, das nimmt der Besen in einem Augenblicke. Was der Vater viel Jahr mit Müh und Arbeit erhauft, das pflegt gar oft nicht der Besen, sondern ein böser und ungerathener Sohn auf eine Mahlzeit zu verschwenden.

945. Wie gewonnen, so zerronnen. — Abrah. erzählt hierbei folgende Anekbote. Eine Frau hatte sich durch Milchverkauf, wobei sie stäts ⅓ Wasser beigemischt, eine schöne Summe erspart. Ihr Mann fuhr mit dem Gelde über das Meer. Als er einst auf dem Schiffe eingeschlafen war, nahm ein Affe seinen Geldbeutel, stieg damit auf einen Mastbaum, öffnete den Beutel, zählte das Geld heraus, ließ davon stäts 2 Groschen ins Schiff fallen, und den dritten ins Meer, daß also der Pfennig, der unrecht gewonnen, also wieder zerronnen.

946. Es geht seiner Wirthschaft wie dem Jakob, als er mit Gott gerungen hatte. (Sie hinkt.)

947. Ungerechter Gewinn ist schnell dahin.

948. Sie ist von der fruchtbringenden Gesellschaft. — (Hat viel Kinder.) Gott hat den David wegen der Volkszählung hart gezüchtigt, und viel tausend der Seinigen durch die Pest hingerissen. So gehts:

949. Hohe Felsen werden bald vom Donner getroffen.

950. Hohe Steiger fallen gern. — Nebukadnezar hat sich wegen seiner Macht und Herrlichkeit so stark übernommen, daß er sich endlich für einen Gott aufgeworfen, weßhalb er in ein wildes Thier verkehrt worden, der zuvor solches Stroh im Kopf hatte, mußte nachmals Gras fressen, und

8

hat müssen auf der Erde kriechen, der zuvor gar zu hoch über sich gegangen. So gehts:

951. Hohe Singer werden bald heiser. — Hamann hat sich also aufgebläht, daß er vermeint, alle Kniee sollen sich vor ihm biegen, aber das heißt das Glück

952. Über das Knie biegen, er ist endlich nach Wunsch allein hoch angesehen worden, weil er an den lichten Galgen gekommen. So gehts:

953. Hohe Bäume bricht der Wind am ersten. — Herodes, der König ist so weit im Hochmuth gewachsen, daß er sich wie ein Gott aufgebläht, und weil ihm das lateinische Laus so wohl gefallen, hat der Allmächtige verhängt, daß ihn das deutsche lebendig gefressen. So gehts:

954. Hohe Gebäude leiden bald Schaden.

955. Wenn der Mond voll ist, hat er nichts als das Abnehmen zu erwarten. — (Von der höchsten Ehren- und Glücksstufe gehen alle Wege abwärts.) Es ist des Allerhöchsten Gewohnheit, die Hochmüthigen zu dämpfen; es ist des Allerhöchsten Brauch, die grossen Prahlhänse zu erniedern. Stutzen thun die Gärtner den Buchsbaum, wenn er zu hoch wächst; stutzen thut Gott den Menschen, wenn er in seinen Gedanken zu hoch steiget; fangen thut der Reiger den Fisch, der in der Höhe schwimmet; fangen thut Gott den Menschen, der nach Höhe und Hoheit trachtet; nichts nütz ist die Wagschale, welche über sich steiget; nichts nütz ist der Mensch, der in seiner Einbildung zu hoch steiget.

956. Krumme Bettler, grade Diebe.

957. Aus Bettelleuten werden gute Beuttelleute. — (Diebe.)

958. Aufwarten wie ein Pudelhund. — (Von Hofleuten, die sich um ein höheres Amt bemühen, oder einen höhern Titel.)

959. Wachen wie eine Schneegans.

960. Seúfzen wie eine Turteltaube.

961. Suchen wie ein Spürhund.

962. Hin= und Hergehen wie ein Rad.

963. Hûpfen wie eine Bachstelze. — (Abrah. braucht diese sprichwörtlichen Vergleichungen von Hofleûten, die sich nur bûkken um aufzustehen, die nur bienen, um bedient zu werden, sich nur erniedrigen, um hoch zu sein, die, wie er sagt, an aufsteigenden Ängsten leiden.) In diesem Sinne sagt er auch:

964. Ehrenpreis im Hofgarten suchen.

965. Hoffuppen haben harte Brokken. — Und wie Viele begehren den Hoftrunk, da er doch ein schlechtes Provitiant dahinter. O wie viel suchen das Hofpapier, indem doch sobald eine Sau hinauf gemacht wird. O wie manche greifen nach der Hofkarte, da doch öfters Bastan unter den Füßen aus Denari in den Händen.

966. Menschengunst ist nur ein Dunst, der gar bald vergeht und

967. Grosser Herren Gnad ist nur ein Schneepfad, so von geringem Winde verweht wird. Gebt Acht ihr grossen Herrn bei Hof, steigt nicht zu hoch, damit euch das Fallen nicht zu hart ankommt.

968. Der Schwindel ist meist bei Hofe anzutreffen. — Zu Hofe ist manchmal mitten im Sommer Glatteis, und ist man des Fallens nie versichert. Der Teufel streut nirgends mehr Erbsen als auf die Hofstiegen. Es ist nicht Ammon allein, welchem die aufsteigenden Ängsten den Garaus und Kehraus gemacht haben, sondern er hat seines Gelichters mehr, denen der Übermuth den Hals gebrochen; es ist halt wahr daß

969. Stolperer und Stolz wachsen auf einem Holz. —

8*

Jakob fah im Traum eine Leiter, die fich von der Erde
bis in den Himmel erftrekfte, oben war der Allmächtige,
welcher mit beiden Händen die Leiter hielt.

970. Wem (aber) Gott die Leiter hält, der hat gut
fteigen. — So ftiegen David und Jofeph, weil fie den
Glüfteroffen den Demuthzaum angelegt, alfo hat ihnen
Gott die Leiter gehalten.

971. Nur aus Niederland kommt man nach England. —
Nur der Niedrige, der Demüthige kommt in den Himmel.
Wer nicht barfuß (d. i. *parvus*, demüthig) geht, der ift
des Teufels mit Haut und Haar. Sonft fagt man

972. Sonnenhitze, Nadelfpitze und Weiberwitz find nicht
wehrhaft, aber in aller Wahrheit; ein witziges Weib ift
jene gewefen, welche ihr eignes Heil hat gefucht, und ge=
funden an dem Saum und unterften Theil der Kleider
Chrifti; alfo ift aller Menfchen Heil nur in der niedern
und tiefen Demuth anzutreffen. Die Lilie ift eine der vor=
nehmften Blumen, gleichwohl übernimmt fie fich nie ihrer
Hoheit, fondern neigt ihr filberfarbenes Haupt allezeit zur
Erde. So foll ein vornehmer Herr befchaffen fein und

973. Bei groffen Herrn muff Alles und Nichts aus
einer Schüffel effen. — Nichts fteht fchöner, als wenn er
fo ift, wenn nämlich ein folcher Herr Alles hat, kann,
weiß und faft Alles regiert, und demnach Nichts aus fich
macht.

974. Ehren verkehren. — Wir haben fchon oft mit Au=
gen gefehen, daff ein gemeiner Menfch ift hoch geftiegen,
aus einem Kleinen ein Groffer geworden, aus einem Die=
ner ein Herr, aus einer Magd eine Frau, aus einem An=
halter ein Verwalter, aus einem Thorfteher ein Vorfteher;
haben auch mehrmals erfahren, daff die Ehren einen fol=
chen verkehren. Er hat den Vortheil, daff

975. Ihn kein Schuh drükkt, weil er barfuß geht.

976. Er hat einen Rokk von Sammt, woraus man Mehlsäkke macht. Sie bildet sich ein, Jedermann müsse sie anbeten, weil ihr Vater

977. Hoch am Brette sitze. — Die Reichen können nicht bald einen armen Menschan sehen, denn

978. Viel Güter machen hohe Gemüther.

979. Hochmuth kommt vorm Fall. — Laß dir dies ein Exempel und eine Witzigung sein, mein reicher Vogel und thue nicht wegen deines Reichthums stolziren. Hast du gute Mittel, gute Kittel, gute Titel, gute Schnittel gute Hüttel, übernimm dich nicht! Hast du gute Herrschaften, Habschaften, Wirthschaften, Handelschaften, übernimm dich nicht; sonst laß dich Gott, der alle Hoffahrt hasset, fallen, daß du auch verdirbst, wie der Feigenbaum. Wer ist besser gestanden im Reichthum, als eben der König Nebukadnezar? Felder und Wälder ohne Zahl, Geld und Zeit im Überfluß, Schätz und Plätz nach allen Wunsch, Haus und Schmaus wie sein Herz verlangt, und wie tief ward er gestürzt.

980. Ende gut, Alles gut. — Es wird erzählt von einem gewissen Herzog im römischen Reich, daß er in allen seinen Sachen hochmüthig und aufgeblasen sich bewiesen, weil er nämlich in grosser Macht und Gütern gestanden. Es ermahnte sich dessen nicht selten der Kaiser Friedrich: wenn das End ist gut, so ist Alles gut, denn es sah der weise Monarch wohl, daß der Fall dem Hochmuth auf dem Fuße nacheile. Solchen heilsamen Rath thäte der Herzog nicht allein verwerfen, sondern noch hierüber den Kaiser schimpfen, indem er ihm aus Zwilch einen schlechten Bauernkittel machen lassen; der Saum aber dieses Kleides war mit kostbaren goldenen Spitzen verbrämt

und als sich wegen dieses so wunderlichen Aufzugs der Kaiser nicht wenig befremdt, auch gefragt, was solche Kleidung bedeutet, gab der übermüthige Herzog zur Antwort: wenn das Ende gut ist, so ist Alles gut, wodurch aber die gegebene Ermahnung ausgelacht. Weil aber Hoffahrt allemal mit dem Untergange niederkommt, und die Stolzheit nichts anders gebähret, als den Fall, also ist auch diesem widerfahren, daß er nachmals spöttlich im Kriege gefangen, und gar mit Strikken gebunden worden.

981. Zu grosser Segen, zieht den Degen.— Das liebe Deutschland und das ganze römische Reich, ist viel Jahr hero immer im Harnisch, an allen Ort Krieg und Waffen, und hat dieser leidige Kriegszug viel Tausende um das Ihrige gebracht, auch meistens an den Bettelstab gezogen, warum dies! Ich habe zwar das göttliche Protokoll nicht durchgeblättert, noch eigene Offenbarung gehabt, aber ich glaub dennoch, daß solche Ruthen haben gebunden der Übermuth, welchen die Adamskinder fast allemal treiben, so oft sie im günstigen Glükkstand und Wohlstand sich befinden, glaub nur der Tummel rühr die Trommel, und der zu grosse Segen zieh den Degen zum Kriegen.

982. Hoffahrt ist der Weiber täglich Brodt. — Es ist ihre andere Erbsünde. Darum erschien der Teufel der Eva in Gestalt einer Schlange, und nicht als Katze, Taube, Papagei ꝛc., damit sie sich in der zusammengerollten Schlange bespiegeln konnte. Als sie nun darin ihre holdselige Gestalt erblikkt, hat sie desto leichter dem Satan Glauben gegeben, weil er ihr vorgelogen, sie werde eine Göttin werden. Von da rührt ursprünglich her, daß die Weiber den Hoffart-Kitzel haben und das Wort:

983. Es ist kein stolzer Thier als das, was Zöpfe

trägt. — Die Weiber wollen nicht allein schön sein, son=
dern auch schön bleiben, ja wenn es möglich wäre, noch
schöner werden, darum

984. Zieren sie sich, wie der Esel am Palmsonntage.

985. Nicht ewig prangen schöne Wangen. Als der
Hofbäkker dem Joseph seinen Traum erzählt hatte, sagte
dieser: Auweh der Traum

986. Ist nicht weit her, — und du hast nicht weit heim,
weiter nicht als bis zum Galgen. Da will man allezeit.

987. Oben schwimmen wie das Eisen des Elisä.

989. Das Sausen in die Ohren bekommen. — Tertul=
lian; ein Glanz, Schanz und Kranz der katholischen Kir=
che, ein Bekehrer, ein Lehrer, ein Vermehrer des christlichen
Glaubens, ein Dämpfer, ein Kämpfer wider allen Irr=
thum. Tertulianus war einer solchen Wissenschaft, dass
ihm der heilige Hieronymus über Alle gepriesen, und gleich
wohl dieser Tertulianus hat das Sausen in Ohren be=
kommen, indem die ganze Welt so lobwürdig von seiner
Doktrin geredt, sich dessen übernommen, und aus Hoffart,
weil ihm ein anderer im Papstthum vorgezogen worden,
wi er die Kirchen Gottes angefangen zu streiten und hat
dieses ausgeloschene Licht also gestunken, dass man es in der
ganzen Welt gerochen. Wohlan lasst uns, liebe Kameraden,
einen Thurm bauen, so hoch bis in den Himmel hinauf. -
Wohlan lege ein Jeder die Hände an,

990. Viel Hände machen bald ein Ende. — Wir wer=
den uns einen ewigen Namen dadurch machen, die Leute
nach tausend Jahren werden sagen: das sind Kerle gewest.
Aus allen Söhnen des Isai wählte Gott den kleinsten,
den David zum König, und der grosse Lümmel Eliab, der
sich schon bestimmte Rechnung gemacht hatte, musste blut=
roth bastehen.

991. Das war eine lange Nafe. — Das geschieht noch auf den heutigen Tag in verschiedenen Wahlen, besonders den Geistlichen, denn

992. Oft wird der zur Hochzeit erwählt, der am wenigsten daran denkt, und es muß

993. Den Kürzern ziehen, — der aus Ehrsucht das Gloria in excelsis wollte singen.

994. Ein Weib ohne Kind, ist wie ein Blasebalg ohne Wind. — Hagar, eine Dienstmagd, bei dem grossen Patriarchen Abraham, sobald sie grosses Leibs geworden, hat sie sich übernommen, ihre eigne Frau die Sara verachtet; pfui, sagt sie etwa zu der Sara, was ist eine solche Frau nutze, solche Weiber gehören auf den Tändelmarkt, die keine Waare haben in den Magen zu legen. Ein Weib ohne Kind ist wie ein Blasebalg ohne Wind. Es wär dem Abraham nützlicher gewesen, wenn er die nächste beste Saubirn hätte geheirathet, wär doch solches Sauzimmer auch ein Frauenzimmer geworden. Es stehet eine kleine Zeit an, da hat Gott es verhängt, daß Hagar hat müssen mit einem Bündel unter den Armen, den Ismael an der Hand zum Hause hinauswandern.

995. Vor der Thür ist draußen, sagte Sara und schlug nach ihr die Thür zu.

996. Das Maul stinkt ihm danach. — Weil aber den Religiosen das Maul nach der Abtei gestunken, trachtete er dem Abte nach dem Leben. Nachdem sich der Patriarch Abraham also gedemüthigt, daß er vor dem Angesicht Gottes bekannt, er sei nichts als Staub und Asche, so hat

997. Diese Asche so gute Lauge gemacht, daß er fünf Königen

998. Den Kopf gewaschen, und sie überwunden. Wie der Saul aus Gehorsam seines Vaters Eselin gesucht, da

148

999. Ift er vom Efel aufs Pferd gekommen und hat
den Efelstupfer mit dem Scepter vertaufcht, da ift er von
langen Ohren zu langen Ehren gekommen. Die Efther
war ein armes Judenmädel, indem fie fich aber wegen
ihrer edeln Geftalt nichts übernommen, denn fonft

1000. Schön and Schein find felten beieinander, alfo
ift fie vom niedern Thon zum höchften Thron geftiegen.
Alexander Philosophus ift aus Dehmuth gar ein Kohlbrenner geworden, damit er nur von der Welt nicht geehrt
werde. Gott aber hat diefes Kohlbrenners Drmuth mit der
Kreide alfo aufgezeichnet, daß nachmals diefer Kohlbrenner
ein Bifchof geworden,

1001. Der fich gewafchen hat.

1002. Der Eimer hat das Waffer nicht von fich felbft.

1003. Die Orgel tönt nicht ohne fremden Wind. —
Von den Propheten und Lehrern, den Auserwählten Gottes, die Gott für ihren hohen Beruf erleüchtet und getüchtigt.

1004. Auch eine blinde Henne findet ein Korn auf der
Tenne. — Dem Teüfel geht es fchlecht mit dem Prophe-
zeien. Schon fein erftes Wahrfagen ift ihm fchlecht gerathen: Ihr werdet wie die Götter fein, und find fo wakkere Götter geworden, denen nachmals die Flöhe felbft ge-
trotzt haben. Von felbiger Zeit will der Satan noch immer einen Propheten abgeben, aber er ift

1005. Befchaffen wie eine blinde Henne, die bisweilen,
aber gar felten, ein Haberkörnlein findet. — Der Oberft
Kiefel ließ eine Wahrfagerin, die ins Lager kam, in die
Donau werfen.

1006. Auf einen folchen Kopf gehört eine folche Lauge.
— Ein Spiegel ift ein gläferner Prediger, der einem natürlich die Wahrheit

1007. An den Bart reibt, indeß im Finftern hält ers

Maul, aber baß beleidigte Gewissen schreit ohne Aufhören, und vermäntelt nichts. Hamann fürchtete sich zum Gast= mahl des Königs zu kommen, er dachte: Ich werde gewiß
1008. Harte Brocken schlucken müssen. — Sein Ge= wissen sagte es ihm.

1009. Eine Schlaguhr in der Tasche, Stroh im Schuh, Husten im Halse, Liebe im Herzen, ein böses Gewissen und ein halb Dutzend Schergen, die lassen sich nicht leicht ver= bergen. — Das böse Gewissen ist ein Wurm, der alleweile nagt, ein Sturm, der alleweile plagt, ein Waag, der alle= zeit wägt, ein Sag, der allezeit sägt, ein Igel der allezeit beißt, eine Regel, die allezeit weist, ein Horn, der allezeit wetzt, ein Dorn, der allezeit verletzt, eine Wund, die alle= zeit blutet, ein Hund, der allezeit wüthet, ein Zahn, der allezeit macht, ein Hahn, der allezeit kracht, eine Maus, die allezeit frißt, eine Laus, die allezeit nistet, ein Prügel, der allezeit schlägt. — Das böse Gewissen ist eine Uhr, die alleweil auf begangne Laster zeigt, es ist ein wütherisch Meer, welches immerzu tobt, es ist ein Musikant, der alle= weil auf Zittern schlägt, ein rother Apfel, der inwendig wurmstichig, eine Hecke voller Dörner, die immer sticht, ein Richter, der ganz unpartheiisch, ein Schmidt, der mit dem Hammer der Furcht stäts auf dem Amboß des Herzens schlägt.

1010. Wer ein böses Gewissen hat, zittert stäts wie Espenlaub, auch wenn er nur eine Maus hört rauschen.

1011. Wer ein böses Gewissen hat, fällt in einander wie kaltes Eierschmalz — wenn er auch nur einen Wind hört sausen, er erbleicht wie ein ungarischer Stiefelbalg, wenn er auch nur von der Hölle hört reden; wer ein bö= ses Gewissen hat, der schaut mit den Augen aus, wie ein abgestochener Geisbock, wenn er auch nur von Gottes Ge= icht etwas höret, dem thatert die Brust, wie ein Mühl=

123

beútel, wenn er auch nur einen Schatten an der Wand
siehet, der schaut so sauer aus wie ein Essigtopf, wenn er
nur an die Strafe gedenkt. Wir sind ehrliche Leute und
hierher gekommen, Getreide einzukaufen, versetzten Josephs
Brüder auf die Beschuldigung, daß sie Spione seien. Fort
mit Euch ins Gefängniß, war die Antwort:

1012. Für solche Gesellen gehört kein anderes Futteral.

1013. Wohlgemuth, Rittersporn und Weinrauten wachsen gern beisammen. — (Frohsinn, Ritter, Wein.)

1014. Das böse Gewissen macht aus der Mücke einen
Elephanten. — Das böse Gewissen geißelt einen mehr, als
Christus der Herr die Ebräer im Tempel; das böse Gewissen schlägt einen ärger, als der Prophet Balaam seine
Eselin; das böse Gewissen rauft einen stärker, als der Eichbaum des Absolon; das böse Gewissen nagt einen heftiger,
als der Wurm die Kürbisblätter; das böse Gewissen beißt
einen grausamer, als die elisischen Bären die Knaben; das
böse Gewissen hammert einen greulicher, als Tubalkain
das Eisen; ropft einen stärker, als die Philister den Sam-
sam; das böse Gewissen macht aus der Mücke einen Elephanten, aus einer Arbes (Erbse) einen Berg.

1015. Wer ein böses Gewissen hat, den verrathen die
Augen. — Das verletzte Gewissen schweigt nimmermehr
still, bis beim Faß oder Quas, so meldet es sich; bis beim
Braus oder Schmaus, so rührt es sich; bis beim Krug
oder Pflug, so spreizt es sich; bist beim Bett oder Bret,
so bewegt es sich; bis bei Lust oder Gunst, so reißpert es
sich, bist bei Leuten oder Fröhlichkeiten, so gibts doch keine Ruh.

1016. Vor einem offnen Helm steckt oft ein offner
Schelm. — Dies wirft das böse Gewissen dem Abel vor;
es wirft der Geistlichkeit vor, daß sie oft genauer gehe
auf die Zehnten als auf die Zehngebote und sich befleiße:

1017. Ein beffrer Wirth als Hirt (zu) sein. — Er rüttet der Obrigkeit vor, daß sie oft:

1018. Weniger Augen haben, als eine Spitalfuppen — daher wegen ihrer Fahrläffigkeit das Gute abweiche und das Böse einschleiche. Es wirft den Kaufleuten vor: daß sie

1019. Das alte Testament für das neue feil bieten. — Es wirft den Bürgern vor, daß sie am Sonntag und Feiertag öfter den Weinzeiger als den Uhrzeiger anschauen und daß ihnen

1020. Bruderschaften am liebsten sind, wo Schwestern dabei sind: — In Summa alles, was geschehen, verkündigt das verletzte Gewissen.

1021. Das gute Grwissen ist ein Garten, worin nichts wächst als Augentrost.

1022. Das gute Gewissen ist ein Kalender, worin nichts steht, als gutes Wetter.

1023. Das gute Gewissen ist eine Schildwache, die nichts anders ruft als: Gut Freund.

1024. Das gute Gewissen ist eine Hochzeit, worauf das Herz vor Freuden tanzt. Als das verlorne Bürschel, (der verlorne Sohn) von Schweinfurt und Magdeburg wieder nach Hause gekommen, das Seinige also durchgejagt, hat er

1025. Nicht ein Paar gute Hosen am Leibe gehabt, weil solche Lumpenhund

1026. Mit schlechten Fetzen umgehen.

1027. Ein Gesicht haben, wie eine saure Krautbrühe.

1028. Ein gutes Gewissen ist ein stätes Wohlleben. — Wer ein gut Gewissen hat, wird bei allen Zeiten fröhlich sein, in allen Begebenheiten ruhig, in allen Gefahren sicher, in allen Drangsalen getrost, an allen Orten aufgemuntert, in allen Sachen unbekümmert sein; zu allen Sachen wird er lachen; zu allen Dingen wird er singen; zu allen Feiereien, wird er sich erfreun, und allezeit sein **allegro**.

1029. Ein gut Gewissen ist das beste Kissen. — Herodes ließ Petrum in Ketten ins Gefängniß bringen, wo er aber in den Fesseln dennoch gut schlief. Es ist sich aber über solches so stark nicht zu wundern, denn er hatte ein gutes Gewissen, und ein gutes Gewissen ist das beste Kissen, worauf der sanft schläft, der ein gutes Gewissen hat, der hat keine Furcht, fürchtet keine Trübsal, betrübt sich niemals, sondern stets **allegro**.

1030. Ohne Prozeß, ohne Weib, ohne bös Gewissen, das sind die besten Bissen.

1031. Ein gut Gewissen, ist ein sanftes Ruhekissen. — Viel heilige Lehrer suchen und forschen und fragen nach, was doch dieses für ein Kissen muß gewesen sein, indem der Herr Christus in dem grausamen Sturmwetter so ruhig geschlafen. Einer sagt, er sei von Holz gewesen; ein anderer, es seien zusammengerollte Strikke gewesen; der dritte, es seien zusammengewikkelte Fischernetze gewesen, ich aber sag es, es war ein gut Gewissen. Denn wer solches hat, verachtet alle Gefahren, verlacht alle Drohungen, verspottet alle Gewalt, steht allezeit **allegro**, es mag Himmel, Erde, Luft, Feuer, Wasser, Teufel, Pest, Krieg, und alle Übel einfallen, so wird doch der ein gutes Gewissen hat, den Muth nicht fallen lassen, sondern allezeit **allegro**.

1032. Einen eine lange Nase drehen. — Ein Engel hat den Jakob einen Vortheil gezeigt, reich zu werden, da er den Laban eine lange Nase gedreht mit den geschekkten Schaafen, worüber sich Jakob schekkig gelacht.

1033. Sich schekkich lachen.

1034. Jemanden bei den Haaren zu etwas ziehen. — Ein Engel hat den Habakuk beim Schopf genommen und bis gen Babylon geführt. Es ist gut, daß Habakuk keine Perükke getragen; wenn jetzt der gute Engel Einen bei den Haaren in den Himmel ziehen will, so bleiben ihm die falschen Haare in den Händen.

1035. Die Zähne wässern ihm darnach. — Apollonia ließ sich um Gotteswillen die Zähne ausnehmen, damit der Himmel sähe, daß ihr die Zähne allein wässern nach dem Ewigen.

1036. Lust und List, wachsen auf der Weiber Mist. — (Von Rebekka, als sie dem Liebling Jakob Ziegenfelle um die Hände band.)

1037. Der Mensch ist ein Schatten, der bald vergeht,
ist ein Gras, das nicht lange steht.
Der Mensch ist ein Rauch, der nicht lange währt,
ein Feuer, das sich selber verzehrt.
Der Mensch ist ein Wasser, das bald abrinnt,
ein Kerzen, die bald abbrinnt.
Der Mensch ist ein Glas, das bald zerbricht.
ein Traum, er zeiget nicht.
Der Mensch ist ein Wachs, das bald erwelcht.
eine Rose, die bald verbleicht.
Der Mensch ist ein Fleisch, das bald stinkt,
ein Schiffel, das bald versinkt.

1038. Etwas an den Nagel hängen. — O ihr verruchten Gesellen, (die, welche Jesu Kreuzigung veranlaßten und betrieben) ihr habt euer Lebelang das Glükk (hier Jesus) nicht so an den Nagel gehängt.

1039. Er ist öfter beim Bier als beim Brevier.

1040. Die Brokken sind ihm lieber als die Glokken, — (Von genußsüchtigen Geistlichen.)

1041. Die Schlange muß erst das Gift ausspeien, ehe sie aus diesem Brunnen trinken darf. — (Der Fehler, die Sünde muß erst abgelegt werden, ehe die Aufnahme im Bunde der Guten erfolgen kann.)

1042. Er ist sternvoll wie der Himmel. — (Von Betrunkenen, Abrah. braucht diese Redensart vom verlornen Sohne.)

1043. Er ist stäts wie der ungelöschte Kalk. — (Das Nasse (Wein und dergl.) macht ihn heiß.)

1044. Er ist sparsam, aber nur in Tugenden.

1045. Das Gebet ist ein goldner Schlüssel, mit dem wir den Schatzkasten Gottes öffnen.

1046. Das Gebet ist ein goldner Amper (Eimer) mit dem wir aus den Brunnen der göttlichen Güte schöpfen. — Das Gebet ist ein Posaunenschall, mit dem wir die starken Ringmauern, oder besser geredt, die Sündmauern unserer Begierden unterwerfen; das Gebet ist eine Ruthe Mosis, mit der wir den wahren Felsen Jesum erweichen; das Gebet ist eine Leiter Jakob, auf welcher wir können in den Himmel hinauf steigen, und daselbst unsere Klage dem höchsten Gott anbringen; ja das Gebet ist allmächtig, weil es alles bei Gott vermag*).

1047. Jemandem dem Kopf waschen. — Als Gott der Allmächtige, der Welt den Kopf so hart gewaschen mit der allgemeinen Sündfluth, — zwar

---

*) Leicht mißzuverstehen, daher nur im Geiste jener Zeit zu verstehen. Unsere Gebete haben keine Zauberkraft, sie können die Außenwelt nicht verändern, die Rathschlüsse Gottes nicht umstoßen und ihm gleichsam etwas abnöthigen. Das rechte Gebet will auch Gott gar keine Vorschriften machen; die Veredlung des Herzens ist sein immer überschwenglicher Segen.

1048. Auf einen solchen Kopf gehört eine solche Lauge, hat er uns in dieser schwimmenden Schule sehr viel Lehren gegeben.

1049. Je grösser die Wellen, je höher die Arche. — (Von der noahischen Fluth) woraus abzunehmen, daß die Trübsal machen, daß sich die Leute gen Himmel erheben und bei Gott ihre Zuflucht suchen.

1050. Dieser Kirchtag, diese Kirmeß, ist nicht für ihn.

1051. Das Glück die Stiegen hinunter schlagen.

1052. Wer mit dem Maul in Gotteshaus und mit Herzen in der Schenke ist, deß Gebet ist eine Nuß ohne Kern.

1053. Wer mit dem Munde betet den Rosenkranz und mit den Gedanken ist zu Schenkenschanz, deß Gebet ist eine Suppe ohne Brocken.

1054. Wenn der Mund spricht: Ave Maria, und das Herz: Willkommen Christoph, so ist das Gebet ein Baum ohne Frucht.

1055. Wer mit den Lippen betet die Litanei und im Herzen ist voll Schelmerei, deß Gebet ist ein Nest ohe Ei.

1056. Ohne Kugel schießen. — (Blind, oder mit unzureichenden Mitteln nach Etwas streben.)

1057. Ohne Ruder schiffen. — (Sich der Leitung des Zufalls überlassen.)

1058. Ohne Federn fliegen. — (Etwas unternehmen, ohne die dazu nöthige Kraft zu besitzen.)

1058. Mit verrosteten Waffen streiten. — (Mit alten längst unbrauchbar gewordenen Gründen und Satzungen.)

1060. Ein Gebet ohne Andacht ist eine Bauernbraut, die man selten beschaut. (Gott sieht es nicht an; es ist erfolglos.)

1061. Die Schlußgebete durchbringen die Wolken. — (Empfiehlt Kürze des Gebets.) Lasst uns beten auf wenig=

ſtens kurz aber gut. Unſer lieber Herr verbiet, daſſ einer
ſeinen Bruder ſoll einen Narren nennen; daher mein Bru=
der, darf ich dir dieſes Schellenprädikat nicht geben; al=
lein du und andere werden es für ungut nicht aufnehmen,
wenn ich ſag, daſſ ihr geſchoſſen ſeid, jedoch mit Beding,
wenn ihr mit ſchießen wollt, verſtehe aber hierdurch die
öftere Schlußgebetel, maſſen ſolche weit beſſer die Wolken
durchbringen, als oft lange, aber laute Gebete. Jeſus am
Lazarus Grabe: Ewiger Vater, ich danke dir, daſſ du mich
erhöret haſt. Dies däuchte den Umſtehenden ſehr wunder=
lich, denn keiner hatte ihn beten gehört und geſehen, gleich=
wol bedankte er ſich bei Gott für die Erhörung. Es iſt
aber zu wiſſen, daſſ unſer Herr ein Schlußgebetel im Her=
zen verrichtet, welches ſo ſtark war, daſſ es die Erhörung
bewirkte. Denn

1062. Es iſt nicht an der Größe gelegen, ſonſt holte
die Kuh den Hahn ein.

1063. Es liegt nicht in der Dikke, ſonſt trüge die Eiche
beſſere Früchte als der Feigenbaum.

1064. Es kommt nicht auf die Länge an, ſonſt wäre
eine Spießruthe mehr werth als ein Scepter.

1065. Die Tiefe thuts nicht, ſonſt wär ein Rührkübel beſ=
ſer als ein Pokal, ſondern es iſt Alles an der Güte gelegen.
Wenn Alles wäre gelegen an der Größe, ſo hätte der David den
Goliath nicht überwunden; wenn Alles wäre gelegen an
der Dikke, ſo hätte Rebekka lieber die Wagenketten genom=
men, als die Armbänder von dem Iſaak; wenn Alles wäre
gelegen an der Länge, ſo hätte der Aron einen Wieſen=
baum genommen und nicht eine Ruthe, ſondern es iſt Al=
les gelegen an der Güte. Es heißt:

1066. Kurz und gut.

1067. Bauern ſind Bauern, ſo lange ſie bauern.

9

1068. Jemanden das Messer aus den Händen reißen.
— (Die Waffe, sich zu vertheidigen, oder das Werkzeug, sich zu schaben.)

1069. Der Hakke einen Stiel finden. — Das Gebet findet eher der Hakke einen Stiel, als Elisa dem Eisen, es ist mächtig und allmächtig.

1070. Trokken wie der Paß durchs rothe Meer.

1071. Unzeitig Obst ist nicht gesund. — Gott, der Allmächtige, ist wie ein Baum, wenn dieser auch unzeitige Früchte trägt, so man ihn schon schüttelt, so läßt er die Äpfel und Birnen so leicht nicht herunter fallen und thut er gar weislich hierin, denn er denkt: Unzeitig Obst 2c.

1072. Der Nase eine Ader lassen. — (Darauf fallen.)

1073. Glükk ist ein Riegel, das uns den Himmel versperrt.

1074. Der Ehestand ist eine Abeze, worin der letzte Buchstabe das W.

1075. Der Ehestand ist eine Prozession, wo stäts das Kreuz voran geht.

1076. Der Ehestand ist eine Jagd, wo man nichts fängt als Elendthiere.

1077. Bretter schneiden. — Die Geburt Jesu wurde zuerst den Hirten kund gethan, weil man gefürchtet, diese groben und ungeschikkten Kerle möchten in den Stall hineinplatzen, allbort sich ungebärdig niederlegen, schlafen, schnarchen und Bretter schneiden.

1078. In die Kirche gehen, wie Esau in den Wald. — In Liebesangelegenheiten, denn weil jenen anderwärts die Gelegenheit und Zusammenkunft abgeschnitten wird, also muß die Kirche dienen zu einem Buhlplatz.

1079. So wolfeil, wie die Juden nach der Eroberung Jerusalems,

1080. Man muß aus der Noth eine Tugend machen. — Du kannst dem Feuer nicht verbieten, daß es nicht brennt; du kannst der Luft das Maul nicht sperren, daß sie dich nicht anblase; du kannst dem Wasser die Gewalt nicht nehmen, daß es dich nicht benetze; du kannst dem Gestirn die Influenz nicht nehmen, daß sie dir schaden; du kannst den Krankheiten die Hand nicht binden, daß sie dich antasten; du kannst keinen Übel, was nur sein mag auſſer der Sünde, befehlen und schaffen und gebieten, es soll dich mit Frieden laſſen: sondern wenn es kommt, so muß man's leiden. Es muß sein, dann herzu, laß dir dieses Muß schmecken, ist wegen Gott und weil du doch leiden mußt, so leide es wegen Gott, und mache also aus der Noth eine Tugend.

1081. Man muß ruhig leiden, was man nicht kann meiden. — Warum hat Gott den Menschen aus Erde geschaffen? Darum, weil die Erde am meisten leidet und doch Alles überträgt. Die Erde leidet von der Sonnenhitze, daß sie oft vor Durst das Maul in alle Weiten aufreiſſt; die Erde leidet von der Kälte, daß sie oft an allen Gliedern erstarrt; die Erde leidet an den Wolken, die ihr oft wider ihren Willen den Kopf waschen; die Erde leidet von dem Donner, der ihr nach vielen murren und scharchen oft eins ins Gesicht giebt, daß ihr das Feuer aus den Augen springt; die Erde leidet von allen Vieh und Thieren, denn sie muß eine stäte Fütterung abgeben; die Erde leidet von den Menschen, welche die armen Tropfen mit Hakken und Eisen durchgraben und verwunden; die Erde leidet allen Schand und Spott, sogar thut man ihre Nase nicht verschonen. Die Erde muß ja tragen, daß ihr oft möcht der Bukkel krachen. Was für Berg und Felder und Gebäude und Schwerniſſen und Bürden liegen ihr nicht auf dem

9

image
not
available

155

Bösewichte und Hauptschelme gewesen. Das gerechte Urtheil ist ergangen, und da hieß es, dieser muß hängen, der andere muß auch hängen. Einem hat graust vor diesem Muß, daher mit seinem Kreuz in die Hölle gefahren; der andere gedachte, weil ich doch muß hängen und leiden, so sei es, ich kann's doch nicht ändern, ei, so will ich es leiden, und aus der Noth eine Tugend machen und dieses Kreuz Gott aufopfern, und hiedurch ist er ein Seliger und Heiliger*) geworden.

1085. Blind darein schlagen. — Du sagst, der Himmel hat so viel Augen als Sterne, also solle er gleich wol sehen, wer unschuldig oder schuldig sei, und müsse Gott nicht gleich blind dareinschlagen und den Unschuldigen treffen wie den Schuldigen.

1086. Einem ein lateinisches Y auf den Kopf setzen. — Nachdem David dem Urias ein lateinisches Y auf den Kopf gesetzt, als wäre der gute Mann im Zeichen des Widders geboren rc.

1087. Jemandem die Feigen zeigen. — Ich, sagte der Feigenbaum, bin so keck, daß ich auch großen Fürsten und Herrn die Feigen zeige.

1088. Er gehört dazu, wie die Hopfenstange zu den Bäumen.

1089. Geschehen ist geschehen. — Als sich Tobias auf die Bank niedergelegt, fiel ihm warmer Schwalbenkoth in die Augen. Wenn das dir wäre geschehen, gelt, du hättest viel tausend gescholten; du hättest die Menschen lassen zum Teufel jagen, weil sie die Nester nicht haben herunter gestochen; du hättest lassen die nächste beste Stange nehmen, und zu troz aller Piqueniter, diese Nester lassen

---

*) So geschwind wird man ein Heiliger?

herabwerfen; das hätteſt du etwan gethan, aber Tobias nicht, das Geringſte nicht dergleichen, ſondern wie gedacht, geſchehen iſt geſchehen, ich kanns nicht ändern; ich muſſ ſchon alſo blind bleiben, will es alſo lieber mit einer Geduld leiden, ich danke Gott noch, daſſ er mir die Gele= genheit giebt, ſeinetwegen etwas zu leiden, iſt doch dies der rechte Weg in den Himmel. Wer will in den Himmel kommen, der muſſ gute Zähne haben, denn er muſſ gar oft

1090. In eine harte Nuſſ beißen. — Er muſſ manche

1091. Harte Brocken ſchlucken. — In der Offenba= rung Johannis zeigt ſich Gott mit einem zweiſchneidigen Schwerdte aus dem Munde, der alſo will geküſſt und ge= liebt werden, der muſſ zuvor verwundet werden, denn

1092. Gott ſetzt das Henken vor das Schenken.

1093. Vor dem Lieben ſteht das Betrüben.

1094. Gott pflanzt die Dörner vor die Körner.

1095. Gott ſetzt die Leiden vor die Freuden.

1096. Erſt das Getümmel, dann folgt der Himmel.

1097. Kreüz und Leiden hier auf Erden, iſt ein Zei= chen ſelig zu werden.

1098. Den Himmel kauft man mit keiner andern Münze, als mit Kreüzern.

1099. Der Kreüzſchlüſſel macht den Himmel auf. — Das Himmelreich iſt gleich einer königlichen Hochzeit, wozu aber Niemand gelaſſen wird, der nicht mit einem hochzeit= lichen Kleid pranget. Erſtens muſſ er ein gutes Göller haben, von Elendleder gefüttert, mit Bärenhäuterzeug, das iſt, er muſſ Elend und Schmach gedulbig und um Chri= ſtum Willen leiden; iſt es aber ein Weibsbild, ſo muſſ ſie in lauter Puffi aufziehen. Die Kaufleute nennen einen ge= wiſſen Zeüg Puffi, das iſt, ſie muſſ manchen Puff ausſte= hen, doch Alles mit Geduld ertragen, und ib Kreüz dem

Kreuz Christi zugesellen, fast kann es nicht anders sein, den Himmel kauft man mit keiner andern Münz als mit Kreuzern, den Himmel sperrt kein anderer Schlüssel auf, als ein Kreuzschlüssel.

1100. Leiden gehen vor den Freuden, Schmerzen vor dem Scherzen, Gluth vor Gut, Schuss vorm Kuss, Streich vorm Himmelreich.

1101. Nur mit Geduld erhält Gottes Huld.

1102. Jemanden einen Korb geben. — Meine schöne Patientia, die du die Schlüssel zum Himmel hast, ich will dich gern zu einer Merenda einladen, gib mir diesmal nur keinen Korb; das ganze Traktament wird in einem Muß (Muss) bestehen. (Muss leiden.)

1103. Je größer das Fest, desto mehr man läutet. —

1104. Der Wind schüttelt den Gipfel mehr als den Stamm.

1105. Der Firsten wird von den Vögeln mehr beschmutzt als die Wände. — Eine geistl. und weltl. Obrigkeit muss viel leiden, und soppen die ungestimmte und unverschämte Wind viel mehr den Gipfel, als den untern Stamm; auch muss der obere Theil der Gebäude oder Dachs, so insgemein der First genannt wird meistentheils von den Vögeln ent= unehrt werden. Simson hat die Stadt=Pforten zu Gaza sammt allen Eisen auf die Achsel genommen und auf ei= nen hohen Berg getragen. Ist ungewiss, ob nicht einer Obrigkeit eine größere Last auf die Schulter geladen ist. Diese oberste Note in der Musik ist das la, also gemeinig= lich in einer Hochzeit ist nichts, als la la, die guten Kin= der des Propheten haben auf Befehl des Elias sollen Kräu= ter suchen, weil sie aber nur die Größe der Blätter an= geschaut, also haben sie nichts als Bitterkeit darin gefunden.

1106. Jemanden einen andern Kopf aufsetzen. — Der

Diakon des heiligen Nikola hat zwei Eseln, einem schwar=
zen und einem weißen die abgehaute Köpfe aufgesetzt, weil
es aber im Finstern geschehn, also hat er einen Fehler be=
gangen, und dem schwarzen den weißen, dem weißen aber
den schwarzen Eselskopf aufgesetzt, daß also zu morgens
ein jeder mit einem besondern Kopf ist gefunden worden.
Solche Ergebnisse mag es wol jedesmal haben; wenn Je=
mandem ein anderer Kopf aufgesetzt, wenn er aus seiner
in eine fremde Eigenthümlichkeit gezwängt wird.

1107. Nur durchs Kreuzthor kommt man in den Himmel.

1108. Armuth wehe thut. — Ein Armer muß viel
leiden. Wo Nichts (Nix) ist auf lateinisch, da gehet es kalt
zu; wo nichts ist auf deutsch, da gehet es kühl zu. Das
Weib in dem Evangelio hat das Licht angezündet, das
Haus ausgekehrt, und endlich das Geld gefunden, da hat
man schon mit dem Congratulamini können aufziehn;
aber wo ein Armer sucht, und nichts findet, da kann das
Lamentamini nicht ausbleiben. Bei den Armen ist der
Mond im Abnehmen, und ist sein Beutel beschaffen, wie
der schläfrigen Jungfrauen ihre Lampen, in denen kein
Öl war, und folgsam nichts zu schmieren. Eine Schnecke
ist noch glückseliger als ein armer Mensch, denn sie hat aufs
wenigste ihr eignes Haus; aber ein armer Lazarus muß
vor der Thür liegen, und weiß dieser von dem Vacua
besser zu disputiren, als der beste Philosoph. Aber getrost
mein armer Schlukker, weil du in dem Bettelsakk noch et=
liche Stükke Brot trägst, sondern auch Mehl genug zu ei=
nem Muß;· so laß dir solches schmekken, es ist wahrhaft
ein gesundes Essen; aber vergiß der lieben Haut, der Pa=
tientia, nicht, sie hat es schon mehrmal bekennt, daß ihr
nichts besseres schmekke, als ein Bettler Muß.

1109. Wo der Krieg einzieht, da zieht das Glükk aus.

1110. Wo sich Mars niedersetzt, da steht das Glück auf. — Bei Kriegszeiten ist alles theuer, Essen und Trinken theuer, das Muß*) allein ist wohlfeil, so seid ihr nicht sparsam, ihre bedrängte Adamskinder in diesem Muß beförderest, weil es Gott selbsten angerichtet. Wohlan Patientia.

Aus: Lob und Prob der herrlichen Tugenden, so auch bei dem weiblichen Geschlecht zu finden rc.

1111. Der Mann bleib auf der Kanzelei und das Weib treibe die Kocherei.

1112. Wenn die Männer disputiren, sollen die Weiber Butter rühren.

1113. Die Männer sollen schulen, den Weibern gehört das Spulen. — Das Reich Gottes, spricht Christus, ist gleich einem Sauerteig, den ein Weib nahm und verbarg ihn unter drei Scheffel Mehl. Das Himmelreich ist gleich einem Pflug, den ein Weib führet auf einem Acker, das sind die Worte des Herrn nicht. Das Himmelreich ist gleich einem Harnisch, den ein Weib anthat und ins Feld zog, das sind die Worte unsers Herrn nicht. Das Himmelreich ist gleich einer Holzhacke, mit der ein Weib die großen Eichenbäume im Walde umhackt, das sind die Worte des Herrn nicht, sondern das Himmelreich ist gleich einem Sauerteige, den ein Weib unter das Mehl mischt, und zu Hause ein gutes Brodt bäckt. Unser Herr will, daß ein

---

*) Das Muss, die Noth, welche Eisen bricht, und alles zwingt.

Weib bei demjenigen verbleibe, was ihr von Recht zuge=
hört, und sich in des Mannes Arbeit nicht einmischt, welche
sie nicht versteht.

1114. Eine schöne Gestalt, ist ein Apfel, der fault bald.

1115. Schönheit ist ein Spiegel, der bald zerbricht.

1116. Schönheit ist ein blankes Schwerdt, das der Rost
gar bald verzehrt.

1117. Ein schönes Kleid dauert eine kurze Zeit.

1118. Die schönste Gestalt wird alt und kalt.

1119. Ein Wasserblase bedarf nicht viel zum Zersprin=
gen. — So geschwind ist Schönheit dahin, sie ist flüchtig
wie ein Vogel, sie verrinnt wie Windlichter.

1120. Weiber lieben hohe Schuhe. — Von den Wei=
bern, daß ihnen die Natur eine gute Stimme habe gege=
ben, denn sie nicht können tief singen. Auf tausende
singt keine einen Baß, sondern sie singen hoch, hoch; aber
nicht allein mit der Stimme, sondern auch mit dem Geist,
sie tragen gern hohe Schuhe, einen hohen Schopf und ein
hohes Gemüth.

1121. Wenn die Weiber Flügel hätten, kein Vogel
flöge so hoch wie sie. — Eva biß in den Apfel, weil sie
der Schlange glaubte, die ihr vorgeredet, sie werde dann
wie die Götter werden.

Aus: Die verblümete Wahrheit, das ist:
Eine kurze Lob=Verfassung von dem hei=
ligen Marianischen Scapulier ꝛc.

1122. Jemanden hinter das Licht führen. — Nach
Aussag Prokopii hat der Satan, dieser Fürst der Fin=
sterniß unsere ersten Eltern hinter das Licht geführt.

1123. Der Teufel ist ein Fischer, der das Netz bei Tag und Nacht auswirft.

1124. Der Teufel ist ein Hund, der zu keiner Stunde schläft.

1125. Der Teufel ist ein Skorpion, der Tag und Nacht mit Gift versehen ist.

1126. Wenn man vorm Spiegel lacht, so lacht er mit.

1127. Das Gesicht, das man dem Spiegel vormacht, das macht er nach. — Zeigt sich einer zornig, so zeigt der gläserne Gesell ein Gesicht, als wenn er einen fressen wollte. Die Spiegel sind wie die Schmeichler, und die Schmeichler wie die Spiegel, thun sie auf allen Seiten akkommodiren. Viel grosse Fürsten haben gern die Schmeichler, gleich wie auf dem obern Theil eines Gebau, welches der Fürst genannt wird, auch allezeit ein Hahn, oder etwas anders ist, so sich da wendet nach dem Wind.

1128. Ein Achselträger sein. — Bei der grossen Himmelskönigin Maria gelten die Schmeichler nichts, weil sie die göttliche, einvermenschte Wahrheit geboren; aber die Achselträger gelten alles bei ihr, verstehe diejenigen, welche stets über ihre Achsel das heilige Scapulier tragen, diese gelten Alles, die werden eher im Himmel promovirt, als andere.

Aus: Frag und Antwort mit Ja und Nein.
Das ist ein schuldigste Lobred ꝛc.

1129. Eine Mühl ist selten ohne Kleien. — Abraham vergleicht die Welt mit einer Mühle. Er nennt sie einen saubern Gesellen, wo man leicht sein Seelenheil verscherzen könne. Den frommen Tobias haben die Tauben besudelt, aber die Welt hat noch mehrere besudelt.

1130. Wer will steigen, muß die Leiter mit Füssen treten, wer in den Himmel will, die Welt.

1131. Die Uhr steht bei ihm stets auf Mittag. — (Von Genußsüchtigen.)

1132. Wenn er ein Buch wäre, so müßte er in Schweinsleder gebunden werden. — (Von Genußsüchtigen.) Wenn ein Papier über und über feist ist, da nimm eine Feder, du kannst nichts darauf schreiben, weder Jesu noch Maria und Joseph, weder das Vaterunser, noch das Ave Maria, es ist alles umsonst, wohl aber läßt sich eine Sau darauf machen. Wer sich nur auf die Feiste begibt, wer immer nur will gefüllt sein, wie die Krüge zu Kana in Galiläa, der schickt sich zur Andacht, wie ein Geis in einen Klagemantel.

1133. Löffel und Löfflerei sind Nachbaren. — Ein Laster führt zum andern; Unmässigkeit zu Essen und Trinken verleitet leicht zu andern Ausschweifungen in der sinnlichen Liebe.

1134. Der Mensch ist ein Lümmel, wenn er nicht ist wie der Himmel. — Gleich wie der Himmel in stäter Bewegung ist, so soll der Mensch sein, nicht hitzig, nicht faullenzen. Eine Uhr, wenn sie auch von Gold wäre, wenn sie immerzu steht, so ist sie nichts nuß.

Aus: Judas, der Erzschelm für ehrliche Leute ꝛc. Dritter Theil.

1135. Wenn nur in seiner Küche Fastnacht ist, so mögfein Nachbar die ganze Woche Quatember haben.

1136. Hat er nur Vollmond, so fragt er nichts nach dem letzten Viertel Anderer.

1137. Seine Zähne lieben die Feiertage nicht.

1138. Seiner Zunge ist feuchtes Wetter lieber als grosse Dürre. — Die Weiber übertreffen die Männer an Frömmigkeit und Andacht, das hat man sattsam abgenommen zur Zeit des Leidens Christi, wo sich keine Mannsperson des Heilandes hat angenommen, ja sogar seine eigenen Jünger und Apostel

1139. Das Fersengeld geben, und

1140. Sich aus dem Staube machen. — Obgleich es dazumal wenig gestaubt, massen der Erdboden mit dem kostbaren Blute Jesu benetzt worden. Die Frau soll ihren Mann ermahnen, daß er nicht nach ungerechtem Gewinn und vortheilhaftigen Handlungen strebe, zumalen

1141. Ein ungerechter Pfennig einen gerechten Groschen frisst.

1142. Kraut und Rüben essen wie die Schlosserbuben. — (Sehr einfach, dürftig leben.)

1143. Er hat seinen Beutel mit der Kasse seines Herrn verheirathet. — (Von untreuen Beamten.)

1144. Der Weiber Hoffahrt ist der Männer Hinfahrt.

1145. Er geht als Wolf ins Gotteshaus, und kommt als Lamm heraus. — Das Gotteshaus ist anders beschaffen als die Arche Noa, dann alle die Thiere, so in selbige eingetreten, sind wieder also herausgegangen; ein Wolf hinein, ein Wolf heraus; ein Ochs hinein, ein Ochs heraus; ein Esel hinein, kein Doktor, sondern wieder ein Esel heraus. Aber mit der Kirche und Gotteshaus hat es mehrmal eine weit andere Beschaffenheit; denn gar oft ein geiler Bock hineingeht, und wird durch die Predigt bekehrt, daß er als ein unschuldiges Lämmlein herauskommt,

Gar oft ein stolzer **Pfau** hineinprangt, und wird von der Kanzel bewegt, daß er als eine **weisse Taube** heraus kommt.

1146. Sein Athem geht wie ein geladener Wagen im Hohlwege. — (Von einem sehr Kranken.) Wenn du auch den Advokaten nicht brauchst, so braucht er dich, daß er dein Recht so langsam zu einem gewünschten Ende bringt. Er wills nicht

1147. über das Knie brechen. — Damit sein der Handel ganz bleibe.

1148. Eilen thut kein gut, sagte die Schnekke, als sie sieben Jahre über die Brükke gekrochen, und noch gestolpert war. — Aus dem Langsam wächst Manchem sein Intresse, aber ist das recht? Ein Recht führt er wohl, aber nicht recht; denn was er hätte in vier Wochen können in seinen Ausgang bringen, und selbiges erst in vier Jahren vollendet, so ist unterdessen deine Ausgabe sein Diebstahl, wenn es durch seine Bosheit oder Fahrlässigkeit also prolongirt worden.

1149. Der Apfel fällt nicht weit vom Stamm,
  Hab ich doch meines Vaters Nam,
  Und hab auch seine Tugend.
  Ich setz mein Leben nach dem Ziel,
  Was ich im Alter treiben will,
  Beweis ich in der Jugend.

1150. Er hat ein Gewissen, daß ein schlesischer Fuhrmann drin umkehren könnte.')

1151. Wo Gott den Rükken zeigt, da weist der Teü-

') Haben denn grade die **schlesischen** Fuhrleute die grössten Wagen? Oder brauchen sie wegen ihrer Ungeschikklichkeit den meisten Raum zum Umwenden?

fel bas Angeſicht. — Wo Gott abweichet, ba weichet zu=
gleich alles Glüklé unb Segen ab; wo Gott nicht iſt, ba
iſt alles Übel, wo Gott ben Rükken zeigt, ba weiſet ber
Teúfel bas Angeſicht.

1152. Nicht alles Wiſſen iſt gut fúrs Gewiſſen.

1153. Manches Wiſſen iſt für bie Seel ein bitterer
Wiſſen.

1154. Alle Tage iſt bei ihm Kirchtag. — (Kirmeſſ, gut
Leben.)

1155. Eſſen unb Vermeſſen ſinb gern bei einanber.

1156. Trinken unb Stinken reimen ſich gern. —
(Unmaß.)

1157. Mitten im Sommer eine kühle Heirath ſchlieſ=
ſen. — (Sich ertránken.)

1158. Wer bie Liberei Gottes verachtet, muſſ mit Teú=
f.ls Anſtrich fürlieb nehmen. — (Dies wirb von Abraham
auf einen jungen Mann angewanbt, ber ſich ber Einfüh=
rung ins Kloſter entzog, aber am Abenb bes Tages, an
welchem er bie Kloſterkleibung erhalten ſollte, mit bem
Abtritt einfiel, unb ber elenbe Tropf alſo in bieſem
wilben Brautbett erſtikkte.) Jakob folgte ſeinem Bruber
Eſau nicht nach, wie er ihm bei bem Zuſammentreffen
verſprach. Hat er gelogen? Pfui.

1159. Verſprechen unb halten ſteht wohl bei Jungen
unb Alten. — Außuſtin entſchulbigt ben Jakob bamit, baſſ
er unterweges überlegt, ſein Bruber, ein harter Mann,
könnte wol an ben alten Haſs gebenken, unb hart mit ihm
verfahren. Den Apoſteln hat unſer Herr bie Füſſe ge=
waſchen, aber ben Mönchen

1160. Wäſcht man alle Tage ben Kopf. — Wenn einer
bukklich iſt, ſo kann er ſchon ins Kloſter gehen, benn man
muſſ allba

1161. Viel übertragen. — Wenn einer einaügig ift, fo taugt folcher fchon vor ein Mönchsleben, denn dort muß man ohnedies gar oft

1162. Ein Auge zubrükken.

1163. Er trägt ftäts die Halsuhr bei fich. — (Hat einen Kropf.) Der Herren und Frauen ift faft eine ewige Klage die Untreüe der Bedienten, und

1164. Man mag noch fo viel Katzen fchaffen, fo kann man das Maufen nicht ganz verhüten.

1165. Man möchte fo viel Augen haben, als die Suppe auf einer Bauernkirms, und

1166. Der Meifter Niemand kommt überall ins Spiel.

-1167. Koch und Kellner find die beften Gevatters= leüte; aber

1168. Ein Frühftükk fieht einem Diebftükk fo ähnlich, wie ein Wolf der Wölfin. — Der Einkaüfer vergißt fei= ner gar nicht, und weiß ihm ein Kapital zu fchmieden vom täglichen Pfennig, den er auch bei der geringften Kraut= ftauden herend; fogar die Peterfilie ift nicht ficher vom Peter=ftihl. Die treüen Knechte fprachen zum Herrn: Wenn es dir gefällig ift, fo wollen wir hingehen, und das Unkraut vertilgen. Ein ungetreüer Knecht der hätte ge= fagt: Dergleichen giebts viel. Was geht mich das Un= kraut an:

1169. Hats der Teüfel gefät, fo mags der Teüfel aus= jäten, ich laffe meinen Herrn darum forgen, — aber diefe treüen, lobwürdigen Knechte gehn felber hin, nehmen fich der Sache an, als wenn es das Ihrige wäre. Wo giebt es mehr=dergleichen wakkre Dienftboten.

1170. Da, wo die Kühe Flügel haben.

1171. Da, wo die Maüfe auf den Katzen reiten.

1172. Vor der Thür ift drauffen und

172

1173. Er verdient die Suppe nicht mehr, viel weniger die Brokken. — Viele gehen mit den Dienstboten um, wie die Appotheker mit denen Blumen; solche klauben sie ganz fleiffig zusammen, legen sie in einen schönen Distilirkolben, sie brennens aus, bis auf den letzten Tropfen, wenn endlich kein Saft und Kraft mehr darin, alsdann wirft mans zum Hause hinaus auf den Mist. Nicht anders verfährt man bisweilen mit einem Dienstboten, viel Zeit und Jahre plagt sich der alte Tropf mit so harter Arbeit in einem Dienst, befleiffigt sich Tag und Nacht, wie er seines Herrn und Frauen Willen und Befehl kann vollziehn, arbeitet manchesmal, daff ihm das Blut*) bei den Nägeln möchte ausbrechen; wenn er endlich an Stärke und Kräften abnimmt, wenn er kraft und saftlos wird, da hieff es gar oft: Vor der Thür ist drauffen; der Mensch ist schon zeitig für das Spital und Brüderhaus; er verdient nicht mehr die Suppen, will geschweigen die Brokken; hat er mir lang gedient, so hab ich ihn lang besoldt, geht gleich auf, behüt dich Gott Hans, behüt dich Liesel, sucht euer Glück weiter.

1174. Des Bachus und der Weiber Garn machen oft einen Weisen zu einem Narrn.

1175. Lieb ist ein Dieb, — denn sie stiehlt den guten Namen, denn fama vergleicht sich nicht, mit gar famula; daher man insgemein von einem solchen pflegt zu sagen, dieser oder diese führt einen ehrlichen Wandel. Sie stiehlt die Gesundheit. Kerl, hast du rothe Augen, wie eine cyprianische Taube, weißt du, daff die Venus ist aus Cypern gebürtig? Gesell, du hast Zähne, die unterhalb so

---

*) Kommt nur noch höchst selten vor; sehr vielen Dienstboten beliebt es jetzt, die Herrschaft zu spielen.

10

frifch, wie ein Zaunftekken im Krautgarten; weifft du, daſſ des Cupidinis Pfeil ſind üble Zahnſtörer, ſie verurſachen die Mundfäul. Domine ihr ſeid ſchon wurmſtichig, wie ein ſechszigjähriger Banklaben, aber wiſſt ihr das? Ein Holz, das man ſchlägt unterm Planeten Venus, dauert nicht lang. Signore, ihr ſeid noch nicht alt, und ſchmauſet ſchon wie ein matter Müllereſel, wiſſt ihr das, wo zu viel Gall iſt, da verfault die Lunge. Die Liebe ſtiehlt die zeitlichen Mittel, und will Habſchaften haben. Sie ſtiehlt die Seligkeit; der Himmel iſt ein Schafſtall und kein Bokkſtall, daher ſollen bokkbartige nicht hinein kommen. Unſer Herr hat einer ganzen Legion Teüfel erlaubt, in die Heerde Schweine zu fahren, woraus erhellt, daſſ diejenigen, welche ein ſolches ſauiſches Leben führen, dem Teüfel zugehören. Sie ſtiehlet den Verſtand, und macht die Leüt zu Narren. Narren ſind ſie, weil ſie ſolcher Liebe halber ſo viel ausſtehn, ſo viel Leiden, ſo viel Sorgen, ſo viel Laſſen, ſoviel Geben, ſo viel Gedulden, ſo viel Waſen ſo viel Verlieren, ſo viel Verſchwenden, viel Laufen, ſo viel Thun, und endlich davor des Teüfels Dank haben. Wenn ſie nur den halben Theil ſo viel wegen Gott thäten, ſo hätten ſie unfehlbar die ewige und immerwährende Seligkeit zu hoffen, zu gewarten.

1176. Der Bauer bleibe bei dem Pflug, und der Häfner beim Krug.

1177. Der Gärtner baue die Pflanzen, und der Soldat baue die Schanzen.

1178. Der Schreiner führe den Hobel, und der Kirſchner verarbeite den Zobel.

1179. Der Zimmermann führe die Hakk, und der Müllner fülle den Sakk.

1180. Der Schneider führe die Nadel, und die Spinnerin drehe das Radel.

1181. Der Bäkker bleibe beim Löthen, und der Bäkker beim Kneten.

1182. Der Apotheker halte den Stössel, und der Brauer rühre im Kessel.

1183. Der Maurer bleibe auf dem Gerüst, und der Knecht bei seinem Mist.

1184. Ein Haar in etwas finden. — Der Mundbekker Pharaos musste durch den Strik sterben, hatte nichts anders verwirkt, als dass ungefähr in der Mundsemmel der König ein Haar gefunden, wie die Rabbiner vorgeben, weshalb also dem König gegraut hat, dass er lang keine Semmel wollte sehen noch essen, und derenthalben den armen Bekken (Bäkker) zum Galgen verurtheilet.

1185. Wohl gebetet ist halb studirt.—Der heil. Franziskus von Assis wurde einstmals befragt, ob seine Geistliche auch sollen studiren, worauf er dann geantwortet: er seie gar wohl zufrieden, wenn sie nur nach dem Exempel Christi, von dem man weiss, dass er mehr gebetet als studirt, den Chor und die Betstunden nicht verabsaümen*).

1186. Studiren ist irren, wenn nicht dabei ist das Psalliren. — Wir Deutschen pflegen einen ungelehrten Menschen, in dessen Gehirn Stroh und Stramen beisammen, einen Ochsenkopf zu nennen, wie denn also den heil. Thanam von Aquin seine saubere Scholarn titulirt haben. Nun aber geschieht es nicht selten, dass ein solcher Ochsenkopf in einen Cherubim verändert, und aus einem Idio-

---

*) Das wird Wasser auf die Mühle unserer Mystiker sein, die auch lieber den Kopf henken, als denken, lieber die Hände falten, als Begriffe spalten, lieber tändelnde Lieder singen, als in den Geist der Bibel (der Religion des Christenthums) bringen.

10 *

ten der vornehmste Doktor wird. Der heil. Antonius aus Egypten, der heil. Abt Joachimus, der heil. Laurentius Justinianus, und viele andere mehr, sind aus gelehrten Leuten hochverständige Männer worden, durch kei n anderes Studiren!? als psalliren und beten. Also mein lieber Pater Paul, studiren ist irren, wenn nicht da‍bei ist das Psalliren *):

1187. Arg und Karg sind die Weiber bis in den Todtensarg.

1188. Zu solchem Gesange gehört ein solcher Weih‍rauch. — Was hält der böse Feind von einem unanbäch‍tigen Psalliren? Solche laue Religiosen haben ihre Psal‍men und Tagszeiten mit solchen umschweifenden Gedanken auf eine Zeit also verbracht, daß es den Teufel selbst ver‍drossen, daher er in einer erschrecklichen und wilden Gestalt in Mitte des Chors erschienen, mit einem Rauchfaß, wo‍rin nichts als Schwefel, und anderer unleidlicher Gestank, mit diesen thäte er die saubern Mönche incensiren und sagte dabei zu einem solchen Gesang gehört ein solcher Weihrauch **).

1189. Laus, Lappen und Lob, halten eine Prob. — Gott macht nach altem Gebrauche keine mehr zu Schan‍den als die Stolzen, die so gerne wollen gelobet werden.

1190. Er muß mit seinem Leibe umgehen, wie die Apo‍stel mit ihrem Netz.

1191. Er steckt in der Armuth (Noth) bis über die

---

*) Das rechte Studiren ist schon Psalliren, und das schlechte Studiren wird nicht besser durchs Psalliren.

**) Der Teufel möchte dies Experiment einmal in einem Frömmler-Klubb machen.

Ohren. — (Gleichwol hört er die Schuldforderer vor der
Thüre schreien.)

1192. Er ist ärmer als eine Schnecke, die doch mit einem eignen Haufe versehen ist.

1193. Er ist so angenehm, wie die thörichten Jungfrauen mit den leeren Lampen. — (Von Schuldnern, die nicht zahlen, oder nicht zahlen können.)

1194. Auf einen Streich fällt kein Eichbaum. — Wenn du das erste Mal nicht gleich nach deinem Verlangen erhört wirst, so glaubst du schon, als sei dir der Allmächtige ungenädig, der Himmel gebe dir einen Korb, deine Suplikation erhalte keinen Bescheid, und Gott verweigere deine Bitte. O Hasenherz und verzagtes Gemüth; er stellt*) sich oft, als höre er uns nicht, damit wir nur desto besser und inständiger anhalten und schrein, und wenn er schon etliche Mal, dein obschon eifriges und inbrünstiges Gebet nicht erhört, so lasse dann noch nicht nach zu bitten, gib ihm keine Ruh, höre nicht auf, sei importum, lasse dich nicht abschrecken, nur immer fort, sei geistlich grob, klopf so lang und so viel, bis er dir aufthut; er wird endlich gleichsam gezwungen **), deine Bitte zu ge-

---

*) Stellet sich? das ist wol zu menschlich.

**) Man denkt hier unwillkührlich an F. W. Krummnacher's Elias, der Thisb, welcher das Gebet der Stillen im Lande so mächtig schildert, daß sie damit den Himmel zu öffnen und zu schliessen, ja den Blitz zu erwekken in den Wolken und den Donner hervorzurufen aus seinem Lager, den Gewaltigen auf Erden den Arm zu binden, die Augen der Klugen zu blenden und die Plane der Starken zu vereiteln vermögen. Wie manches Feuer schwerer Gewichte, sagt er unter andern, fällt vom Himmel, weil wir die Hand Gottes aus den Wolken forderten.

währen. Wie der Herr kommen ist in die Gegend Tyri und Sidon, ist ihm ein kananäisch Weib zugelaufen und geschrien: Herr, erbarme dich meiner 2c. Was sagt Christus zu diesem Anbringen? Etwa: Ja, ja? Hat sich wol; nicht ein Wort.

1195. Er stellt sich als habe er keine Ohren. — Geh lieber nach Haus, mein Weiblein, schaue zu deiner Küche. Die Audienz bei diesem großen Herrn ist dir schlecht von statten gegangen. Was schadet es, gedacht sie,

1196. Auf einen Streich fällt kein Baum.

1197. Auf einen Anlauf geht keine Festung über.

1198. Ein Blasen macht kein Feuer, macht demnach die andere Instanz und schreiet noch heftiger als zuvor. Jetzt wird wol

1199. Die arme Haut einen guten Bescheid erhalten haben? — Nichtsweniger als dies, sondern gar eine abschlägige Antwort. Jetzt, mein Weib, siehst du schon,

1200. Wie viel es geschlagen. — Dasmal bist du umsonst gereist. Nicht verzagt, gedacht sie. Der Korb schreckt mich noch nicht. Ich will so lange anhalten, bis er mich erhört, fällt endlich auf die Knie nieder, denn sie wußte wol, daß

1201. Große Herrn die Ohren bei den Füßen haben.

1202. Besser ich hab's, als ich hätt's.

1203. Er hält sich zwischen Anfang und Ende nicht auf. — (Macht die Sache kurz.) Die Geistlichen *) haben gut reden auf der Kanzel, daß man die Fest soll halten, denn:

1204. Ihnen fliegen die gebratenen Vögel ins Maul, aber uns Bauern muß der harte Schweiß erhalten. Wenn ich Vormittag in die Kirche gehe an einem Feiertage, wer

---

*) So läßt Arbrah. einen Bauer sprechen.

foll mir Nachmittag die Arbeit verbieten. — Ich habe noch nie

1205. Ein Haar in der Arbeit gefunden, daß mir davor grauen follte.

1206. Es müſſten viel Späne fallen, wenn man ihn zu einem Zahnſtocher ſpißen follte. — (Er iſt ſehr ſtark, grob.)

1207. Aus dem Feſttage einen Freſſtag machen.

1208. Er macht aus Pauli Bekehrung Mauli Verehrung, weil er ſtäts die Goſchen in der Kandel hat. Am St. Martini=Tage foll der Menſch lieber den Heiligen nachfolgen, in Austheilung des Almoſens, aber

1209. Die Gans (der himmliſche Genuſſ, die Martins=Gans) iſt ihm lieber als der Paradiesvogel (das Streben nach dem höhern). Es iſt leider ſchon ſo weit gekommen, daß bei den Chriſten die meiſten Feſttage in Freſttage verkehrt werden. Man ſieht ja, daß an einem Feſttage faſt alle Küchen rauchen, alle Pfannen ſchwißen, alle Waſſer ſieben, alle Bräten laufen, alle Roſte glühen, alle Schüſſeln tragen, alle Teller leiden, alle Tafeln prangen, alle Keller geben, alle Kandeln ſchöpfen, alle Becher hüpfen, alle Gläſer ſchwimmen, alle Mäuler ſaufen, alle Gurgeln ſchlukken, alle Füſſe wakkeln, alle Köpfe ſumſen. Da trinkt ein Bürger, dort ſauft ein Bauer, dort ludert ein Geſell, dort würgt ein Knecht, da ſtolpert ein Junger, dort fällt ein Alter, dort lehnt der Sohn, dort liegt der Vater, da ſtolpert der Herr, dort kriecht der Diener, da grunzt der Richter, dort ſchnarcht der Geſchworne. Beim goldnen Lämmel trinkt der Meiſter Wolfgang, beim goldnen Wolf ſauft der Meiſter Lambert, beim blauen Hechte ſchwimmt der Fiſcher, beim ſchwarzen Ochſen ludert der Fleiſchhakker oder

Mezger, beim weißen Hirsche zecht der Jäger, beim grünen Fledermisch mäßlichen etliche alte Weiber.

1210. Gott bezahlt bis auf den Heller und ståts mit gleicher Münze. — Wenig gute Zahler trifft man auf der Welt an, aber der beßte Zahler ist der, welcher die Welt erschaffen hat. Er zahlt ꝛc.

1211. Mit gleicher Münze bezahlen. — (Wie Gott mit gleicher Münze bezahle, darüber führt Abrah. 20–30 Seiten voll biblische und andere geschichtliche Beispiele an, die freilich alle die göttliche Strafgerechtigkeit von dem grobsinnlichsten Gesichtspunkte auffassen.)

1212. Die Götzen unters Stroh verbergen, wie Rahel.

1213. Einen Holzstock für den David ausgeben, wie Michael:

1214. Rindfleisch für Wildpret auftragen.

1215. Von allen Arten von Täuschungen und Betrügereien.

1216. Hinter der Thür lachen, wie Sara. — Jetzt kann man leicht etwas verbergen, aber am jüngsten Tage wird alles offenbar, denn:

1217. Es ist nichts so fein gesponnen, dort kommt es an die Sonne.

1218. Die schönste Nuß hat oft einen wurmstichigen Kern.

1219. Der weiße Schwan hat schwarzes Fleisch.

1220. In manchen seidenen Beutel ist nichts als Kupfergeld. Die Menschen auf dieser Welt sind mehrentheils also gesittet und gesinnet, daß sie vor ihr Thun und Lassen, vorderst aber ihr Gewissen einen großen Vorhang hången, denn ein Jeder will verborgen haben den innern Zustand seines Herzens; keiner will ein Esau sein, sondern den Vorhang vor, so glaubt man, es sein ein Jakob da-

hinter; keiner will ein Kain sein, sondern den Vorhang
vor, so meint er, es stekke ein Abel dahinter; keiner will
ein Saul sein, sondern den Vorhang vor, so vermuthet
man, es stekke ein David dahinter. Troß, daß du diese
Drama, sollst ein Thamar nennen — diese war eine mit
dem achten Buchstaben im A B C — sondern den Vorhang
vor, so hält man vor gewiß, es lebe eine Susanna dahinter.
Am jüngsten Tage aber wird solcher Vorhang völlig zer=
schnitten werden, da wird Alles an den Tag kommen,
nichts verborgen bleiben, da wird man sehen, wie manche
schöne Nuß gewesen mit einem wurmstichigen Kern; da
wird man abnehmen, wie mancher weiße Schwan gewe=
sen mit einem kohlschwarzen Fleisch inwendig; da wird
man sich verwundern, wie mancher seidene Beutel gewesen,
mit kupferner Münze und wälschen Soldi; da wird an den
Tag kommen, wie mancher heilig zu sein geschienen hat,
und gleichwol im Herzen ein Machiavellus gewesen.

1221. Sie ist aus dem achten Buchstaben im Abeze.

1222. Die (egyptische) Zwiebel ist ihm lieber als das
Manna.

1223. Das Linsengericht Esau's schmekkt ihm besser als
der Honigfladen Simsons. — Was ist anders unser sterb=
licher Leib, als ein Esel? So hat ihn allemal der heilige
Einsiedler Ponhomius benamset. Und dieses Gesellen nimmt
man sich doch allerseits an, damit nur ihm nichts übles
begegne, damit er nur wolgehalten werde. An die Seele
gedenkt man wenig. Auf solche Weise sind die egyptischen
Zwiebeln besser, als das himmlische Manna; auf solchen
Schlag gilt das Linsenkochen des Esau mehr, als der Gold=
faden des Samson; auf solche Manier ist schöner der
Misthaufen des Jakob, als der goldene Thron des Salo=
monis, wenn der Leib Alles gilt, und die Seele so wenig.

1224. Er biegt ſich mehr als eine paſſauer Klinge. — (Von Höflingen und Schmeichlern.)

1225. Hin= und Herſuchen wie ein Wachtelhund. — (Jagen nach einem Ziel.)

1226. Seúfzen wie ein ungeſchmierter Rüſtwagen. — (Von ångſtlichen Bemühungen um etwas, z. B. um áußere Ehren.)

1227. Umherhúpfen wie eine Bachſtelze.

1228. Schmeicheln wie ein Kammerhúndlein.

1229. Schleichen wie ein Fuchs im Schwarzwalde.

1230. Sich in alle Poſſen finden, wie der Affe eines Marktſchreiers.

1231. Sich bemúthigen wie das Rohr im Teich.

1232. Sich ſchúchtern ſtellen wie eine Braut bei Ab= leſung des Verkúndzettels.

1233. Laſttragen wie ein Müllereſel.

1234. Verſchwiegen wie die Glokken am Karfreitage. — (Alle die R. a. von 1224—54 braucht Abrah. von denen, welche mit Vernachláſſigung der Sorge fúr den Geiſt nur nach irbiſcher Ehre ſtreben und fáhrt, ſie anre= bend fort): ihr zwitſchert in allen Winkeln wie ein Lokk= vogel; ihr klopfet allenthalben an, wie ein Baumhakker; in Summa, kein Geld iſt euch zu lieb, keine Zeit iſt euch zu lang, keine Sorge iſt euch zu groſſ, keine Búrde iſt euch zu ſchwer, ihr ſpondirt und ſpendirt, ihr parlirt und burlirt, ihr advocirt und invocirt, damit ihr nur eine Ehr, ein Amt, eine Charge, eine Dignität mógt erſchnappen.

1235. Er kann nur mit dem Kochlöffel ſchreiben.

1236. Er kann nichts leſen als Linſen und Erbſen. — (Von ſehr Unwiſſenden.)

1237. Frieſſlánder findet man in der ganzen Welt. — Zu gedulden wáre aber noch, wenn man den menſchlichen

Leib mit gemeinen Speisen versehen thäte; aber den Lüm=
mel füttert man mit allerlei fremden und kostbaren Schlek=
kereien, und muß ein französischer Suppenschmidt die
ganze Nacht spekuliren, wie er den andern Tag mit frem=
den Trachten seine gnädige Herrschaft möge bedienen. Da
nimmt er mit aller Gewalt das Dominium, welches Gott,
von Anbeginn der Welt, dem Adam noch im Stand der
Unschuld gegeben, herrschet über die Fische des Meeres, und
über die Vögel des Himmels, und über alle Thiere, die
sich auf Erben bewegen; da müssen alle Elemente ihre In=
wohner in die Kuchel Robath und Scharwerk schikken.

1238. Die Dukaten sind mehr als die Clase (in der
sie sind).

1239. Ein hölzernes Futteral ist nicht so viel werth
wie der goldene Becher. — Die Seele wird allemal dem
bachantischen Leibe nachgesetzt. Auf solche Weise ist eine
Saublatter ein grösserer Werth, als die Dukaten darinnen;
auf solche Manier sind ganz goldene Becher geringer, als
das hölzerne Futteral darüber; auf solchen Schlag gilt eine
Dienstmagd Agar mehr im Haus, als eine Hausfrau Sara
selbst.

1240. Wer sucht, der findet. — Lautet sonst das ge=
meine Sprichwort, aber das Glükk hab ich nicht gehabt.
Der Esau hat ein Wildpret für seinen alten und betagten
Vater gesucht, und hat es gefunden; der hats Glükk ge=
habt. Der Saul hat die Eselin seines Vaters gesucht und
gefunden; der hats Glükk gehabt. Die Hagar hat einen
Brunnen gesucht für ihren halb verschmachteten Ismael,
und hat ihn gefunden; die hats Glükk gehabt. Die Be=
dienten des Vicekönigs Joseph haben das Gold und den
Mundbecher gesucht, und hatten Alles gefunden, in den
Säkken der Brüder; die haben das Glükk gehabt. Die

Braut in dem hohen Liede Salamons hat ihren Liebhaber gesucht, und hat ihn gefunden; die hats Glück gehabt. Das Weiblein im Evangelium hat den verlorenen Groschen gesucht, und hat ihn gefunden; die hats Glück gehabt. Petrus zu Abstattung des Tributs hat das erforderte Geld gesucht, und selbiges auch im Maul des Fisches gefunden; der hats Glück gehabt. Der Hirt hat das verlorene Schäflein gesucht in der Wüste, und hat es auch gefunden; der hats Glück gehabt. Maria und Joseph haben den zwölfjährigen Jesus gesucht; und denselben endlich nach drei Tagen im Tempel gefunden; die haben das größte Glück gehabt. Ich aber suche so viel Jahr nach einander, suche unten und oben und auf den Seiten, suche allenthalben, suche über und über, und hab es noch nicht gefunden, werde auch das Glück nicht haben, daß ich die Redlich=keit finden werde.

1241. Falschheit hat bei der Hoftafel den ersten Sitz.

1242. Wasch mir den Pelz, und mach mich nicht naß.

1243. Jemand Prügel unter die Füße werfen. — Ich lobe die Lateiner, daß sie den Hofstatt nicht anders genannt haben, als Aula, welches im Buchstabenwechsel Laua lautet. Das heißt so viel als: Wasch mir den Pelz, und mach mich nicht naß. Solche falsche Hofleute, die im Munde Honig, im Herzen hönisch sind; die in Worten Zukker, im Herzen Zanker sind, die kommen mir vor, wie der Zeiger auf einer großen Uhr; dieser auf einer Seite ist gestaltet wie ein Herz, auf der andern Seite sieht er aus wie ein Pfeil. Nicht viel anders sind dergleichen Hofleute, als die sich die besten und herzlichsten Freunde unter die Augen stellen; im Herzen aber auf allen Wegen suchen denselben zu verfolgen, und ihm tausend Prügel unter die Füße werfen.

1244. Die Festung Kandelberg belagern. — (Von denen, die bei einem Trinkgelage sind, tapfer zechen.)

1245. Wo es was zu lecken gibt, da gibts auch Bienen (ubi dapes-ibi apes.) Oder:

1246. Brotfreund ist kein Nothfreund. — Der Schmarotzer gibt sich zwar für einen guten Freund aus, dem aber nicht also. Da fällt mir ein der gedulbige Hiob, welcher auch geglaubt, er habe die redlichsten Freunde, unterdessen hat es geheissen: ubi ꝛc. So lange Hiob Fortunatus hat geheissen, so lange der Herr Faelicianus sein Hauspfleger war, so lange waren Freunde genug bei ihm, sobald er aber

1247. Gut verloren — Blut verloren,

1248. Geld verloren — Zeit verloren,

1249. Haus verloren — Schmaus verloren, — und zuletzt gar kommen auf den Misthaufen; da hat er auch verloren den andern Haufen, nämlich einen ganzen Haufen Freund. Diese haben

1250. Sich aus dem Staube gemacht, sie haben

1251. Es gemacht wie die Fliegen in einer kalten Küche, sie haben hinter der Thür Abschied genommen. — Solche Freunde sind wie die Schwalben, welche so lang den Hausherrn liebkosen, wie lange es warme und lustige Zeit giebt, sobald aber der kühle Herbst herbei nahet, sofann nehmen sie hinter der Thür Abschieb, und verlassen nichts hinter sich, als ein beschmutztes Netz. Diese haben es gemacht wie ein klares Bächlein, welches so lang mit seinem silberstrahlenden Wässerlein zwischen dem Gehäge und Stauden daher rauschet, so lange es warme Zeit ist, sobald aber der rauhe Winter anklopft, so dann es aufhört zu rinnen ja ganz und gar erstarrt. Diese haben es gemacht, wie die Fische im Teiche, oder Weiher, welche niemals den Kopf aus den Waſſer in die Höhe heben, auſſer man wirft ihn etliche Brotfen Brot hinein; dieſe haben es gemacht, wie die Egel, welche ſo lang den Menſchen anhangen, bis ſie mit Blut genügſam geſättigt, alsdann tanzen ſie den Kehraus.

1252. Kandelfreund iſt Wandelfreund. — (Wer bloſſ Freund iſt, um von uns zu genieſſen, deſſen Freundſchaft iſt ſehr unzuverläſſig und höchſt wandelbar.)

1253. Sich den Fleiſſ ohne F in den Pelz ſetzen. — (Leis d. h. Läuſe.)

1254. Sein Herz und Mund ſind weiter aus einander als Paſſau und Erlau. — (Er meint es nicht ſo, wie er ſpricht.)

1255. Brottenfreunde ſind nur Soffenfreunde. — (Die uns in der Noth verlaſſen, ſich auf die Soffen machen.)

1256. Schüſſelfreund und Biſſelfreund iſt eine Brüder= ſchaft wegen Bratenſaft. — Auch nichts redliches an ih= nen auſſer das Maul, ihr ganzes esse iſt wegen des Eſ= ſens, ihr ganzer Affekt wegen des Konfekt, ihre ganze Brü= derſchaft wegen Bratenſaft.

1257. Heut groſſe Mittel, morgen keinen Kittel.

1258. Jemandem unter die Arme greifen.

1259. Freunde in der Noth gehen ſieben und ſiebzig auf ein Loth. — O wie Mancher iſt von Haus und Hof gekommen, wie Mancher vom Regimentsſtab zum Bettel= ſtab gerathen; wie Mancher von groſſen Mittel, kaum ei= nen Kittel anzulegen. Frage ihn, wie daſſ er nicht beſſer fortkomme, ſo würdeſt du hören, er habe keinen Menſchen der ihn unter die Arme greife. Vorher Leüte genug, be= vor er zum Leiden komme; vorher Freund, ſo lang er ſie hat geſättigt, vorher Gäſte genug, eh' es ihm ſo garſtiз hergegangen; jetz in der Noth gehen sieben und siebzig auf ein Loth, so ist dann auch unter den guten Freunden wenig Redlichkeit zu finden.

1260. Unter Asch und Kohlen ist oft Feuer verhohlen. — Ein falscher Bruder ist wie die Asche, so gar oft äusserlich her weiss und unschuldig einen vorkommt, unterdessen stecken gleichwohl glühende Kohlen darunter.

1261. Dein Mund ist gut, aber dein Augenwinken dank dir der Teufel, sagte der Fuchs zum Bauer, bei dem er sich vor den Nachstellungen des Jägers unter dem Stroh in die Scheune nach den heiligsten Versicherungen, dem Bauer nie ein Huhn mehr zu rauben, Schutz gesucht hatte, Der Jäger fragte den Bauer, ob er nicht wisse, wo der Fuchs sei, und erhielt zur Antwort: Da hab ich ihn sehn hinauslaufen, winkte aber indess, dass er hier unter dem Stroh stekke. Der Jäger hatte nur auf die Worte des Bauern·nicht aber auf sein Augenwinken gemerkt, das indess dem Fuchs nicht entgangen war. Als diesem der Bauer daher beim Abschied sagte: Mein Fuchs, du sollst mir dein Lebenstag dankbar sein, denn durch meine Worte habe ich dein Leben erhalten, erwiederte er: Dein Mund ist gut re. Das ist die Art vieler falscher Brüder, die sich mehrmals ganz redlich und gut zeigen mit dem Maul, unterdessen in der Stille einen verfolgen, und nach dem Seinigen trachten. Dergleichen Exempeln ist die ganze Welt voll.

1262. Arme Leuter Suppen haben wenig Augen. — (So müssen redliche Frauen beschaffen sein.)

1263. Lust und List haben einen Sitz auf Weiber: Mist und

1264. Frau und Fraus sind verwandt wie Ratt und Maus. — Wollte Gott, es wäre nicht wahr, aber es ist gewiss, dass eine unzählbare Anzahl derer gefunden wird,

die da glauben, es gehe in ihrem Eheſtande ganz redlich
her, da unterdeſſen die vermäntelte Falſchheit alle Untreue
übet.

1265. Wenn alle Teufel in der Hölle ſterben, ich werde
keine Hörner erben. — Jene Frau gab eine ſehr kluge
Antwort, indem ihr Herr vernommen, daß dieſer und je‐
ner mehrmals eine groſſe und wahrhafte Erbſchaft bekom‐
men, und ſagte, daß er diesfalls ſo unglückſelig ſei, was
ja mehr, er glaube, wenn alle Teufel in der Hölle ſtür‐
ben, ſo würde er nicht ein Paar Hörner erben, worauf
die Frau, die gar nicht die beſte geantwortet: Mein Schatz
haben wir doch ſchon ſo genug, laſſ uns mit dieſem zu‐
frieden ſein. Er verſtand aber nicht des argliſtigen Wei‐
bes Bosheit.

1266. Aus dem goldenen Helm wird bald ein eherner
Schelm, — (Von einem, anfänglich ſehr freundlichen und
liebenswürdigen, ſpäter aber rauh und grob gewordenen
Ehemanne.)

1267. Mit falſcher Münze werden die Leute betrogen.

1268. Das iſt ein ſchlimmer Kunde, der hat Pfeffer
im Herzen, nnd Zukker im Munde. — (Von den Falſchen
die ſich beſſer ſtellen, als ſie ſind.)

1269. Falſche Zeugen, falſch Bericht, falſche Schwür
und falſch Gewicht, falſche Liebe nnd falſch Geld, findet
man in der ganzen Welt. — So hab ich denn weder Land,
weder Stand, weder Sand, weder Hand, weder Wand
angetroffen, wo nicht einige Falſchheit begegnet. Aber doch
hab ich mir eingebildet, daß ſolche gar keinen Fuß darf
ſetzen in die Tribunalen. und Gerichter, es hat mich gar
oft meine Meinung diesfalls betrogen; denn ich allda ſo
piel falſche Gericht, falſche Zeugen, falſche Schwüre hab
wahrgenommen, daß mir die Haare gen Berg geſtiegen,

und faſt gezweifelt, ob denn ein Ort in der Welt ſei, wo alles redlich hergeht. Inſonderheit iſt mit blutigen Zähren zu beweinen, daſs ſolches Urtheil auch bei den **Richtern** eingeſchlichen.

1270. Jemanden auf eine Pfeiſe Tabak geben. — (Einen beſchenken, um ſeinen Willen zu Gunſten des Schenkenden zu beſtimmen.) — Abraham braucht die R. a. von den Hohenprieſtern, welche die Wache beim Grabe Jeſu beſtachen, um auszuſagen, der Leib Jeſu ſei von den Jüngern geſtohlen worden. Falſch ſchwören iſt ſchwer und

1271. Mancher ſchwört dem Teuſel ein Ohr ab, — und kommt nachmals zum Teuſel, welcher ſein Ohr wird ziemlich rächen.

1272. Bauern ſind Lauern. — Ja, Mancher wohnt unter einer mit Stroh bedekkten Hütte und hat beinebens nicht alle Zeit Stroh im Gehirn, und ſo auch Petrus manchen Bauern ſollte das Ohr abhauen, wie dem Malchus, ſo bleibe gleichwohl etwas übriges hinter den Ohren. Liebe Redlichkeit ſo ſuche ich dich denn an allen Orten umſonſt, hab ſchon etliche Blattern an den Füſſen, wegen des ſtäten Laufens umher aber iſt

1273. Meine Hoffnung in den Brunnen gefallen. — Ich finde aber, daſs es auch im Brunnen, wo ſonſt Alles klar iſt, falſch zu gehe, denn daſelbſt ſieht man den Himmel, ſammt ſeinen hellſtrahlenden Lichtern, ſo man aber die Lichter beim Licht beſchauet, ſo dann zeigt ſich eine pure Apparenz.

1274. Auch aus engliſchem Tuche werden Dekkmäntel gemacht. — Von ſolchen, die mit dem Schein der äuſſern Frömmigkeit ihr ſündhaftes Treiben zudekken.

1275. Sie verſteht die Wirthſchaft, ſie rupft die Gänſe.

1276. Lieben wie Hund und Katze. — Wer die em-

11

pfangene Schmach nicht rächet, deſſen Sünde wird auch
Gott nicht rächen iſt gewiſſ. Wer das Herz mit ſeinem
Widerſacher theilt, mit dem wird auch Gott ſeine Glorie
theilen, iſt gewiſſ. Wer den Zorn wider ſeinen Nächſten
läſſt fallen, den läſſt Gott nicht in die Gruben des ewigen
Verderbens fallen. Wer ſich nicht revanchirt, der iſt von Gott
ſchon predeſtinirt, iſt gewiſſ. Diejenigen, die da leben wie
Hund und Katzen, die ſind und werden bleiben Kinder
der Seligkeit, das iſt gewiſſ; aber ſie müſſen leben wie
Hund und Katzen in der Arche Noah, denn dazumal
war die gröſſte Einigkeit unter ihnen, und hat eins dem
andern nicht einmal ein ſaures Geſicht gezeigt.

1277. Es iſt kein beſſer Handwerk als verzeihen. —
Sich die Hände zur Beſtättigung der feſten Freundſchaft
und des Vergeſſens alles alten Grolls geben.

1278. Es iſt kein beſſrer Magen, als der harte Brokken
ſchlukken kann, und ſolche bald thut verdaun. Es iſt keine beſſre
Naſe, als dieſelbige, welche ſo bald nicht die angethane Schmach
rächt. Es iſt kein beſſerer Rükken, als welcher die oder jene Un-
bill und Schimpf gegen Gott leicht erträgt. Es iſt kein beſſeres
Gedächtniſſ, als welches alle empfangene Schmach leicht vergiſſt.

1279. Der Teufel ſitzt ihm anf der Zunge. — (Von
denen, die böſes reden oder thun wollen.)

1280. Er möchte ins Bad gehen, und allen Wuſt und
Unflath abwaſchen, dies Bad iſt nichts anders, als eine
rechtſchaffene Beicht, wodurch der Sünder vor dem Pater,
wie vom Bader gereinigt wird. Allen Beſchreiben nach iſt
der verlorne Sohn ein liederliches Bürſchel geweſen. Nach=
dem er ſeine Erbportion herausgepreſſt, hat er ſeinen muth=
willigen Neigungen den völligen Zaum gelaſſen.

1281. Es iſt in ſeinem Kalender nichts als Vollmond
(geweſen).

1282. Er liefft kein anderes Buch als den Friftus (Ge=
nuffucht).

1283. In feiner Suppe ift kein anderes Brot (gewe=
fen) als gewürfeltes (Spiel), und folglich die drei W:

1284. Weib Würfel, Wein, brachten ihn um das
Sein, denn gar oft ein Katharr ift nicht fo fchädlich als ein Ka=
therle. Wie ihm nun fein verfchwendrifch Leben die famm=
tenen und feibenen Kleider ausgezogen und ihn von Fuß
auf mit Elendleder bekleidet, da ift er in folche Armuth
gerathen, daff er dergeftalten zeriffene Hemd und Hofen
angetragen, daff auch

1285. Neün Katzen nicht eine Maus darin fangen
konnten, weil nun

1286. Aus Frießland der gerade Weg nach Hungarn
geht, alfo hat ihn endlich die Noth fo überfallen, daff er
muffte einen Sauhirten abgeben. Wie ihm nun

1287. Das Waffer im Maul geronnen, da betrachtet
er erft, was er gethan und refolvirt fich nach Haufe zu
kehren.

1288. Buff nimmt weg den Ruß.

1289. Gefegne dir Gott das Bad*). — Ein Abfcheü
vor den Augen Gottes ift der Sünder. Aber mein Adams=
kind laff gleichwol den Muth nicht fallen, gehe ins Bad,
die Badftuben find der Beichtftuhl. Sag mit dem verlor=
nen Sohn: Vater ich bin nicht werth ec. Beicht mit vol=
ler Reü und Leid deine Verbrechen; da wirft du gefchrie=
ben lefen: Buff nimm weg den Ruff. Gefegne dir Gott
das Bad. O wie fchön bift du geworden! Mit allen

---

*) Wie und wenn Gott das Bad gefegnet, dafür findet
man in Abrah. eine Menge Beifpiele im Stil und
Geifte des Verfaffers.

11

Freuden giebt dir Gott auf den Mund, mit dem du deine Sünden bekennet haft, ein Kuff. Da würdeft du fehen und fpüren und finden und erfahren, daß dir der Beichtvater zugleich ein Pater und Bader gewefen ift.

1290. Die Beichte ift ein Kalk, der macht die rußigfte Küche weiß. Die Beichte ift eine herrliche Tinktur, fo auch das plumpe Blei in Gold verwandelt. Die Beicht ift ein Miftbettel, woraus die edelften Blumen wachfen. Die Beichte ift eine Feile oder Raspel, fo auch das roftige Eifen glänzend macht. Die Beicht ift eine Sonne, fo auch die wildefte Rothlakken austrokknet. Die Beicht ift ein Stemp= oder Schnitzeifen, fo auch aus einem groben Holz ein fchönes Bildniß macht. Die Beicht ift ein Kalk, der auch die ruffigfte Kuchel überweiffet. Die Beicht ift ein Mebritat, fo auch das fchädliche Gift austreibet. Die Beicht ift ein Befen, fo auch das ungeraumfte Zimmer auskehret. Die Beicht ift endlich ein Bad, der Pater ein Bader, durch diefe wird aber aller Wuft und Unflath von der Seele gewafchen*).

1291. Buff nimmt weg den Kuff.

1292. Beicht macht das Gewiffen leicht.

1293. Reú macht die Seele frei.

1294. Eine bekannte That, ift das befte Bad — Die Beicht ift ein Bad, welches aus faúifchen Leúten faubere macht, aus garftigen fchöne macht, aus fchwarze weiffe macht; weiff wie der Schnee, fchön wie ein Engel, fauber wie das Gold. Ein Bad, in dem David ganz gülden ge=

---

*) Durch die Beichte an fich dürfte wenig Wuft weggewafchen werden, wenn nicht noch ein wefentlicher Faktor hinzukommt — wahre Lebensbefferung. — Beichte ohne Lebensbefferung ift leeres Gefchwätz; und wer fein Leben wahrhaft beffert, hat genug gebeichtet.

worben; in bem ber offene Sünber im Tempel ganz sauber ge=
worben; indem ber rechte Schächer biesmal ganz schön ge=
worben. Ein Bab, welches dem Menschen ist zugerichtet
zur Reinigung seiner Seele, zur Wiederkehr ber göttlichen
Gnabe, zur Gewißheit seines Heils, zur Ruhe seines Ge=
wissens, zur Aufnahme seiner Tugenben, zum Pfanb sei=
ner Seligkeit. Demnach, o Sünber! ins Bab, willst bu
rein werben; ins Bab, willst bu gesunb werben; ins Bab,
willst bu schön werben; ins Bab, willst bu heil unb heilig
werben. Der Pater ist ber Baber, ba wirst bu balb fin=
ben, balb lesen, balb merken, was ober ben Buchstaben
geschrieben ist, Buß nimmt weg.

1295. Er hat mehr Schulben als Haare auf dem Kopfe.

1296. Er hat mehr Schulben als Bissen im Kropf.

1297. Er hat mehr Schulben als Erbsen im Topf.

1298. Er schwimmt, wie ein Wetzstein. — (Von ei=
nem, ber sich für ein Geschäft nicht eignet.)

1299. Ein kühles Bab wird wenig Schmuz wegnehmen. —
Ein rechtes Bab, wo von ein Nutzen soll geschöpft werben,
muß nicht schleüberisch unb nur obenhin zugerichtet werben,
sonbern mit allen, was bazu nothwenbig ist, beigeschafft wer=
ben. Ein kühles Bab wirb wenig Schmutz' wegnehmen; eine
kühle unb unbebeütsame Beichte wirb bie Seele nicht viel säubern.

1300. In einem solchen Garten steht immer Unkraut.

1301. In einem solchen Buche finbet man stäts einige
Fehler. — Wer eine rechtschaffene Beicht will verrichten,
ber muß bas Gewissen nicht nur obenher erforschen, son=
bern wol unb wol auskehren, in solchem Zimmer finbet
sich immerzu ein Koth, in solchen Gärten finbet man fast
überall ein Unkraut, in solchem Buch stehen immer einige
Fehler; nur wol gesucht.

1302. Jemanden bie Ehre abschneiben.

1303. Mit faulen Fischen umgehen.

1304. Liegen, daß sich die Balken biegen. — Befrag dich vor der Beicht selbst. Wer bist du? Suche recht, wann du schon mit Petrus keinem ein Ohr abgeschnitten, vielleicht aber hast du diesem die Ehre abgeschnitten. Suche recht; wenn du schon mit dem Jonas nicht bist in dem Fisch gelegen, vielleicht bist du aber oft mit faulen Fischen umgegangen. Such recht, wenn du schon mit dem Simson in den philistrischen Tempel nicht hast die Saulen umgeworfen, etwan hast du öfters gelogen, daß sich hätten mögen die Balken biegen.

1305. Wenn dein Gewissen ein Kasten wär, man würde in jeden Schubladen ein Schelmenstükk finden.

1306. Wäre sein Gewissen ein Kaufgewölbe, wan würde schlimme Waaren darin finden.

1307. Wenn sein Gewissen ein Kalender wär, so würde man nur trübes Wetter darin finden.

1308. Wär sein Gewissen ein Jahrmarkt, es würde nicht an Dieben fehlen. — Willst du, daß deiner armen Seele solle das Bad, verstehe die Beicht, wohl anschlagen und sie an allen Zuständen soll kurirt werden; so ist von Nöthen, das Gewissen nicht nur obenhin zu bewegen, sondern von Grund aus, Alles aufzuwühlen, daß aller Letten und knotige Verbrechen in der Höhe schwimmen und gar nicht verborgen bleibe.

1309. Jeder kehr vor seiner Thür. — Aus einer Beichte: Ich habe den Leuten die Ehre nicht abgeschnitten, ich lasse einen Jeden sein, wer er ist und kehre vor meiner Thür. Herr Pater, wie's halt geht, wenn man übel von den Leuten redet, so

1310. Schütte ich (halt) auch meinen Brei dazu, es läßt sich nicht anders thun.

1311. Eine Rede gibt die andere. — Ich habe mich mit meinem Nächsten verfeindet, deßwegen ich mit ihm schon ein halbes Jahr nicht geredet. Ich bin nicht linder als ein Kieselstein und

1312. Gibt doch ein Kieselstein Feuer, wenn man ihn schlägt. — Wenn zuweilen ein unnützer Diskurs ist, so werf ich auch meinen Schnitz darein. Ich bin ohnedieß oft eine lange Zeit melancholisch und

1313. Man muß den Bogen nicht allezeit gespannt erhalten. — Ich habe Stiefkinder, die sind so ungezogen.

1314. Ich wollte lieber Ameisen hüten, als sie, die Fratzen haben halt eine Mutter gehabt, die hat keine Brille gebraucht, sondern hat Alles

1315. Durch die Finger gesehen.

1316. Bei ihm ist alle Tage Karfreitag, man hört immerzu die Pumpermette. — (Von Raufereien und Schlägereien.) Ich weiß nicht, wie es mein Nachbar kann verantworten, daß er Tag und Nacht Spielleute hält.

1317. Mit Tanzen verdoppelt man die Schuhe nicht, ich glaube

1318. Es muß ihm derselbe Batzen alle Stunden niederkommen, sonst könnten sie so lange nicht klekken. — Ich hab es oft gesagt, wenn ich sollte in so schönen Kleidern daher ziehn, wie unsre Richterin, ich müßte das Geld nur stehlen, denn

1319. Auf den Krautstauben wachsen keine Seidenwürmer.

1320. Wenn Peter voll Ruß ist, so muß er nicht den Paul ins Bad schikken, er muß selber gehen. Deine Sünde beichte, dich klag' an, nicht andere. Eine solche Beicht, worin man andere anklagt, ist kein Bad, sondern ein Schade; ist kein Medicin, sondern ein Ruin; ist keine Ver=

föhnung, fondern eine Verhöhnung; ist keine Erledigung, fondern eine Beleidigung; ist keine Reú, fondern eine Geierei.

1321. Er macht die Pflaster nach den Wunden. — (Trifft die rechte Behandlung, legt Keinem zu viel auf.)

1322. Einem die Fuchsfedern streichen. — (Jemandem schmeicheln: Abrah. gebraucht die R. a. von Beichtvätern, welche die Sünden und Laster großer Herrn gleichsam versiegeln und bestättigen, sich ihnen nichts zu getrauen sagen.

1323. Ein Glaube ohne Werke ist eine Hakke ohne Stiel.

1324. Ein Glaube ohne Werke ist eine Lampe ohne Öl. — Willst du in das obere Vaterland, willst du dem Schwert der göttlichen Gerechtigkeit entfliehn, willst du vor Gott erscheinen, als ein galanter Christ, so ist von Nöthen, daß du aufziehest, mit einer vollen Kornähre, das ist mit dem rechten allein gottseligmachenden Glauben, wobei auch sind die Früchte der guten Werke. Ein Glaube ohne diese ist eine leere Kornähre; ein Glaube ohne diese ist eine Hakke ohne Stiel; ein Glaube ohne diese ist der thörigten Jungfrauen ihre Lampen ohne Öl; ein Glaube ohne diese ist eine Rahel ohne Kinder; ein Glaube ohne diese ist eine josephische Eisterne ohne Wasser; ein Glaube ohne diese ist ein Lazarus ohne Leben; ein Glaube ohne diese ist ein kainisches Opfer ohne Wohlgefallen; einen Glauben ohne gute Werke hat Judas Ischarioth gehabt, und findet man noch unzählige seines Glaubens.

1325. So reissen sich die Lappen um die Kappen. — (Von Ehrsüchtigen.)

1326. Er zählt lieber zwei als eins. — (Von Zänkischen, Rechthaberischen.)

1327. Er hat mehr Krieg (Krüg) als Kandel. — (Dieselbe Bedeutung.)

1328. Er ist öfter ein Hadrian als Friedrich.

1329. Wenn man ihn den Planeten lesen sollte, so müßte man bei der Venus anfangen.

1350. Er hat den Namen, aber nicht die That. — Du bist ein Christ, wie die Büchsen der Apotheken, auf welchen zwar auswendig ein schöner mit Gold geschriebener Titel, inwendig aber gar oft zu finden, als ein geschimmelter Brokken von einer verdorbenen Hollersalzen. Du bist ein Christ, wie die Sessel bei grossen Herrn, die von aussen mit Sammet und Gold überzogen, von innen aber nichts, als ein stinkendes Rosshaar. Du bist ein Christ, wie ein schöner Wald, der wegen seiner äusserlichen schönen Grün fast alle Augen an sich ziehet, inwendig aber so hat es in seinen Schoss, nichts anders, als Bestien, und andere schädliche Thiere. Du bist ein Christ, in den äusserlichen Namen, nicht in der That.

1331. Wenn jede seiner Lügen ein Ziegel wäre, man könnte einen babylonischen Thurm daraus bauen.

1332. Nach etwas schnappen, wie der Hund nach Beinen am Ostertage.

1333. Hühner und Kapaunen essen, macht keine Bischöfe. — Willst du Bischof werden? wurde ein um diese Würde bewerbender Kandidat gefragt. Ja, war seine Antwort. Willst du auch auf den jüngsten Tag von den dir anvertrauten Seelen Rechenschaft geben? Nein, das nicht, und ließ die Bischofswürde fahren. Als man ihn fragte, warum er dies gethan, gab er zur Antwort: Ich glaubte, daß ein Bischof nichts weiter zu thun habe, als Hühner und Kapaunen essen, aber zu Rom hab ich eine andere Lektion vernommen.

1334. Man muß die Haut nicht verkaufen, bis man den Bären hat. — Ein sonst vortrefflicher Schütz begehrte

von seinem Verwandten Geld zu leihen, dafür wollte er
ihm eine gute Bärenhaut spendiren, welches ihm der gute
Freund gar nicht abgeschlagen, sondern ohne Verzug das
verlangte Geld eingehändigt, fragte aber dann, wo die
Bärenhaut sei? Ich, gab er zur Antwort, gehe jetzt gleich
in den nächsten Wald hinaus, und den ersten Bären, den
ich antreffe, schieß ich nieder. Bruder, willst du den Spaß
ansehen, so gehe mit mir, welches er gar nicht geweigert.
Indem sie nun eine ziemliche Zeit harte Berge und Hügel,
dicke Gehölz und Hacken durchstiegen, da erblickten sie einen
Bären von ungeheürer Grösse, weshalb der gute Schütz
die Gelegenheit nicht wollte versäumen, sondern stattlich
losbrannt, aber übel getroffen. Der Kamerad war dazumal auf einem Baume, und wollte von bannen solcher Bä-
renjagd ganz sicher zusehen. Das ohnedem wilde Thier
wurde durch den Schuß ganz ergrimmt, daher es mit grosser Furi auf den unglücklichen Schützen zugelaufen kam,
welcher aber in solcher höchsten Noth sich des bekannten Vor-
theils bedienet, sich also bald zur Erde niedergeworfen, den
Athen nach der Möglichkeit an sich gezogen, und einen frei-
willigen Todten abgegeben. Der Bär, nicht ohne besondern Grimm, beschnarcht den Gesellen über und über, und
am meisten um dem Kopf herum, nachdem er aber kein
Leben bemerkt, zumal der gleichen Thiere den Todten nicht
schaden, ist er wieder ohne Verletzung davon gegangen, und
sich in die weitere Wildniß begeben. Nach solcher ausgestandener äusserer Gefahr erhebt sich der halbtodte Tropf
wieder in die Höhe, und erholt die vor Furcht fast entgan-
gene Lebensgeister. Der auf dem Baume machte sich auch
herunter, fragte aber schimpfweis den Schützen, als seinen
Kameraden, was ihm doch der Bär ins Ohr gesagt, daß
er gar so aufmerksam dem saubern Bärentanz habe zuge-

schaut. Mir antwortete solcher, hat er ganz still in die Ohren gesagt, ich solle hinfort keine Bärenhaut mehr versprechen, da ich sie noch nicht gewiß habe. Die junge Frau, die sich gestern erst einen Pelz für 60 Thaler gekauft, ist gestorben. Pelz hin, Pelz her; der Tod hat ihn gleichwol

1335. Läuse in den Pelz gesetzt.

1336. Nach dem Buche Genesis, folgt das Buch Exobus: — Kaum daß du das Leben empfangen, bist du schon in Gefahr, daß dir der Tod das lacrimi fare singet. Die jetzige Weibertracht hat tausend Moden, und was dem Meister Pokkio bei der Nacht träumt, dasselbige Konzept führt er den andern Tag bei der Scheer aus. Aber doch mehr Mode hat der unsichere Tod.

1337. Der Esel hat keinen Pfauenschwanz. — Ein witziger Diener ein lasterhaften Herr wollte diesen auf eine feine Weise darauf aufmerksam machen, daß es unmöglich mit ihm ein gutes Ende nehmen könne. Er benutzte dazu einen Auftrag, den ihm sein Herr gab, auf den Markt zu gehn, und einen Esel zu kaufen. Nachdem er indeß den halben Tag auf dem Markte herumgelaufen, und alle Langohren angesehen hatte, ging er unverrichteter Sache wieder zu Hause. Der Herr, dem dies sehr unangenehm war, ging nun mit dem Diener selbst auf den Markt, wo er den großen überfluß an Eseln wahrnahm. Er gab daher dem Diener einen Verweis, daß er keinen ausgesucht habe, der sich aber damit entschuldigte, er habe einen Esel gesucht, welcher einen Schweif habe, wie ein Pfau, und weil er dergleichen nicht wahrgenommen, so habe er das Geld nicht umsonst ausgeben wollen. Du bist mir ein Phantast, sagte der Herr, hast du denn einmal gesehen einen Esel mit einem Pfauenschweif. Ich, beantwortet der Diener, habs nie

gefehn, alfo mein lieber, fauberer Herr, fetzte der Die=
ner hinzu, wird es auch nicht fein können, daß ein Lafter=
leben, dem Efel gleich, einem Pfauenfchweif habe, d. h. ein
fchönes Ende nehmen; denn nach allemal die Konklufion
mit denen Prämiffen überein ftimmet.

1338. Wo Suppe ift, da ift auch Löfflerei. — Groffe
Gaftmähler regen die finnlichen Begierden in allen Richtun=
gen auf, Effen and Vermeffen war beinander, da war
Gefottenes und Gebrottenes anzutreffen; da war Gebrate=
nes und Ungebratenes genug zu fehen. Denn wo Suppen
da ift auch Löffelei, wo Pokal, da ift auch Brutal; wo
Tafel, da ift auch Teúfel, da wo Schöps und Kebsfleifch
anzutreffen; dann eine groffe Anzahl der Kebsweiber be=
fanden fich ebenfals auch bei diefer Mahlzeit. Man glaubt
fchon, daß ohne folches Wildpret, ein Teftament ein Manka=
ment habe.

1339. Wie gelebt, fo geftorben.

1340. Ein junges Blut trachtet nach gutem Muth. —
Ich, fagt Mancher, wenn es einmal follte dazu kommen,
will heilig fterben, jetzt muß einer auch mit der Welt hal=
ten; hüpfen doch die Heufchrekken, warum foll unfer eins
nicht auch einen Sprung wagen, junges Blut trachtet nach
gutem Muth. Wenn man allezeit inbrünftig war, fo möcht
einer zuletzt gar angebrennt werden, wenn ein gebrochner
Fuß wieder geheilt wird, fo ift er nochmals viel ftärker,
als wenn er nie wäre gebrochen worden. Wenn ich graue
Haare werd haben, wie die Afche, nochmals will auch ich der
Faffnacht abfagen, und den Afchermittwoch celebriren. Ju=
kunbus ift doch ein groffer Heiliger gewefen, was foll es
fchaden, wenn ich unter feinem Namen mein Leben zubringe.
Aber auf die Letzte, wenn das Leben will Feierabend ma=
chen, da will ich das **Miserere** fingen.

1341. In ben Brunnen kann man fallen, wenn man will, aber heraus kommt man nur, wenn Andere wollen. — Jetzt heißt es zwar bei dir, ich will. Es ist aber eine große mächtige Gefahr, obs zuletzt bei dir wird heißen ich kann. In Brunnen fallen kannst du selbst, aber heraussteigen ohne Hülfe eines andern nicht selbst. Sündigen kannst du, wenn du willst, aber von Sünden auferstehn kannst du nicht, wenn du willst.

1342. Wer lebt wie ein Schwein, stirbt mit keinem Heiligenschein.

1343. Wer gelebt wie ein Hund, wird kein Engel in der letzten Stund.

1344. Wer lebt wie ein Rab, kommt nicht als Heiliger ins Grab.

1345. Wer lebt wie ein Luder, der stirbt nicht wie ein Jakobsbruder.

1346. Wer lebt wie ein Poltron, darf nicht hoffen auf die ewige Kron.

1347. Es reimt sich wie Polster und Haselnuß.

1348. Es reimt sich wie Speck und Streusandbüchse.

1349. Es reimt sich wie Straubing und Kühbichel.

1450. Es reimt sich wie Lauten und Muskateller. — (Nämlich schlecht leben und selig sterben.)

1351. Tod und Leben sind auf einen Ton gestimmt.

1352. Tod und Leben sind über einen Leisten geschlagen. — Wohl aber wird bei dir (dem der schlecht gelebt) zuletzt sein, wie in den Faß lauter trübes Gleger; bei dir wird zuletzt sein, wie zu Wien die Prozession, allwo jederzeit ein altes schwaches roziges Mütterlein zuletzt geht; bei dir wird zuletzt sein, wie eine Schusterzech, da man zuletzt thut allemal raufen und schlagen. Es wird bei Dir nie schlechter hergehn, als zuletzt. Da wird es sich zeigen, baff Leben und Tod auf eine Ton geſtimmt, Tod und Leben über einen Leiſt geſchlagen. Leben und Tod in ein Model gegoſſen; da wird man ſehen, wie gelebt alſo geſtorben. Es iſt zwar nicht ohne, daß zuweilen eine Wallfahrt zu einer Wohlfart wird und

1353. Der Teufel auch eine Kapelle zu der groſſen Kirche baut. — (Maſſen bei dergleichen Kreuzgängen ſoft einige Fehler einſchleichen.

1354. Er ſitzt mit dem Leibe darauf, wo die Berg= knappen das Schurzfell tragen.

1355. Ein altes Haus ohne Mäuſe.

ein ungekämmter Kopf ohne Läuſe,
ein Jahrmarkt ohne Diebe,
ein junger Menſch ohne Liebe,
ein Krämer der nicht lügt,
ein Jude der keinen Chriſten betrügt,
ein Waſſer, das ohne Schaden fleuſſt
ein Wolf, der keine Schafe zerreiſſt,
ein Eheſtand, der allezeit wohl beſtellt,
ſind ſeltſam Dinge in dieſer Welt.

Judas Iſcharioth, der bei Lebenszeiten

1356. Mit faulen Fiſchen umgegangen, — wollte auch ſein liederliches Ende nehmen vor dem Fiſchthor zu Jeruſalem.

1357. Weiſſes Silber macht ſchwarzes Gewiſſen.

1358. Der Tod iſt der beſte Prediger. — Kein Zaum iſt, der beſſer kann von den Sünden abhalten, als die öfters Erinnerung des gewiſſen Todes. Der wird nicht bald ſtolz ſein und hoch, wenn er gedenkt, daß er bald werde nieder= kommen unter der Erde. Der wird ſich nicht ſo leicht in die Geilheit einlaſſen, der betrachtet, daß er bald müſſe mit ſeinem ſtinkigen Fleiſch die Erde ſelbſt geilen; der wird ſich nicht ſo leicht nach Schlemmen und Freſſen trachten welcher gebenkt, daß er bald die Würmer zu Koftgehern haben werde; der wird sich sobald nicht in die Reichthümer und Silber vergaffen und vertiefen, welcher ihm selbft vor Augen ftellt, daß er bald als ein armer Tropf seine Golds gruben werde haben in dem tiefen Grab. Der wird so ge= schwind nichts entfremden, welcher da gedenkt, daß der Tod wie ein anderer Dieb unverfehener ins Fenfter ein= fteige. Der wird sobald seinen Nächften nicht den ehrli= chen Namen verschwätzen, welcher gedenkt, daß das schwarze Bahrtuch ihn bedekken werde. Der wird sobald nicht fau= lenzen, welcher betrachtet, daß er bald werde in der Erde ver= faulen: der wird sich sobald nicht im Zorn erhitzen, welcher zu Gemüth führet, daß er bald im Tode erkalten werde.

1359. Ein Waffer, das Andre wäscht, wird selbft trübe.

1360. Eine Raspel, welche den Roft abfeilt, bekommt selbft Scharten.

1361. Ein Kamm der Haare verrichtet, wird (selbft) wüft und laufig. — Also die gelehrten Leüte, so Andere unterrichten, nicht sollten selbft in die Mängel fallen.

1362. Maüsepfeffer für englisch Gewürz verkaufen.

1363. Es gehen viel Wege in den Himmel. — Es ift kein Stand, dem Gott nicht auch genugsame Mittel giebt, die Seligkeit zu erwerben. Es ift gar nicht von Nöthen, daß wir alle in den Kutten schliefen, daß wir alle zwischen vier Mauern uns einschliessen und Tag und Nacht das Le= ben mit Singen und Pfalliren zubringen, denn nicht nur ein Weg*) im Himmel, sondern vielmehr: Einen haben die Geiftlichen, einen andern haben die Weltlichen, unter denen auch die Kauf= und Handelsleüte, von den ich der=

---

*) Hier hat sich wider eine helle, erleüchtete, eines an=
   dern Jahrhunderts würdige Anficht in Abrahams
   Gifte durchgearbeitet.

felben im Himmel gefehen habe. Warum foll es nicht fein können, daß einer Kienruß verkauft und gleichwohl ein weißes Gewiffen behält. Warum foll es nicht fein können, daß einer mit englifchem Tuch handle, und gleichwol darüber ein englifches Leben führe. Warum foll es nicht fein können, daß einer mit Eifen und Stahl handle, und dennoch ein weichherziges Gemüth zu denen Armen trage. Warum foll es nicht möglich fein können, daß Jemand mit Bildern handle, und dennoch feine Seele alsein Ebenbild Gottes nicht verfcherze? Warum foll es nicht möglich fein können, daß einer Bärenhäuterzeug verkuft, und doch daneben ein ehrlicher Mann bleibe; es kann gar leicht fein.

1364. Schöne Geftalt hat groffe Gewalt.

1365. Dem Faß ift der Boden ausgegangen.

1366. Die Saiten find zerfprungen.

1367. Der Blafebalg hat ein Loch bekommen.

1368. Der Wein ift zu Effig geworden.

1369. Das Gefchirr ift in Trümmer gegangen.

1370. Der Bach ift ausgetrokknet.

1371. Die Sonne ift untergegangen.

1372. Das Kraut ift angebrannt.

1373. Die Blätter find abgefallen.

1374. Der Degen ift verroft.

1375. Hin ift der Welt Gewinn. — Dionyfius von Syrakus wurde Schulmeifter zu Korinth. Alles ift eitel, alle Ehren und Hoheiten verfchwinden wie ein Rauch, verwelken wie eine Blume, vergehen wie ein Schatten, zertrümmern wie ein Glas, verflieffen wie ein Waffer, zernichten wie ein Traum, zerfpringen wie eine Blafe.

1376. Gemach mit der Braut. — Wenn einer fündigt, wie oft foll ich ihm vergeben? Ifts genug, fiebenmal?

O mein Peter, auf solche Weise wåreſt du gar ein ſchar=
fer Beichtvater möchte Einer ſchier ihm noch einbilden.

1377. Der Himmel wåre für die Gånſe erbaut. —
Denn wer würde ſolchergeſtalten denſelben erlangen.

1378. Er iſt von Holz, der Henker würde keine Scheite
davonkriegen. — (Abraham braucht die R. a. von greben,
ungeſchlachten Ehemånnern.)

1379. Der Stein, mit dem wir auf Andere zielen,
fållt meiſt auf unſern eignen Kopf zurükk. — Wie
oft geſchieht aus, wie dem ſaubern atheniſchen Perillo,
welcher ſich bei dem Tyrannen Phalaridem zuzukommen,
und einen groſſen und hohen metallenen Ochſen verfertigt,
mit einer Thür auf der Seite, damit die Menſchen durch
das untergelegte Feuer mögen gepeinigt werden, und nach=
mals das Geſchrei und Heulen dem Tyrannen ein Spaſſ
ſei, als brüllte der Ochſe natürlich; aber Perillus muſſte
ſelbſt der Erſte ſein, und dieſe von ihm erdichtete Tormen=
ten probiren.

1380. Mancher richtet Andern ein Bad zu, und muſſ
es ſelber austrinken. — Der Hamann bei dem König
Ahasverus ſuchte in allen Wegen mit politiſchen Griffen
den Mardochaum aus dem Wege zu raumen, ſammt ſeiner
ganzen Nation, aber das Bad, ſo er andern zugerichtet,
muſſte er ſelbſt austrinken, und iſt er nachmals erſt doch an=
geſehen geweſen, wie er an den Galgen gehenkt worden.

1381. Was der Schmidt andern ſchmiedet, kommt ihm
auf den eigenen Rükken. Jene alten Lümmel zu Babylon,
haben alleweg geſucht, daſſ die keuſche Suſanna ſoll als
Ehebrecherin vom Volke geſteinigt werden, aber

1382. Das Meſſer, was ſie gewezt, hat ihnen ſelbſt
die Gurgel abgeſchnitten, indem ſich

12

1383. Das Blatt gewandt hat, und sie hernach solches Urtheil müssen ausstehen.

1384. Der Fuchs hat müssen den Balg lassen.

1385. Wenn die Sonne sich verfinstert, gibts (verdrieß= liche) dunkle Tage.

1386. Wenn der Schäfer ein Wolf ist, wohin sollen die Schaafe sich flüchten. — Wehe den Priestern, die den Weltmenschen an Lastern überlegen sind.

1387. Wer einen Kelch im Wappen führt, muß sich nicht zu Kandeln und Krügeln gesellen. — Wie schändlich steht es, wenn einer eine Kutten an hat und dabei ein **Nequam in Cutte** ist. Wie übel steht es, wenn einer im= mer unter Kannen und Krügen gesehen wird, der doch einen Kelch im Wappen führet, wie wild stehet es, wenn einer eine Blatter auf dem Kopf und mehr Kartenblätter in den Händen hält; wie ungereimt, wenn einer öfters in albis gekleidet, und dabei schwarz geschrieben ist; wie un= löblich ist es, wenn einer einen geschornen Kopf hat und nicht ein Haar fragt nach dem guten Wandel; wie sträflich ist es, wenn einer ehrwürdig genannt wird, aber nur ehrbedürftig ist, wie unverantwortlich fällt es, wenn einer täglich Messe liest und dabei täglich vermessen ist! Wie sündhaft ist es, wenn einer Reveriendus geheißen wird und mit reverenter schlimmen Leüten umgeht! Wie schäd= lich ist es, wenn einer in Gott geweihet ist, und doch von Gott immer abweicht, wehe solchen Priestern.

1388. Das Spiel ist ein Kübel, indem steckt alles übel.

1389. Das Spiel ist ein Pflaster, auf dem gehen alle Laster.

1390. Das Spiel ist eine Linde, unter der ruht jede Sünde.

1391. Das Spiel ist ein Faden, an dem hangt jeder Schaden.

1392. Das Spiel ist eine Wurst, nur gefällt mit Durst.

1393. Das Spiel ist eine Bank, auf der ruht aller Zank. — Hierunter aber soll nicht verstanden sein ein ehrliches Spiel, welches nicht zu einem schadhaften Gewinne, sondern zu einer wenigen Gemüthsergötzung angestellt ist; sondern ich verfahr nur allein wider das unmässige Spielen, welches bei vielen Tag und Nacht in Schwung gehet, und aller Laster Mutter ist.

1394. Wer spielt, der verspielt. — Ein jeder Spieler muss wissen, dass er verspielt. Er verspielt die goldene Zeit; er verspielt den guten Namen, denn Ludo und Luder einander befreundet; er verspielt das gute Gewissen; er verspielt die Gnade Gottes; er verspielt die zeitlichen Mittel; er verspielt die liebe Gebuld; er verspielt sein Seelenheil. In Summa alles Übel kommt vom Spielen her, und ist kein Gebot, so der Spieler nicht bricht.

1395. Wer verspielt die Zeit, der verspielt die Ewigkeit. — O allmächtiger Gott, in was grossen Unwerth ist bei uns die goldene Zeit. Ein Verdammter in der Hölle gäbe um eine einzige Viertelstunde, nicht nur eine Welt, sondern tausend und tausend Welten, damit er nur in dieser die Gnade Gottes noch möchte gewinnen; und ohne weiteres Nachsinnen oder Bedenken verbringen Viele mit Spielen ganze Tage, Wochen, Monate, Jahre, ja etliche die meiste Zeit ihres Lebens, da doch ein Jeder dem göttlichen Richter, die allergenaueste Rechenschaft geben muss um eine jede Minute der Zeit, wie er solche hat angewendet.

180

Aus: Judas, der Erzschelm, für ehrliche
Leút rc. Vierter und letzter Theil.

1396. Heút gelobt morgen gefoppt.

1397. Ein Weib kann eher einen Zentner Blei tragen
als drei Loth Geheimniß.

1398. Sie behält die Geheimnisse, wie ein Faß ohne
Reifen das Wasser.

1399. Ein Mühlrab ist leichter zu halten als eine Wei-
berzunge. — Sobald ein Wort bei einem Weibe zu den
Ohren hineingeht, so klopft es alsobald bei der Maulthür
an und verlangt den Durchpaß. Schweigen ist eine Kunst,
die findet man bei den Weibern nicht. David mußte fliehen und Absolon wäre durch

1400. Den Fuchsschweif

1401. Bei einem Haar zum Scepter gekommen.

1402. Aus dieser Wurzel kommt dies (böse) Kraut.—
(Das ist die Ursache davon; darin liegt der Grund.)

1403. Aus diesem Brunnen kommt das trübe Wasser.
— (Desgleichen.)

1404. Dieser Hammer schmiedet solchen Jammer. —
(Ähnliche Bedeutung.)

1405. Er hat auf diesem Markte die beßte Waare ertappt. — (Das Beßte von Etwas davon tragen.)

1406. Wenn der Wein im Fasse arbeitet, geht das
Unterste zum Spundloch hinaus. — (Wenn der Wein im
Menschen anfängt zu wirken, so treibt er alle Geheimnisse
zum Maul hinaus.)

1407. Wenn das Mühlrab nicht naß hat, so steht
es still.

1408. Wenn Wasser aufs Rad fällt, dann fängt die

Mühle an zu klappern. So lange der Mensch nüchtern ist, so rühret sich die Zunge wenig; wenn man aber wak= ker Wein darauf giesst, so stehet sie nicht still, und schweigt nicht still, klappert so lang, bis alle Geheimnisse heraus geklappert sind, daher keine bessere Folter als der Wein, wodurch die Leúte ohne sondere Mühe zum Bekenntniss gebracht werden. Es kratzt wohl oft früh Morgens Einer hinter -den Ohren, weil er des Tages zuvor beim Gläslein Wein zuviel geredet hat. Sein Vater ist kein Fuhrmann, aber er versteht gleichwol

1409. Die Leúte hinter das Licht zu führen. — Seine Mutter ist zwar keine Wirthin, abes sie weiss doch stattlich

1410. Die Leúte durch die Hechel zu ziehen. — Mit einem Worte:

1411. Sein Vater ist nicht weit her und seine Mutter hat nicht weit heim.

1412. Ein Nussbaum wird nicht anders als mit Prú= geln gegrüsst.

1413. Die Weintraube sei noch so süss, die Press ist ihr gewiss.

1414. Was zu Flachs gewachsen ist, wird durch die Hechel gezogen.

1415. Die Trommel muss sich schlagen lassen.

1416. Das besste Korn entgeht dem Flegel nicht.

1417. Jeder Strauss muss harte Brokken-schlukken.

1418. Der Ball ist nicht zum Tragen, er wird hin= und hergeschlagen.

1419. Die Erde sei noch so schön, man kann doch nur mit den Füssen darauf gehn. — (Jeder muss nach seinen Berufe und nach seinen Verhältnissen leiden.)

1420. Das Blatt hat sich gewandt.

1421. Das Wetter hat sich verändert.

1422. Das Konzept hat sich umgekehrt. — (Von denen, die man im Leben verfolgte.) Die man vorher mit Füssen getreten, jetzt beugt man vor ihnen das Knie; die man vorher mit Ketten und eisernen Banden geschlagen, jetzt wird ihnen Silber und Gold geopfert; die man vorher in finstere Kerker geworfen, jetzt baut man ihnen Tempel und Kirchen auf; die man vorher aus der Stadt verwiesen, jetzt erweiset man ihnen stattliche Ehr; die man vorher verlacht hat, jetzt weint man bei ihrem Bildniß; die man vorher vor Lampen gehalten hat, jetzt brennt man ihnen zu Ehren Lampen; denen man vorher das Leben genommen, jetzt verehrt man deren Gräber.

1423. Wer Gott dienet, dem dient er wieder.

1424. Wer Gott verehrt, den verehrt er wieder.

1425. Wer Gott gibt, dem giebt er wieder.

1426. Wenn der Mensch will fliegen, so rauft ihm Gott die Federn aus. — Wahr ist's, daß Gott gleichsam nichts mehr thut, als die Hochmüthigen zu stürzen, darum hat er auch den ersten Menschen aus der Erde, so ein demüthiges und niederträchtiges Element erschaffen; nicht aus dem Wasser, welches sich mehrmals in die Wellen aufbäumt; nicht aus dem Feuer, das von Natur in die Höhe steigt; nicht aus der Luft, so für sich selbst ein aufgeblasener Kerl; sondern aus der Erde. Ist aber Jemand, der fliegen will, so wird einem solchen der Höchste gemeiniglich die Feder rupfen.

1427. Wie der Vater, so der Sohn. — Der Essig ist ein Sohn des Weins, welcher aber weit einer wildern Natur als der Vater. Ist bennoch dieser Auslegung nach recht gesagt. Die Heiligenstädter sind gut, aber ihre Söhne sind gar übel. Gleichwie nun der Essig ein übler Sohn eines

guten Weins ist, also geschieht nicht selten, daß ein heili=
ger.Vater einen bösen und ungerathenen Sohn erzeüge.

1428. Die Karten anders mischen. — Absalon wollte
feinen Vater entthronen und verfolgte ihn deßhalb. Aber
Gott hat die Karten anders gemischt, indem der Ab=
falon nicht den König, sondern den Eichelbuben zu seinem
Verderben in die Hände bekommen.

1429. Heil und Seil sind oft beisammen.

1430. Er hat Glükk und Strikk zugleich. — (Von de=
nen, die in grossem Glükk zugleich ein Unglükk trifft.)

1431. Er ist von gutem Blut, aber es ist keine reb=
liche Ader in ihm.

1432. Man findet unter den Gesalbten auch Geschmierte.
— Ein jeder Priester vertritt Gottes Stelle auf Erden und
soll dergestalten einen reinen und keüschen Wandel führen,
aber spürt zuweilen das Widerspiel und gibt es unter der
gesalbten Schaar auch geschmierte.

1433. Fraß und Füllerei sind des Teüfels Gasterei.

1434. Wampelius stift alles übel. — (Unmäffigkeit im
Genuß.) Des Menschen seine unersättliche Wampen zu
der dienen die Vögel in der Luft, die Fische im Wasser,
die Thiere auf Erden, in Summa Alles verzehrt wird zum
Nachtheil der Seelen. (Denn:)

1435. Essen und Vermessen sind Freunde, die sich
nicht vergessen.

1436. Im A B C nach S (d. i. Essen) folgt das T
(Teüfel).

1437. Tafel und Teüfel sind verwandt, wie Kies und
Sand.

1438. Gespäß und Braten sind die innigsten Kameraden.

1439. Löffelkraut wächst gern auf feüchtem Grunde.—

184

(Der Genuß berauschender Getränke weckt und stärkt unzüchtige Begierden.)

1440. Ein Schwein wälzt sich nicht im dürren *), sondern naffen Koth. — Wie Mofes sich so lang auf den Berg aufgehalten, und nachgehends im Herabsteigen gesehen, was das muthwillige Volk gessen und trunken, da hat er sich nicht lange besonnen, sondern durch rechtmäßigen Zorn die Tafel, worauf die Zehngebote geschrieben, auf die Erde und Felfen niedergeworfen, daß sie völlig zertrümmert. Denn er dachte, wo man frißt und sauft, da achte man die Gebote Gottes wenig. Ja es ist wohl zu merken, daß gesagtes Volk, Israel, nachdem es die Wampen wol angefüllt, um das goldne Kalb herumgehüpft; denn gemeiniglich nach dem Fressen und Saufen pflegt man auf Kälberart zu scherzen, wobei ein unbehutsames Gemüth auch die Ehr verscherzt; denn gewiß ist es, daß sich ein Schwein im ausgedürrten Koth nicht wälze, wol aber im naffen und feüchten.

1441. Wo die Küche nicht raucht, da brennt auch das Venusfeüer nicht an. — Die Lehre unsers Heilandes selbst ist, wenn der unreine Geist vom Menschen ausfährt, so wandelt er durch dürre Örter, und sucht Ruhe und findet sie nicht. Siehe in dürren Örtern hat der unreine Geist weder Platz noch Herberge. Im Dürren und Fasten abgemerkelter Leúte findet der unreine Geist keine Wohnung, wol aber in Feisten, die Tag und Nacht die Wampen, wie einen Pilgramsranzen anfüllen. Wenn sich Sodoma sammt den andern Stäten nicht also wol hätte traktiren

*) Der unsaubere Geist, wenn er von dem Menschen ausfährt, durchwandert er dürre Örter, suchet Ruh und findet sie nicht.

laſſen, ſo wäre es von Gott nicht alſo übel traktirt wor=
den. Man ſieht es noch jetzt, wenn die Leute eſſen und
trinken in geringen Preis, und alle Viktualien wohlfeil, daſſ
auch dabei der Muthwillen im gröſſten Schwung ſei; wenn
entgegen die Küche nicht raucht, ſo zündet ſie das Venus=
feuer wenig an.

1442. Wer mit dem Wolf in die Koſt geht, wird oft
gar übel bewirthet.

1443. Wer mit Bären will Honig ſchlekken, muſſ ſich
nicht fürchten vor Bienenſtechen.

1444. Wer mit dem Fuchs zu Tiſche geht, wird meiſt
nur mit Prügeln bewirthet.

1445. Weiber und Weinbeer verſtehen ſich wie Fluſs
und Meer. Nachdem Holofernes ſich mit Eſſen und Trin=
ken wohl angeſchafft, da war ſein ewiger Gedanke: die
Judith; aber der Tanz iſt nicht angegangen. Nachdem
der Loth ſich überweint, da ſind ſeine Töchter zu ihren
gewünſchten Ziele gelangt. Fraſs und Füllerei vergleicht
ſich ſo wenig mit der Keuſchheit, als Lucifer mit dem Mi=
chael, als der Wolf mit dem Lamme, als der Kothkäfer
mit der Roſe, als der Storch mit der Schlange, als das
Feuer mit dem Waſſer, als der Stoßvogel mit der Taube.

1446. Man wird niemals frecher, als beim Becher. —
Man tranchirt bei einem Gaſtmahl nicht allein die Spei=
ſen, ſondern auch eines manchen ehrlichen Namen; man
hält nicht allein den Löffel beim Stiehl, ſondern man
ſtiehlt vielen auch dabei die Ehre; man iſſet nicht allein
Kapauner, ſondern man ſchreit dabei zuweilen einen für
einen Hahnrei aus; man hat nicht allein einen gebratenen
Haſen auf dem Teller, ſondern es muſſ noch dieſer und
jener ein Haſenherz und Lettfeigen ſein; man trinkt nicht
allein den Rheinwein, ſondern man ſagt, dieſe und jene

führe ein unreines Leben; man sauft nicht allein einen
Luttenberger, sondern man zeigt noch diesem und jenem
daß er ein Luderburger sei. In Summa; Essen und Eh=
renvergessen, Faß und Nefas sitzen bei einander, und wird
man niemals frecher als beim Becher.

1447. Essen und Ehrvergessen sitzen bei einander.

1448. Voll macht leer. — (Wer durch den Wein voll
ist, wird leicht das Herz ausleeren und alle Geheimnisse
offenbaren.)

1449. Der Bratspieß erlegt mehr als der Degen.

1450. In der Küche gehn Mehr zu Grunde als im
Hafen.

1451. Der Krug richtet mehr Menschen hin als der Krieg.

1452. Sein Haus ist bestellt wie der Himmel, wo
man weder ißt noch trinkt. — Mancher lamentirt: ich weiß
nicht, wie doch Gott so seltsam, Mancher hat nichts als
gute Tage.

1453. Der Himmel hängt ihm stäts voll Geigen. —
Er ist auf allen Seiten glückselig, selbst

1454. Die Ochsen kälbern ihm.

1455. Wenn er die Hausthür verriegelte, so würde
das Glück bei ihm zum Fenster einsteigen. — Unser eins
aber ist so unglückselig. Ich schaue ins Stübel oder Kü=
bel, so find ich nichts als Übel. Es ist halt noch wahr,

1456. Je grösser Schelm, je besser Glück.

1457. Bauern und Mehlsäcke haben eine Natur. —
Wenn auch der Mehlsack leer scheint, so man mit dem
Prügel darauf schlägt, staubt er doch.

1458. Grosse Diebe werden parbonirt, und die kleinen
strangulirt. — Es geschieht Manchem wie dem Esel, der
mit dem Wolf ist vor Gericht gestanden. Weil der Wolf
etlichen Lämmeln den Pelz abgezogen, ist er los und freige=

sprochen worden; der Esel aber, weil er einem Bauer ein Strohhalm aus dem Schuh gezogen, ist zum Tode geführt worden. Man thut halt die grossen Diebe 2c.

1459. Die Kerze verbrennt sich selbst, um Andern zu leuchten.

1460. Die Feile macht sich voll Rost, stumpt sich ab, um fremdes Eisen zu putzen.

1461. Das Wasser beschmutzt sich, um die Wäsche zu reinigen. — Also die Prediger, damit sie mit dem evangelischen Weibel den verlorenen Groschen finden; damit sie mit dem guten Hirten das irrende Schaf zurück bringen, damit sie mit dem Johannes, den Vorläufer zur Buß ermahnen, verzehren sich selbst, schwächen ihre eignen Kräfte, mindern ihre eigne Gesundheit durch Stubiren und kompaniren, durch Schreiben und Schreien, durch Wachen und Schlafbrechen; weshalb sie als sorgfältige Seelenhirten, als unverdrossene Arbeiter in den Weingärten der Kirche, als amsige Mithelfer Gottes, von dem Allerhöchsten absonderlich werden belohnt werden.

1462. Wenn die Erde soll tragen, so muß man sie plagen. — Wenn man die Erde nicht immerzu mit Pflugeisen, Hauen 2c. zwiselt und plagt, und der Himmel nicht bisweilen pflegt ihr

1463. Den Kopf zu waschen, — mit einem starken Regen, so thut sie nicht viel Gutes.

1464. Jemehr man das Eisen schlägt, desto feiner (schärfer, spitzer) wird es.

1465. Wird das Buch nicht gepresst, so bleibt es plump. — (Empfehlung der Strenge gegen uns selbst.)

1466. Er (Sie) braucht keine Stiefmutter. — (Ist sehr streng gegen sich selbst, oder behandelt sich selbst stiefmütterlich.)

1467. Soll Leinwand taugen, so muß sie durch die Laugen.

1468. So viel Speck wie in einer Judenküche.

1469. Gott sieht auf den Kern, nicht auf die Schale. (Hilfe). — (Die Gesinnung adelt die Handlung; der Kern ist die Meinung, die Schale aber das Werk. Dieselbe Bedeutung in Folgendem):

1470. Die volle Ähre ist mehr werth, als der leere Halm.

1471. Bei Gott gilt der Schatz mehr als die Truhe.

1472. Gott sieht auf den Degen, und nicht auf die Scheide. — Was hilfts, wenn die Scheide gut, und der Degen rostig; was nutzt es, wenn der Truhen stattlich, und falsche Guldiner darin; was trägt es, wenn der Halm hoch und grab, und die Ähre leer ist. Was bringts, wenn die Schale gut, und der Kern wurmstichig; was für Verdienst wenn das Werk löblich, und die Meinung bös ist.

1473. Alt singen, und mit dem Kopfe den Takt geben. — (Von alten Frauen; Abrah. braucht es von einer Frau, die noch geheirathet, obgleich man No. 1473 auf sie anwenden konnte.)

1474. Sie hat den Dezember in den Jahren.

1475. Er tanzt, wie sie pfeift.

1476. Er malt, wie sie reißt.

1477. Er liest, wie sie buchstabirt.

1478. Wenn sie ja sagt, so neigt er den Kopf.

1479. Wenn sie trinken will, so schenkt er ein.

1480. Wenn sie den Kopf schüttelt, so sagt er nein. — (Von Ehemännern, die ihren Frauen allen Willen machen.)

1481. Er sagt: Willkommen mein Schatz, und denkt: daß dich der Baber kratz. — (Von denen, die sich aus irgend einer Absicht gegen Andere freundlich stellen, aber in ihrem Herzen ganz anders denken.)

1482. Gebanken sind zollfrei. — Es ist zu wissen, daß nicht allein Diejenigen gottlos handeln, die sich hoch versündigen, die Gebote Gottes übertreten, so etwas Unrechtes thun, sondern auch dieselbigen, so etwas Unrechtes thun wollen. Denn ob sie schon die göttliche Majestät mit dem Werk selbst nicht beleidigen, so offenbiren sie doch dasselbe mit dem Willen, wovon dann herrühret, daß viel tausend und tausend in den höllischen Abgrund gerathen, nicht wegen der bösen Werke noch weder der bösen Wörte, sondern wegen der bösen Gedanken. Und du o verblendeter Mensch, schnitzelst dir noch die Freiheit, als ob die Gedanken zollfrei wären.

1483. Gedanken sind zollfrei. — Auch ein böser und gottloser Gedanke macht zu einem Teufel und verdammten Menschen. Wie thöricht sind jene Adamskinder, welche die Gedanken für zollfrei halten.

1484. Mit Gedanken beißt man einem kein Ohr ab.

1485. Mit Gedanken schlägt man Niemandem die Fenster ein.

1486. Gedanken stoßen dem Faß den Boden nicht aus. — (Abraham führt diese R. a. von Denen an, die der Meinung sind, denken können sie, was sie wollten, das ginge Niemanden etwas an.)

1487. Eine gefüllte Trommel giebt keinen hellen Klang. — So ist ein ausgemergelter Leib tauglicher zum Psalliren, als ein feister und ausgemästeter, zumalen auch die bloße Haut über eine Trommel gezogen, einen hellen Schall von sich giebt, so aber nicht geschähe, wenn sie mit Fleisch und Fett gefüttert wäre.

1488. Er lebt in der evangelischen Armuth.

1489. Er besitzt so viel als das Netz Petri, als er die ganze Nacht gefischt hatte. (Reich.)

1490. Gedanken sind zollfrei. — Wie recht und weiss‑
lich hat jener offene Sünder in dem Tempel gehandelt, als
er nicht ohne wiederholte Seüfzer an die Brust geschlagen;
nicht auf die Augen geschlagen, welche ihm doch mehrmal
gläserne Kupfer abgeben; nicht hat er auf die Ohren ge‑
schlagen, die er doch vielfältig den unzüchtigen Liedern
vergönnt; nicht hat er aufs Maul geschlagen, so doch nicht
selten einen Amboß abgegeben, worauf allerlei ehrenrühri‑
sche Reden geschmiedet worden; nicht hat er auf die Füße
geschlagen, die ihn doch öfters ins Wirthshaus oder andere
verdächtige Örter getragen; sondern er hat auf die
Brust und Herz geschlagen, weil er gewusst hat, daß von
Dannen ursprünglich die Gedanken herrühren.

1491. Keine Rose ohne Dornen.

1492. Kein Feuer ohne Rauch.

1493. Kein Acker ohne Distel.

1494. Kein Weinfass ohne Lager.

1495. Kein Jahrmarkt ohne Diebe. — (Also kein
Mensch ohne böse Gedanken.)

1496. Die Belagerung zeigt, wer Kommandant ist.

1497. Wenn die Wellen schlagen, sieht man, wer
Schiffmann ist. — Je grösser der Reiz zur Sünde ist, je
mächtiger die Verführung, desto herrlicher bewährt und
zeigt sich die Jugend des Kämpfers.

1498. Mit Gottes Schutz, hat der Streit viel Nutz. —
Auch Paulus ward ersucht, er hat Gott demüthtigst ersucht,
aber nichts erhalten als die Antwort, er solle mit dem
Kriege zufrieden sein, mit Gottes Schutz ꝛc.

1499. Wenn der Teufel seine Waare feil bietet, muss
man bald sagen, ich kaufe nicht.

1500. Wenn der Teufel vor die Festung rückt, muss
man die Thore schliessen. — Gieb den in deinem Herzen

aufſteigenden böſen Gedanken keine Nahrung, ſondern unter=
brükke ſie ſchnell, damit ſie dir nicht zu Kopfe wachſen.

1501. Dem iſt leicht zu pfeifen, der Luſt zu tanzen
hat. — Sei du, wer du immer biſt, geiſtlich oder weltlich,
weiblichen oder männlichen Geſchlechts, wenn dir einige un=
förmliche Gedanken einfallen, von denen Niemand befreit,
ſo laſſe ihnen die Oberhand nicht, auch die allerwenigſte
Zeit. Wer den böſen Gedanken auch nur eine Hoffnung
erlaubt, wenn ſolcher ſchon nicht um das Haupt kommt
ſo verliert er doch eine Hauptſache, nämlich die Gnade Got=
tes, maſſen des Menſchen Willen auch von einem geringem
Stoſſ gleich Berge abfällt, und ihm gar leicht zu pfeifen,
der ohne dies zum Tanzen geneigt.

1502. Unter einem ſchlechten Strohbach leidet das ganze
Gebäude. — (Von einem, der zu einem Amte gelangt iſt,
dem er aber in keiner Hinſicht gewachſen iſt.) Wenn ein
Idiot, ein plumper Ignorant zu einer Dignität erhoben
wird, ſo wird er wol trachten es Andern nachzuthun, und
wird den Alt ſingen, der vorher Baſſ geſungen; aber es
will ihm doch Nichts anſtehen. Aus den Worten und
Werken merkt man, daſſ der hölzerne Klepper (der Eſel)
auf dem die muthwilligen Söldaten auf den Platz müſſen
reiten, ſein nächſter Verwandter ſei; aus ſeinem Diskurs
nimmt man wahr, daſſ am Palmſonntage ſein vornehm=
ſtes Feſt ſei, und bleibt in allen Wegen ein Eſel, wovon
nachmals der Reſpekt bei denen Untern in Verluſt gehet,
mancher verſchmitzter Geſell, und arger Vogel ihn hinter
das Licht führet, der gemeine Pöbel ihn verhöhnt, das
Amt ſpöttlich vernichtet wird, und das ganze Gebäude
unter einem ſolchen St. ohbach Schaden leidet.

1503. Sein gröſtes Feſt iſt am Palmſonntage. —
(Er iſt ein Eſel.)

1504. Er hat die Schwindsucht im Gehirn. — (Von einem Schwachkopf.)

1505. Er hat sich auf der Schulbank wenig Schiefer eingeführt. — (Ist sehr unwissend.)

1506. Wenn das Haupt hin ist, so ist Alles hin. — Noch heut braucht der Teufel die List, das Haupt in einem Lande, eines Diäcös, in einer Stadt, Gemeine ꝛc. zum Fall zu bringen: daher sitzt er gar oft in der Mitte einer Wachstube, und wendet allen möglichen Fleiß an, wie er die Stimmen möge auf einen Lasterhaften kuppeln. Hab ich einmal, denkt der Satan, das Haupt, den andern Leib, will ich gar bald zu Boden werfen; denn eine schlimme Obrigkeit hat selten fromme Untergebenen in einem Hause.

1507. Wenn es in einem Hause einregnet, so werden auch die untern Stuben bald naß. — (Bedeutung gleich der vorigen.)

1508. Sein Gras wird bald zu Heu. — (Abrah. ge=braucht diese R. a. von Jemanden, der seine Meinung plötzlich ändert, er wendet sie auf das Jüdische Volk an, das erst Jesum mit Hosianna begrüßte, und später „Kreu=zige" rief. Ihr Gras (Hosianna) wurde bald Heu (Kreu=zige). Ihr seid, redete er sie an:

1509. Beständig wie das Aprilwetter.

1510. Beständig wie ein Schneeball in einer Bratpfanne, — vorher so gut, jetzt wollt ihr Blut, vorher habt ihr ge=schrien gebenedeit, jetzt läßt ihr hören, vermaledeit.

1511. Es ist (oder er ist, sie) ein Hund, der nicht bellt.

1512. Ein Hirt, der nicht hütet.

1513. Eine Uhr, die nicht zeigt, ist ein Redner, der schweigt.

1514. Eine Glocke, die nicht klingt.

1515. Ein Meſſer, das nicht ſchneidet.

1516. Es iſt eine Fakkel, die nicht leuchtet.

1517. Ein Dchs, der nicht zieht, und eine Blume, die nicht blüht.

1518. Es iſt ein Hahn, der nicht kräht. — (Von Obrig=
keiten, Vorſtehern und Allen, die etwas zu überwachen
haben, und nicht gewiſſenhaft und ſtreng darin ſind.) Es
geſchieht gar oft in einer Wahl, daß die Mehrſten mit ih=
ren Stimmen auf Denjenigen zielen, ſo ein guter Mann,
welcher

1519. Das Krumme grade ſein läſſt, ſie wollen

1520. Einen Kalender, in dem kein trübes Wetter
ſteht.

1521. Einen Garten, in dem keine Neſſel wächſt.

1522. Eine gute Obrigkeit iſt eine Uhr, die zeigt und
nicht ſchlägt. — Der Chiezi hat den todten Knaben mit
dem Stab nicht können zum Leben erwekken, wohl aber
Eliſa mit einer Manier. Noch hab ich nie gehört, nie
geſehn, nie geleſen, daß der gute Hirt in dem Evangelio
hätte mit einem Stab oder Stekken, oder Geiſſel oder
Prügel das gefundene Lamm in der Wüſte vor ſeiner ge=
trieben, wohl aber, daß er ſolches arme Thier auf den
Achſeln getragen, denn eine Obrigkeit muſſ nicht ſein wie
ein Hecht, der ſo grauſam iſt, daß er auch ſeine eigenen
Jungen friſſt.

1523. Mit Süßen macht man mehr als mit Spießen.

1524. Mit einem guten Wort macht man mehr, als
mit zehn Scher dich fort.

1525. Eine Geige wirkt mehr als eine (Ohr=) Feige.

1526. Ein ſanfter Wind biegt Aſte, ein wilder Sturm
zerbricht ſie. — Wenn die Obrigkeit die Gemüther der
Untergebenen will völlig einnehmen, auch bisweilen ſein

13

harte Köpfe und verbeinte Herzen bezwingen; so muß sie
nicht brauchen die Grobheit, sondern eine Freundlichkeit,
nicht mit Spießen, sondern mit Süßen drein gehen, nicht
mit Streichen, sondern mit Weichen die Sache richten.
Ja man richtet oft mehr mit einem guten Wort, als wenn
man sagt: scher dich fort; oft mehr, wenn man sagt:
mein Engel, als wenn man sagt: du Bengel, oft mehr mit
der Geige, als mit der Feige, denn ein sanfter Wind ꝛc.
Die beiden Söhne Zebedäi wollten zu hohen Ämtern promovirt werden. Einer begehrte zu der rechten, der andre
zur linken Hand des Herrn zu sitzen. Aber beide sind

1527. Zwischen zwei Stühlen niedergesessen, und sauber nichts erhalten.

1528. Eine goldene Schale ist mehr werth als ein ir-
dener Topf. — Große, ansehnliche, wackere, bescheidene,
tugendhafte Leute gehören hinauf, die muß man zu hohen
Dignitäten erwählen. Junge, Unerfahrene, Unverständige,
die müssen herunter bleiben. Man muß mehr halten auf
eine Rose, als auf einen Knopf; mehr auf eine goldene
Schale, als auf einen irdenen Topf; mehr auf einen Si-
moni, als auf einen Ruben; mehr auf einen Mann als
auf einen Buben; mehr auf einen Laib Brot, als auf ein
Brösel; mehr auf ein Roß, als auf einen Esel; mehr auf
einen Wagen, als auf einen Karren; mehr auf einen Doktor, als auf einen Narren.

1529. Sie weiß nicht den Unterschied zwischen Suppe
und Brühe. — (Abrah. gebraucht die R. a. von einer
jungen in der Wirthschaft gänzlich unerfahrnen Frau.)

1530. Jemanden grüßen wie ein Spanier den Franzosen. — (Höchst unfreundlich.)

1431. Sie wünscht ihm alles Gute, wie der Jude der
Speckschwarte.

1452. Jemandem den Rest geben.

1453. Einem den Garaus machen.

1454. Das Alter muß man ehren, weil es weit erfahrener und verständiger als die Jugend, wenn ein Alter schon weiß auf dem Kopf, so mußt du wissen, daß weiß und weis nur einen Buchstaben von einander. Wenn es schon dunkel in den Augen, so ist es desto erleuchtet in dem Verstand. Wenn er schon keine Zähne im Maul, so ist ihm doch keine Frage zu hart. Wenn er schon mit dem Kopfe zittert, so ist er doch beständig in der Wissenschaft. Wenn er schon schwach in den Füßen, so geht er doch grade durch. Wenn er schon einen gebogenen Rükken, so ist er doch kein Achselträger. Wenn er schon einen Stekken in der Hand, so sind doch seine Anschläge nicht hölzern. Wenn er schon naß unter der Nase, so sagt er doch die Wahrheit trokken. Wenn er schon voller Falten, so sagt er doch die Sach glatt heraus. Wenn er schon glatzet auf dem Kopfe, so weicht er doch Verstand halber einem nicht um ein Haar. Wenn er schon wenig Kräfte, so hat er doch viel Erfahrung. Wenn er schon ein Krüppel, so mußt du wissen, daß bei ihm kein Ochs oder Esel, sondern die Weisheit stehe.

1535. Ein alter Wein ist besser als ein junger.

1536. Dürres Holz brennt besser als grünes.

1537. Alter Käse ist gesünder als neuer.

1538. Ein alter Dokter vertreibt den Tod eher als ein junger.

1539. In alter Kirche geschehen mehr Wunder als in einer neuen.

1540. Ein alter Fährmann wirft nicht so leicht um als ein junger.

13*

1341. Ein alter Dachziegel liegt länger als ein neuer. — (Achtung dem Alter!)

1342. Das Fliegen macht sich, aber das Niedersetzen hat der Teufel gesehen. — Dieß gab der junge Fuchs dem alten zur Antwort, der ihn gefragt hatte, wie ihm das Fliegen gefallen habe. Der naseweise Flieger, welcher sich ein Paar Hühnerflügel angebunden hatte und von einem Thurmfenster hinaus gesprungen war, war grade auf die Waare eines Hechelmachers gefallen. Der König Rehabeam wollte seine Regierung in guten Stand bringen, versammelte daher die alten Rathsherrn, weil sie ihm aber nicht nach Wunsch redeten, so hat er deren weisen Rathschläge

1343. In den Wind geblasen, und sich an junge Leute gehängt, die mit ihm aufgewachsen, deren unzeitiges Gutachten angehört und ihrem Ausspruch gefolgt. Aber, mein Gott, wie schändlich steht es, wenn

1344. Das Ei will klüger sein als die Henne.

1345. Die Staude will mehr gelten als der Baum,

1346. Der Kitzel will höher steigen als die Geiß.

1347. Der Hügel will mehr hochen als der Berg. — Wie übel steht es, wenn die Jugend will witziger sein als das Alter! Die jungen Leute haben nur vorn Augen, sehen wohl etwas, aber nicht gar weit hinaus; die Alten aber haben auf den Rücken Augen, schauen und denken zurück, wie es vor diesem geschehen, und solcher Gestalten ist ihr Rathschlag und Vortrag weit fester als der Jungen.

1348. Wenn der Schnee einmal zergeht, wird es viel Koth geben. — (Ein Wort des Leontius, der sehr gegen die arianischen Ketzereien geeifert, und das Wort, die Hand auf seinen grauen Kopf legend in der Beziehung sagte: Wenn ich werde einmal die Augen zudrücken, werden die Sachen in schlechten Stand gerathen. Abrah. gebraucht

die R. a., um zu sagen): Wenn das Alter zurücktritt, ge=
hen die Sachen schlecht. Jener Mann ist gestorben, der
Schnee ist zergangen, groß ist der Koth.
1549. Ein alter Steuermann scheitert nicht so leicht
als ein junger. — Vor diesem mußten die Alten die Rich=
terstellen vertreten, und bei gemeiner Stadtpforten sitzen,
über aller Sache Beschaffenheit urtheilen und den Schluß
fällen.
1550. Ein alter Bote weiß den Weg besser als ein neuer.
1551. Alter Kalk ist besser und giebt mehr aus als der
neue. — (Der Patriarch Abraham hat dem ältesten Diener
sein Hauswesen anvertraut.)
1552. Eine alte Geige klingt besser als eine neue. —
Gott wollte, daß der junge Knabe Samuel sollte lernen
von dem a'ten Priester Eli. Gewiß ist es, daß ein alter
Soldat weit erfahrner, als ein junger. Darum schlägt es
öfters nicht gut aus, wenn ein Junger den Regimentsstab
führt, und ein Anderer die Musketen trägt. Gewiß ist es,
daß ein alter Rathsherr mehr versteht, als ein junger;
darum steht es mehrmal nicht wol, wenn die Jungen den
Vorsitz gewinnen, und die Alten bei der Thür sitzen. Ge=
wiß ist es, daß ein alter Religionsverständiger, als dem
unlängst die Kappen an den Hals gebracht worden; da=
her nicht selten eine schlechte Regierung, so gleich einem
neuen Weinmost, noch nicht verjähret, wenn ein Junger
zum Abte erhoben, und der alte auf die Seite gesetzt wird.
1553. Er hat eigen Wasser, wie die Cisterne.
1554. Reich wie eine Cisterne, wenn es einige Monate
nicht geregnet.
1555. Die Henne kratzt auch auf fremdem Mist. — (Von
Denen, welche bei Erwerbung irdischer Güter es nicht sehr

genau mit fremdem Eigenthum nehmen. Von gleicher Bedeutung das folgende:

1556. Eine Dornhecke berupft jeden Heuwagen.

1557. Unrecht Gut dauert wie Butter an der Sonne.

1558. Ein ungerechter Pfennig frißt hundert gerechte. — Ungerechter Mammon geht zu Grund oft über Nacht, es bekommt Flügel, und fliegt aus, Niemand weiß wohin? Er entwischt und schlipfert aus, wie ein Aal aus den Händen; er verdorret und wird ganz zäh, wie die Kürbisblätter des Jonas; er verschwindet wie das Quecksilber, oder Gewehr, im Feuer. Ein gemeiner Bach bereichert sich bisweilen mit fremdem Wasser, das er beim großen Regenwetter an sich bekommt, aber verliert's bald wieder. Der Mondschein stiehlt das Licht von der Sonne, prahlt aber eine kurze Zeit mit dem Schein, und wird wiederum bald mager wie eine Sichel. Mancher scharret durch Wuchern und Ungewissen viel Geld zusammen, verläßt solches den lachenden Erben, aber diese genießen es eine kurze Zeit, dann verschwindet Alles, und nimmt noch den gerechten Pfennig mit sich; gleich wie ein alter fauler Baum, der im Wald vom großen Sturmwind umgeworfen wird, auch mit sich einen grünen jungen Stamm zu Boden schlägt.

1559. Unrecht Gut geht durch wie Absalons Maulesel.

1560. Gestohlene Wolle wärmt nicht lange. — Das merke ein Jeder. Mancher scharrt viel Geld und Gut zusammen, welches er dem Nächsten durch allerlei unrechte Griffel abgetragen, und glaubt, es werden sein Weib und Kinder hiervon wol stehen, wol leben, sich wol erhalten; aber ich versichere ihn, daß dieses Wohl unverhofft verschwinde, denn ein ungerechtes Gut pflegt durchzugehen, wie der Maulesel des Absalons.

1561. Ein ungerechter Pfennig frißt einen gerechten

Groſchen. Wir ſehen öfter, was Güter und Erbſchaften gleichſam augenblikklich verſchwinden, wie die Glorie auf dem Berge Tabor, deſſen aber keine andere Urſach, als weil fremdes Gut dabei. Wer nur ungerechtes Gut und Reichthum ſeinen Weib und Kindern hinterläſſt, der gibt ihnen nichts, als ein Vater, ſondern nimmt ihnen als Tyrann und Räuber; denn hierdurch gerathen ſie in die größte Noth und meiſtens gar an den Bettelſakk, weil ein ungerechter Pfennig auch einen gerechten Groſchen friſſt und verzehrt. Liebe Weib und Kinder, aber ſchlag ihretwegen dein eigenes Seelenheil nicht in die Schanze, verlaſſe denſelben keinen ungerechten Pfennig, der ſie nachmals auch in die Verdammniſſ ſtürze. Liebe Weib und Kinder, aber gedenke, daſſ dir

1562. Das Hemd näher iſt als der Rokk, die Seele lieber als die Blutsverwandſchaft.

1563. Den Freund erkennt man in der Noth. — Ein guter Bruder ſoll ſein, wie ein Ruder, dieſes braucht man meiſtens wenn ein übler Wind iſt; ein guter Geſpann ſoll ſein, wie ein Span, dieſer iſt zum Leuchten nöthig, wenn es finſtere Zeit iſt; ein guter Kammerad ſoll ſein, wie ein Rad, welches förderſt bei üblen Weg eine Beſtändigkeit erweiſt; denn ein guter Freund förderſt in der Noth probirt wird.

1564. Sich einen Knopf ins Tüchel machen. — (Ein ſichtbares Denkzeichen, um etwas nicht zu vergeſſen.)

1565. Wer nicht bei Mitteln iſt, bezahle mit der Haut. — (Abrah. gebraucht es von den Armen, die ins Fegefeuer kommen. Er wendet die Worte auf ſie an: Du wirſt nicht von dannen herauskommen ꝛc. Aber wo nehmen? Da heiſſt es recht, wer nicht bei ꝛc.)

1366. Der Sache einen Riegel schießen. — (Einem Dinge ein Ende machen.)

. **1367.** Dies Lied hat ihm nicht gefallen.

1368. Mükken fangen sich, Schwalben fliegen durch. — Just ist die Justiz bei der Welt, wie ein Spinngeweb, welches an ein Haus, an den vorgeschlossenen Dachstuhl angehängt ist. Wenn zuweilen unbehutsam Mükken oder Fliegen darein gerathen, so bleibts schon henken; so ein grosser Vogel etwan ein Spatz oder Schwalbe darin verschliesst, so reißt er das ganze subtile Netz voneinander, und gelangt wieder auf frischen Fuß. Also pflegt meistens die Welt-Justiz nur der armen und gemeinen Leute begangene Verbrechen dem Gesetz nach zu bestrafen. Die reichen und vornehmen Leute sind allemal bißcensirt*), der Galgen gehört nur für kleine Diebe, die vornehmen aber verehrt man. Die Pharisäer hatten eine Frau im Ehebruch ertappt und führten sie vor Christum. Aber wo ist denn er geblieben? Ich

1369. Kenn euch Vögel an dem Gesange. — Der Thäter und Ehebrecher war reich, eines vornehmen Standes, und darum hat man müssen

1370. Durch die Finger sehen, man hat müssen

1371. Etwas übriges thun. — Das Weib war eine arme Haut, etwa eine Nähterinn oder Wäscherinn oder dergleichen. Daher nur sie zur Strafe gezogen; denn die Gebote und Gesetze müssen nur die gemeinen Leute halten, mit den Reichen und Vornehmen hat es im letzten Kapitel eine andere Auslegung. O elende Justiz, du bist wurmsticher, als das aufbehaltene Manna der Israeliter; du hinkst ärger, als der Miphiboset bei dem Da-

---

*) Man vergleiche die Kabinetsorbre Friedrich II. Berlin, 11. Dezember **1779.**

vib; du bift mehr verwunbet, alß der Reifenbe von Je=
rufalem nach Jericho; du bift mehr geftuzt, alß bie da=
vibfchen Gefanbten von den Hanon. Potiphar glaubte, er
1572. Sei allein Hahn im Korbe. — Jofeph wufßte
wol, bafß. in folchem Kampf unb Streit

1573. Das Ferfengelb bie befßte Münze ift, liefß bem=
nach den Mantel fahren unb begab fich in bie Flucht, aber

1574. Auß dem befßten Wein wirb (gemeiniglich) der
fchärffte Efßig, bie Liebe hat fich balb bei der Fettel in ei=
nen Hafß unb Rachgierigkeit verwanbelt. Eß ift eine faubere
Juftiz, welche bie Tauben verfolgt, unb bie Raben, bie
da rauben, verehrt. Aber, meine Welt, wie nennft bu
bergleichen Juftiziariuß, bie nur mit den gemeinen Leuten
dem Recht gemäfß fo fcharf verfahren? Eß finb ja Schän=
b r der lieben Juftiz, Blutegel der Armen, Räuber beß
gemeinen Wefenß. Still, fagt bie Welt, mit bergleichen
Stichreden.

1575. Das Pferb mufß man anberß fatteln.

1576. Dieß Kinb mufß man anberß taufen. — Solche
Herrn finb wakkere Politici, fie wifßen weißlich.

1577. Durch bie Finger zu fchauen, fie wifßen

1578. Einen Unterfchieb (zu) machen, zwifchen einem
Zobel unb einem Schaffell. — (Sie geben dem Abel den
gebührenben Refpekt.)

1579. Dem Ifcharioth einen Schein auffetzen. — (Das
Lafter unter der Form der Tugenb einführen; eß mit mil=
dem, einlabenben Namen bezeichnen.)

1580. Auf biefen Kopf gehört eine faubere Lauge.

1581. Zu dem Wetter mufß man anbere Glokken lau=
ten. — (Das geht nicht fo, man mufß anbere, milbere,
ernftere Mittel anwenden.)

1582. Das Herz in den Händen tragen.

1583. Eine Sache wissen unter dem Mantel zu halten.

1584. Man kann ihm leicht die Spatzen ausnehmen.

1585. Sein wie die Apotekerpillen. — Wer in der schlauen Welt begehrt fortzukommen, und sein gewünschtes Ziel zu erreichen, der muß nicht offenherzig sein, der muß nicht das Herz in den Händen tragen, wie man pflegt den heiligen Augustinus abzumalen, sondern man muß wissen die ganze Sache unter dem Mantel zu tragen, sonst wird ihm einer leicht die Spatzen abnehmen; der muß den Fuchs-balg für einen Spallier brauchen, dahinter er sein Schild hängt, damit ein Anderer nicht so leicht erfahren kann, was er im Schilde führe, er muß sein, wie das Wirthshaus beim weissen Lamm, wo der Wirth Herr Wolfgang heißt; er muß sein wie die Apothekerpillen, so von aussen ganz vergoldet, inwendig aber eine gallsichtige Materie haben; er muß sich in Alles zu schikken wissen, wie ein Schambataschyhut; er muß sich wissen hin und her zu lenken und zu wenden, wie ein Gokkelhahn auf dem Thurm; er muß sich äusserlich stellen wie ein Abel, wenn er schon inwendig ist Kabel; er muß die Psalmen mitsingen, ob es ihm schon nicht von Herzen gehet, wenn er nur das Gloria recht ertappt; er muß die Paternoster mit beten, obschon wider seinen Willen, wenn er nur zu Kredit kommt; er muß mit der Prozession gehen, obschon nicht gern, wenn er dadurch den Prozeß gewinnt; er muß in der Kirche das Knie beügen, ob es ihm schon hart ankommt, wenn ihm dadurch auf die Füß geholfen wird.

1586. Einem Dinge ein Färblein anstreichen. — (Das Schlechte unter dem Schein eines Guten darstellen. Bei-piele davon finden sich bei Abraham.)

1587. Zu dem Tanz muß man anders aufspielen.

1588. Zu der Orgel gehören andere Blasebälge.

1589. Die Segel nach jedem Winde zu richten wissen.
1590. Er weiß die Feder nach der Schrift zu schneiden.
1591. Die Seide zu spinnen wissen.
1592. Einfälle geht nicht bei der Welt. — Der Abgott Dagon hat zwar bei Gott nicht viel gegolten, weil er halb Mensch, halb Fisch war, den Trunk auf der bitteren Kreuz= bahn hat der Herr Jesus verweigert zu nehmen, weil er halb Wein, halb Galle gewesen war, den Ebräern sind die Kleider verboten gewesen, aber ein Politikus muß auf der Welt halb so und so sein, wenn er will fortkommen; solche Leute sind bescheiden und klug, sie können die Segel rich= ten nach dem Winde; die wissen die Federn zu schneiden nach der Schrift; die wissen die Seide zu spinnen nach der Mode; Einfältig geht nicht bei der Welt, darum hat der Elisius einen doppelten Geist verlangt. Mit den cursis Kompositis richten die Herrn Medici mehr aus, als mit denen cursis Simplicibus. Zu Wien ist die Einfaltstraße hinter den Herrngassen; das ist die schönste Mode die Welt zu regieren.

1593. Eine theure Decke macht das Pferd nicht besser. — Es ist wahr, daß ein Misthaufen im Winter nicht darum mehr ist, weil er mit dem schönen weissen Schnee verhüllt ist. Es ist wahr, daß ein Buch nicht dessentwegen höher zu schätzen, weil es in Sammet eingebunden, und einen goldenen Schnitt hat; also folgsam dem Menschen nicht mehr Ehr zuwachse, weil er in kostbaren Kleidern daher prankt.

1594. Laß die Hunde bellen.

1595. Laß die Schafe blärren.!

1596. Laß die Gänse schnattern.

1597. Laß die Leute reden. — Ihr Reden sticht die Augen nicht aus; ihre Reden schneidet die Nasen und Oh=

ren nicht ab; ihr Reden bricht die Zähne nicht aus; ihr Reden reißt die Zungen nicht aus; ihr Reden schlägt den Kopf nicht ab. Laß die Leúte reden; die Leúte werden am júngsten Tage nicht Antwort geben, die Leúte werden für dich nicht leiden; und warum willst du wegen der Leút das Gute unterlassen, und das Böse thun?

1598. Laß die Leúte Leúte sein.

1599. Der Mond scheint, wenn auch die Hunde bellen.

1600. Ein anders ist bellen, ein anders beissen. — Wenn der Mond voll ist, so pflegen gemeiniglich die Hunde bei nächtlicher Weile denselben anzubellen; aber derenthalben läßt dieses Himmelslicht weder seinen Schein, noch seinen Lauf. Wenn du voller Andacht bist, und Etliche derentwegen über dich schmählich reden, laß sie bellen; ein anders ist bellen, ein anders ist beissen.

1601. Was werden die Leúte sagen. — Wie werden die Leúte schauen. Laß sie in Gottes Namen schauen; ihre Augen sind keine Basiliskenaugen, die dich möchten vergiften; ihre Augen sind keine Brenngläser welche dir thäten eine Blatter aufziehn. Laß schaun, schaut doch eine Kuh auch ein neues Stadelthor an; laß schauen, dies Schauen ist kein Schauer, der die Erdfrüchte verderbt; Schauen ist keine Schaufel, so dich unter die Erde gräbt, laß schaun und lebe du also fromm, daß du nach dem Tode Gott magst anschauen.

1602. Wer einem Bettler den Sack füllt, den wird der Teufel nicht in den Sack schieben.

1603. Armer Leúte Vergeltsgott ist der beßte Dietrich in den Himmel.

1604. Gelegenheit macht Diebe. — Es ist wol wahr, daß man die Gelegenheit solle meiden, denn Niemand gern sich in ein Gras legt, aus Furcht, es möchte eine Schlange

barunter verborgen fein; Niemand geht gern auf einer
unterbrochenen Sftetten, aus Furcht, er möchte fallen;
Niemand schärzet gern mit Tiger und Löwen, aus Furcht
gebiffen zu werden. Wie viel mehr soll man die Gelegen=
heit meiden, worin das Gewissen in großer Gefahr stehet.

1605. Er ist wie ein Kruzifir in der Karwoche. —
(Verhüllt, zugedeckt, verborgen.)

1606. Man sieht ihn so oft wie einen Palmesel.—(D. h.
selten, da man den Palmesel jährlich nur einmal sieht
oder sah.)

1607. Er ist wie eine Schwalbe, die das Nest in die
Stube macht. — (Von Personen, die sehr häuslich leben
und alle Gesellschaft meiden.)

1608. Es wird ihm keine Rosen tragen. — (Keinen
Segen bringen.)

1609. Es ist kein Tempel, der nicht einmal Kirch=
weih hat.

1610. Keine Woche ohne Feierabend.

1611. Jede Musik hat ihre Pause.

1612. Es ist kein Acker, der nicht einmal Brache
liegt.

1613. Jede Kanone muß einmal abkühlen. — Hat doch
unser lieber Herr selbst, weil er matt und müde gewesen,
sich bei dem Brunnen niedergesetzt; daselbst einige Rast
und Ruhe genommen, ja sogar von der Samaritanerin ei=
nen frischen Trunk begehrt, sich damit ein wenig zu ergetzen.

1614. Trinken wie ein Mühlrad.— (Beständig, viel.)

1615. Einem unter die Zähne kommen.— (Bei Trak=
tamenten und Mahlzeiten wird es selten ablaufen, daß nicht
Einer dem Andern unter die Zähne kommt.)

1616. In die Hölle runder ist ein leichter Plunder. —
Abrah. sagt: Ich zeige das Widerspiel; daß es eine größere

Strapaze sei zum Teufel zu fahren, als in Himmel zu kommen. Joseph hat zuvor müssen gar

1617. Hartes Holz hobeln, — ehe er

1618. Ans Brett gekommen ist. — David weiß wol, bis er den Scepter in Israel bekommen, was ihm für

1619. Prügel sind unter die Füße geworfen worden.

1620. In einer Küche raucht es immer.

1621. In seinem Garten wächst nichts als Sauerampfer

1622. In seiner Sonne ist allezeit Finsterniß.

1623. In seiner Uhr ist nichts als Unruh. — (Die letzten vier N. a. braucht Abraham in der Schilderung eines Melancholischen. Eines, dem Alles trüb in der Welt erschien, oder dem es traurig ging.)

1624. Er sieht aus, als wenn er Schwefelhölzer gegessen. — (Von einem, der sehr elend, abgemagert aussieht.)

1625. Der Teufel verkauft seine Waare theurer, als der liebe Gott.

1626. Es ist schwerer in die Hölle zu kommen, als in den Himmel. — Es kostet mehr Drangsal verdammt, als selig zu werden, wenn Mancher das wegen Gott thäte leiden, was er wegen des Teufels, er wäre der nächste bei den Kanonisation.

1627. Der Lazarus schaut überall zum Fenster heraus. — (Er hat sehr zerrissene Kleider an.)

1628. Kurz angebunden sein.

1629. Gleich Feuer im Dache haben.

1630. Daß Jedermann leidt, das macht der Neid. — Der erste Willkomm zu Hofe heißt Neid, die erste Parola im Felde heißt Neid; die erste Salve im Kloster heißt Neid; der erste Tritt herein bei den Klöstern heißt Neid; die erste Bekanntschaft mit den Handwerkern heißt Neid; die erste

Bauernsuppe heißt Neid; der erste Bona Dies im Spital heißt Neid; und es machts der Neid, daß fast Jedermann leidet.

1631. Bei seiner Tafel läßt sich selten eine Fliege setzen, — außer sie hat Appetit auf Käse und Brodt; der Wein ist ihm zu theuer, daher.

1632. Fällt seine Hoffnung immer in den Brunnen.

1633. Geld und Gut liebt man sehr, aber die Gesundheit noch vielmehr.

1634. Der Teufel verkauft seine Waare theurer als der liebe Gott. — Ein Geiziger scheut keine Gefahr, weigert keine Arbeit, er plagt sich Tag und Nacht, wenn er nur kann den Gewinn erhaschen, nachdem ihm die Zähne wässern. Aber leg ihm ein Beichtvater eine Buß auf, er soll einen einzigen Tag im Wasser und Brodt fasten; er soll zwei, drei Stunden weit Kirchfahrten gehen; er soll drei heilige Messen nach einander hören, da werden tausend Reden und Entschuldigungen sein; da wird man bald in allen eine Unmöglichkeit schmieden; da wird man sehen, daß wegen der Interesse ein Peter die ganze Nacht hat können arbeiten, und nicht eine Stunde mit unsern lieben Herrn im Garten wachen und beten. Eine ganze Butte voll Travalien trägt der Geizige gern wegen eines öden und schnöden Gewinns, aber etliche Quentchen wegen Gott fallen ihm gar zu schwer; durch großes Kreüz und Leiden geht der Geldlümmel in die Hölle.

1635. Zu Wasser kommt man leicht nach England. — Bußthränen führen in den Himmel. Magdalene wußte wol, daß man zu Wasser gar leicht nach England komme, deßwegen hat sie so häufige Zähren vergossen, daß sie damit Christo

1636. Ein Fußbad zurichte. — Petrus hat nicht ge=
halten das Sprichwort:

1637. Ein Mann — ein Mann, ein Wort — ein Wort.

1638. Ungeladene Gäste stellt man hinter die Thür. —
Die Niniviter haben einen ueberlichen Wandel geführt;
bei ihnen hat das Fleisch einen Vorgang gehabt; der Geist
mußte einen Leibeigenen abgeben; das Fleisch war beim
Tisch gesessen, der Geist, als ein ungeladener Gast
hinter der Thür; das Fleisch hat auf den Federn ge=
legen, der Geist auf dem Stroh.

1639. Zu einem Ohr hinein, zum andern wieder hin=
aus. — Vermaledeit die Ohren Juda förderst darum, weil
sie so oft die Predigt des Heilands Jesu angehört, ohne
Frucht und Nutzen; denn es hat geheissen bei einem Ohr
hinein, beim andern wieder heraus.

1640. Er ist schnell von der Wurst zum Durst ge=
kommen. — (Aus einem glükklichen Zustande in einen un=
glükklichen, von reichem Genusse zum Darben)

1641. Almosen ist eine Leiter in den Himmel. —
Aber der Geizige verlangt davon nicht eine Sprosse.

1642. Almosen ist ein Schlüssel in den Himmel. —
Der Geizige hält nicht viel auf diesen Schlüssel, ihm ist
ein Dittrich lieber, den alle Diebe brauchen.

1643. Almosen ist ein Wasser, welches die Sünden ab=
wäscht. — Aber der Geizige achtet dieses Wasser gar nicht,
sondern

1644. Er fischt nur gern auf der Bank.

1645. Die Wagschale, welche steigt, ist schlechter als
die, welche fällt.

1646. Ein Ei, welches sinkt, ist besser als eins, das steigt.

1647. Ein Fisch, der oben schwimmt, steht eher ab,
als einer, der nuten bleibt.

1648. Die Höhe thut kein Gut, — sagt Ikarus und Simon Magnus, und sagen alle Raketen, denn

1649. Steigen hat vor der Thür das Neigen. — Gut ist für mich die Tiefe, sagt der Keller, und das ist wahr; gut ist für mich die Tiefe, sagt die Wurzel des Baumes, das ist wahr; gut ist für mich die Tiefe, sagt das Fundament eines Gebäudes, und das ist wahr.

1650. Bei grossem Traktament kommt Kitzelfleisch zu End. — Unmässiger Genuss erweckt unreine Begierden. Bei den Alten hat man sehr hoch geschätzt die grossen Bärte, aber der Bart Judas ist nichts werth, denn es ist

1651. Kein gutes Haar in demselben gewesen.

1652. Es ist kein Dienstel so klein, so nicht des schenken werth ist. Die Hebammen in Egypten haben

1653. Die liebe Wahrheit vertuscht wegen der hebräischen Knäblein. Zwar

1654. Die Weiber tragen die Lügen im Sack. — Hamann hat

1655. Die Wahrheit bei der Nase gezogen, — als er beim König so heftig gegen Marbachai sprach. Ananias und sein Weib haben

1656. Die Wahrheit mit dem Mantel zugedeckt.

II. Sprichwörter aus: Reim dich oder ich Liss dich, das ist: Allerlei Materien, Discurs, Concept und Predigen 2c.

1. Dominika, eine Reihe kurzer Predigten für das ganze Kirchenjahr.

1657. Ja und Nein an einem Spiesse braten. — (Von einem leichtsinnigen Aufschneider.)

14

1658. Er giebt einen guten Konstabler ab, wo man Schelmstükke abbrennt. — (Von einem Betrüger.)

1639. Er schikkt sich in die Zucht, wie die Sichel in eine Messerscheide. — (Von einem ausschweifenden Menschen, besonders in der sinnlichen Liebe, wie es Abrah. anwendet.)

1660. Es ekkelt ihm vor keiner Speise mehr, als vor faulen Fischen. — (Von einem Wahrheitsliebenden.)

1661. Sein Glükk an den Nagel hängen. — (Christus hat unser eigenes und einiges Glükk an den Nagel gehängt, verstehe an die drei Nägel des Kreuzes.)

1662. Der Unschuld eine Nase reiben.

1663. Die Gerechtigkeit bei der Nase ziehen.

1664. Der Treue einen Nasenschneller geben.

1665. Wein macht lieb und trüb.

1666. Wein macht Noth und Tod.

1667. Wer nicht nicht ist wie der Himmel, den holt der Teufel auf seinem Schimmel. — Verstehe also: die Himmel stehen nie still, sondern werden fort und fort beweget, und diejenigen, so es bewegen, sollen nach gegründeter Lehr des englischen Doktors sein, gewisse von Gott hierzu befehligte Geister. Und wenn ein Himmel nur einmal still stehen soll, so müßte die ganze Welt zu Grunde gehen. Ein rechter katholischer Christ, der muß immerzu wachsen, von einer Tugend zu der andern schreiten, nimmer mehr still stehen, sonst spricht der grosse Augustinus: Auf dem Weg Gottes nicht fortgehen, ist zurükkgehen.

1668. Faule Äpfel, faule Birn,
faule Menschen, faule Dirn,
faule Rettig, faule Rüben,
faule Knaben, faule Buben,
fauler Kohl und faules Kraut,
faules Fell, faule Haut,

faules Fleisch, fauler Zahn,
fauler Gesell, fauler Gespan,
faule Aas, faule Leiber,
faule Frauen, faule Weiber,
faule Eiche, faule Tann,
fauler Wirth und fauler Mann,
faule Hund, faule Leut
sind nichts nutz zu aller Zeit.

(Vielleicht salzt auch der Priester das Kind vor der Taufe,
damit es nicht soll stinkend faul werden, damit es den
Müssiggang meide, welcher eine Ursach ist alles Übel.)

1669. Trauen, Hoffen, Harren machen manchen Narren.

1670. Trau keinem Juden bei seinem Eid, und keinem
Wolf auf grüner Haid, und keinem Freund bei seinem Gewissen, sonst wirst du von allen dreien besch.

1671. Die Frucht zeigt wie der Baum ist.

1672. Die Probe zeigt, wie das Silber ist.

1675. Die Federn zeigen, was es für ein Vogel ist.

1674. Das Schild zeigt, was das Haus ist. — Also zeigt
auch oft der Name, wer und wie der Mensch ist. Viele sagen:
Man macht Gott gar zu schwürig, die Sünde gar zu schwer.

1675. Man macht den Teufel gar zu schwarz.

1676. Der Himmel ist nicht für die Gänse erbaut. —
Das ist wahr, er ist aber auch nicht gebaut für die Wölfe,
welche Fresstage für Festtage halten; auch nicht für Pfauen,
welche ihr nichtiges Herkommen von der Erdscholle vergessen und sich stolzmüthig übernehmen; auch nicht für die
Böcke, welche immer nach den stinkenden Wollüsten ge-
meckezen; auch nicht für die Raben, welche ihrem Nächsten das Seine ungerechter Weise abstehlen; auch nicht für
die Bären, die immer auf der Bärenhaut liegen und die
goldne Zeit mit Müssiggang vermänteln; auch nicht für die

14 *

Hunde, welche den Nächsten um das Seine beneiden; sondern er ist gebaut für die rechten frommen Christen, welche Christo nachfolgen. In der Musik ist zu loben die Cythare, also zwar, daß wenn, wie man sagt

1677. Der Himmel voller Geigen hangt; so soll die Welt voller Cytharen sein; wenn wir erwägen, daß Gott wird richten die Lebendigen und die Todten, so müssen wir mit David auf schreien: Schrekken und Zittern ist über mich gekommen.

1678. Kein Haus ohne Winkel.

1679. Kein Baum ohne wurmstichige Frucht.

1680. Es ist selten Garten ohne Unkraut. — (Jeder, auch der beste Mensch hat seine Fehler und schwachen Seiten.)

1681. Ars und Mars haben gar oft die Geschäfte mit einander. — (Von Kriegslisten im engern und weitern Sinne.) Wenn ich sehe auf einem Jahrmarkt, daß ein Kaufmann seinem Diener

1682. Fünffinge:krant auf das Maul legt, und

1683. Reimt sich wie die Faust aufs Auge, so verwundere ich mich. Der Kaufmann gibt mir aber zu verstehen, ich solle mich deß nicht wundern, denn, sagt er,

1684. Auf eine solche Nase gehört eine solche Brille.

1685. Auf solchen Kopf gehört keine andere Lauge.

1686. Auf einen solchen Thurm gehört ein solcher Knopf.

1687. Auf ein solches Brett ein solcher Hobel.

1688. Auf einen solchen Amboß paßt kein anderer Hammer.

1689. Auf ein solches Licht gehört ein solcher Putzer.

1690. Zu einem solchen Schloß gehört kein anderer Schlüssel. — Die Dienstboten thun kein gut mehr;

1691. Sie essen, daß sie schwitzen, in der Arbeit mögen fie fich nicht erhigen. — Der Karbinal **Angelotus** pflegte in feinem Pallafte mit einer Glokke bie Diener alle= zeit zum Aufwarten zu rufen, und ba er öfters vermer= fet, daß fie fehr faumfelig find, und fich mehrft entfchul= bigten, daß fie bie Glokken überhöret; fo hat er einmal befohlen, man folle bie Effglokken nicht leúten, fonbern mit einem Fuchsfchweif baran fchlagen. Und ba er wahrgenom= men, daß einer nach bem anbern zu ber Tafel eilet, fo fagt er, er verwundere fich, daß fie fo artige Ohren ha= ben, wenn Zeit zum Effen ift, fo hören fie fo gar mit bem Fuchs=Schweifel bazu leúten, und wenn bie Zeit zum Dienft ift, fo hören fie fogar nicht mit einem eifernen Klöppel bazu leúten.

1692. Fafching in Ehren wirb Riemand wehren. — (Aber in Ehren, merks wohl!)

1693. Es ift fchwerer in bie Hölle zu kommen, als in ben Himmel.

1694. Der Teúfel gibt bie Hölle theúer als Gott ben Himmel.

1695. Es ift leichter ben Berg hinauf als herab zu gehen.

1696. Die Hölle koftet mehr Mühe und Fleiß als ber Himmel. — Es ift zwifchen bem Weißen und bem Schwar= zen, zwifchen Efau und bem Jakob, zwifchen bem Stádtel Hai (Ai) und ber groffen Stabt Jericho, zwifchen bem egyptifchen Knoblauch, und bem füffen Manna, zwifchen bem David und bem Goliath, ein fo groffer Unterfchied, als zwifchen bem Himmel und ber Höll. Im Himmel ift lauter Freúbe, in ber Hölle lauter Leib. Im Himmel ift lauter Luft, in ber Hölle lauter Disguft. Im Himmel ift lauter Süff, in ber Hölle ift lauter Spieß. Im Himmel ift lauter Schatten, in ber Hölle ift lauter Braten, Der

Himmel ist ein Wohnplatz der Auserwählten, iste in Haus
der Belohnung, ist ein Thron der göttlichen Majestät, ist
ein Losament der Heiligen, ist ein Tempel des Lichts, ist
ein Paradies der Freuden, ist eine Herberg der Seligkeit.
Die Höll hingegen ist eine Folterbank der Verdammten,
ist ein Kerker der Ewigkeit, ist eine Senkgrube des Un-
flats, ist ein Ort der Finsterniß, ist ein Quartier der bösen Geister, ist ein Inhalt alles Elends. Im Himmel
ist alles, alles, alles Gute; in der Höll ist alles, alles,
alles Übels; und bennoch ist der Teufel theurer mit der Höll,
als Gott mit dem Himmel. Und bennoch kommts schwerer an
in die Hölle zu kommen, als in den Himmel. Wann ein
Häsel könnte reden, wie des Balaams Eselin, so würde es
sagen, daß es viel leichter sei den Berg hinauf zu laufen,
als herab; also sag ich gleichmässig viel leichter und mit
geringerer Mühe kommt man in den Himmel, als in die
Höll. Wenn ich sollte sagen von dem Ehrgeizigen, was er
leide; von dem verliebten Weltaffen, was er aussteht; von
dem Zornigen, wie er sich martere; von dem Schlemmer
und Saufer, wie er freiwillig alle Krankheiten ihm selber
auf den Buckel lade, und gleich wol damit zum Teufel
fahre: so würde man handgreiflich spüren und vernehmen,
daß die Höll mehr Mühe koste, als der Himmel.

1697. Der Egel trinkt bis er voll ist.

1698. Der Badeschwamm trinkt bis er voll ist. —
(Der Geizige ist schlimmer; je mehr er hat, je mehr will
er haben, voll wird er nie.)

1699. Ich möchte gern wissen, wie der hieß, der sich
vom Weibe nicht narren ließ, sagt einmal ein einfältiger
Gispel, ein solcher muß wissen, daß auch viel wackere,
ehrbare Weiber gefunden werden. Ich lasse die Fehler gute
Leute sein, aber die sind nichts nutz, die:

1700. Über die Schnur hauen. — Ich laffe die Fi-
fcher gute Leúte fein, aber die find nichts nug, die

1701. Mit faulen Fifchen umgehen. — Ich laffe die
Drechsler gute Leúte fein, aber die find nichts nug, die

1702. Einem fuchen eine lange Nafen zu brehen. —
Ich laffe die Húter gute Leúte fein, aber die find nichts
nug, die

1703. Unter dem Hute fpielen. — Ich laffe die Bildhauer gute Leúte fein, aber die find nichts nug, die

1704. Einem nur das Maul machen. — Ich laffe die
Köche gute Leúte fein, aber die find nichts nug, die

1705. Einem die Suppe nur verfalzen. — Ich laff
die Schloffer gute Leúte fein, aber die find nichts nug, die

1706. Einem in allem Guten den Riegel fchieffen. —
Ich laffe die Maler gute Leúte fein, aber die find nichts
nug, die

1707. Einem nur Blaues vor die Augen machen. —
Ich laffe die Gärtner gute Leúte fein, aber die find nichts
nug, die

1708. Alle Schelmftükke zu verblümen wiffen. — Ich
laffe die Fuhrleúte gute Leúte fein, aber die find nichts
nug, die

1709. Einen hinter das Licht führen.

1710. Seine Meinung geht auf Stelzen. — (Er taúfcht
fich; es ift nicht fo, wie er glaubt.)

1711. Er kehrt nicht gern beim Waffermann ein. —
(Liebt mehr den Wein, als das Waffer.)

1712. Gelegenheit macht Diebe.

1713. Gelegenheit macht Liebe.

1714. Gelegenheit macht trüb, abfonderlich das Gewiffen, daher nichts Rathfamers, als Ferfengeld geben und
davon laufen.

1715. Es glüht oft eine Kohle auch unter grauer Asche. — (Das Alter ist nicht leidenschaftfrei.)

1716. Ein Junger mit Flaum ist ein Roß ohne Zaum. — Die Mannspersonen (zur Zeit der Sünfluth) hatten die Farbe gar zu stark, denn

1717. Sie machten es gar zu braun. — Die Weibspersonen hatten eine Farbe gar zu wenig, denn sie wurden nicht mehr schamroth. Sie thaten nichts als essen, und

1718. Viel Essen macht vermessen. — Sie thaten nichts als trinken, und

1719. Viel Trinken macht hinken. — Sie thaten nichts als faullenzen und schlenzen, und

1720. Viel Schlenzen macht üble Konsequenzen. — Deßwegen hat der gerechte Gott den ganzen Erdboden mit Wasser überschwemmet. Es ist aber dies wohl in Acht zu nehmen, daß

1721. Je mehr das Wasser gewachsen, je mehr ist das Schiff gestiegen. — Gleich wie nun das Wasser ein Schiff oder die Arche in die Höhe hebt, also machen es auch die von Gott uns zugeschickten Trübsale, daß wir uns zu Gott wenden und näher gegen den Himmel kommen. — Wahr ist, was der Poet sagt:

1722. Freunde in der Noth gehen sieben und siebzig auf ein Loth. — Tausendmal wahr ist, was das Sprichwort sagt:

1723. Vor Zeiten was die Alten geredt haben wurde gehalten, aber jetzt bei Jungen lügen gar oft die Zungen.

1724. Lach mich an und gib mich hin, das ist jetzt der Welt ihr Sinn. — Die Lateiner sprechen:

Mille annis jam peractis, nulla fides est in pactis,
Mel in ore, verba lactis, fel in corde, fraus in factis.
Auf Gott soll der Mensch trauen und bauen und schauen,

denn Niemand, der recht auf Gott trauet, ist verlassen worden.

1725. Es ist nicht alles Gold was glänzt.

1726. Es ist nicht jeder ein Koch, der ein langes Messer trägt.

1727. Nicht Alles, was pfeift, ist ein Vogel.

1728. Es ist nicht alles Zukker, was süß ist.

1729. Nicht Jeder ist ein Mönch, der eine Kappe trägt, also ist auch nicht Alles, was übernatürlich scheint, übernatürlich. Wunderbar ist es, wenn man sieht, wie der Magnet das Eisen anzieht. Ein solcher Magnet, ist ein gutes Exempel.

1730. Gut Beispiel der Eltern ist ein Magnet, welcher zieht die Kinder.

1731. Ein gut Exempel der Herrn ist ein Magnet, welcher die Unterthanen zieht.

1732. Kreuz und Leiden auf Erden ist ein Zeichen seelig zu werden. — Wenn man schon sagt, der Tanz sei ein Kreis, des Mittelpunkt der Satan, so lade ich Euch gleich wol zu einem Tanz ein; denn

1733. Der Mensch muß tanzen, wie Gott ihm pfeift, Er muß tragen, was Gott ihm auferlegt und seinen Willen unterwerfen. Wenn er dergestalt wird tanzen, wie Gott ihm pfeift, so wird er unfehlbar einen Sprung in den Himmel thun.

2. Reim dich hat den Titel: Merks = Wien, d. i. eine umständige Beschreibung in der berühmten Haupt = und Residenz = Stadt in Östreich im Jahr 1679 ec.

1734. Ein halb Pfund Kunst ist mehr werth als ein Zentner Gunst, und gleichwie Salomo zu seinem Tempelgebaú lauter zugerichtete polirte Steine hat genommen, also sollen zu vornehmen Ämtern fein lauter polirte Leúte beförbert werden.

1735. Auf ben Frühling folgt ber Sommer.

1736. Auf ben Freitag folgt ber Samstag.

1737. Auf bie Blühte folgt bie Frucht.

1738. Auf ben Fasching folgt bie Fasten. — (So folgt auf bas Leben ber Tob; Sterben ist gewiß.)

1739. Leben unb Glas, wie balb bricht bas.

1740. Leben uob Gras, wie balb welkt bas.

1741. Leben unb Haff, wie balb verlauft bas. — Das Leben ist allein beständig in ber Unbeständigkeit, unb wie ein Blatt auf bem Baum, auf bem Waffer ein Faum, ein Schatten an ber Wanb, ein Gebaú auf bem Sanb, sich kann rühmen geringfúgiger Beständigkeit, noch minber barf ihm zu meffen bas menschliche Leben. Klopf mir bei leibe nicht, wenn ich bir werbe folgenbe Worte vor ber Thúr singen:

1742. Heúte roth, morgen tobt, — Heúte Ihr Gnaben, morgen gnab bir Gott; Heút ihr Durchlaucht, morgen eine Leich; Heút allen Trost, morgen tröst ihn Gott.

1743. Heúte Hui, morgen pfui.

1744. Er ist burch bie Schule gerutscht. — (Hat etwas gelernt.)

1745. Krumme Finger machen. — (Stehlen.)

1746. Wenn Bachus einheizt, so setzt sich Venus hinter ben Ofen. — In ber Riemerstraße hat ber Tob

1747. Aus fremben Häuten Riemen geschnitten. — (Abraham schilbert bie Verheerungen ber Pest zu Wien im Jahr 1679, unb geht bie Stabt Straße fúr Straße burch.)

1748. Die Welt singt lieber Alt als Baff. — (Will lieber hoch hinaus, als fein bemúthig bleiben.)

1749. Sein Mund ist geru-feucht wie ein Badeschwamm.

1750. Ist die Schleife ellenlang, ist die Liebe klafter=
lang. — Es ist gar nichts Neues, daß oft ellenlange Bän=
del 10 Klafter lange Liebe nach sich ziehen.

1751. Es ist kein Garten so klein, es wird eine Nessel
drin sein.

1752. Das beste Weinfaß ist nicht ohne trübes Lager. —
So kann mans ja dem Himmel vorrupfen, daß nicht lau=
ter gute Engel darin gewesen, was ist denn Wunder, daß
manche Hauptstadt nicht frei ist, von gar zu freien Leuten.

1753. Auf einen solchen Bissen gehört ein solcher
Trunk. — Solche Folgen haben solche Genüsse und Freu=
den. Kommt ein armer Beutel vor eine Thür, will um
ein Amt buhlen, oder eine Gnade fischen, den doch natür=
liche Gaben würdig zeigen, den Treu und Redlichkeit rüh=
men, o lieber Gott, so

1754. Kugelt ihm der Korb entgegen.

1755. Der Stuhl, auf dem er sitzen soll, ist noch beim
Tischler. — Ist aber der Beutel nicht eitel, sondern voll,
wohl gefüllt, so heißt es auch wohl gefallt; denn ihm steht
aller Paß offen, ihm fliegen klafterlange Willkommen ent=
gegen, und steht das Fiat schon unter der Thür, da kaum
das Petitum hat angeklopft. O du allmächtiges Gold,
du kannst Alles, du vermagst Alles, du heißt Alles, du
hältst Alles, du gewinnst Alles, du überwindest Alles, du
zierst Alles, du verdeckst Alles.

1756. Es giebt kein besser Kräutlein, als Tausendgul=
denkraut. — Es heilt alle Schäden, kurirt alle Wunden,
es hat mehr Saft und Kraft als alle Apothekerbüchsen, es
ist so heilsam, daß es auch den in grossen Ruhm stellt, der
sonst ein lauteres Unkraut. Weder die Taube, noch der

Phönix, noch der Adler ist der schönste und angenehmste Vogel, sondern der Habich.

1757. Der Vogel Habich singt am lieblichsten. — Der Habich schwingt sich über alle Verdienste.

1758. Hab'ich Geld, so hab ich alles in der Welt.

1759. Der Habich macht auch den Galgenvogel zu einer Taube.

1760. Wer den Habich hat, der hat, was er will.

1761. Aus einem leeren Kopf macht Geld einen vollen Kopf.

1762. Dunst verschachert Geld für Kunst.

1763. Wer goldne Flügel hat, fliegt am höchsten.

1764. Wer einen goldnen Schlüssel hat, sperrt alle Thüren auf.

1765. Wer mit goldenen Kugeln schießt, erobert die stärkste Festung.

1766. Wer mit goldner Angel fischt, fängt, was er will. — Also vermag das Geld alles, es macht aus den Richtern richtige Gesellen, aus treu — treulose Leute, aus Feinden Freunde, aus Freunden Feinde, es kann Alles. Wer einen goldenen Präzeptor hat, der wird der Gelehrteste. O allmächtiges Gold, dir geschieht die größte Ehr.

1767. Geld gilt alles in der Welt. — O du allmächtiges Geld; ist denn eine Stärke, die du nicht schwächen; ist denn eine Schwachheit, die du nicht stärken kannst? Es ist keine. Ist denn eine Unschuld, die nicht schuldig, ist denn eine Schuld, die du nicht unschuldig machen kannst? Es ist keine. Ist denn' eine Schand, die du nicht beschönen, ist denn eine Schönheit, die du nicht schänden kannst? Es ist keine. Es ist kein Stand, wo du nicht Bestand hast; es ist kein Port, wo du nicht Ort hast; es ist kein Wandel, wo du nicht Handel hast. Wenn nun Alles Respekt vorm Gelbe hat, also wol auch der Tod? Nein, antwortet der verbeinte Gesell, ich weiß um keinen Respekt, ich rühre kein Geld an.

1768. Arm und Reich gilt dem Tobe gleich,

1769. Der Tod ist nicht wählig, er nimmt holdselig und geldselig.

1770. Rosen auf Wangen, und Dornen im Gewissen.

1771. Schnee auf der Stirn, und Kohlen im Gehirn. — (Von denen, die bei körperlicher Schönheit ein schlechtes Gemüth haben, verdorbenen Herzens sind.)

1772. Ein betrunkener Bauer ist dem Bettler lieber, als ein nüchterner Edelmann.

1773. Er ist außer dem Zaune seines Vatergartens gewesen. — (Hat Erfahrung, ist viel in der Welt herum.)

1774. Geld, Geld, Geld ist der Geizigen einzige Welt. — Wie der Fisch des Petrus eine Münze im Maul hatte, und also ein lebendiger Geldbeutel war; also sind die Geizigen, denn was haben diese anders im Maul, als nur das Geld! Sie schnappen nach dem Geld, sie reden allzeit vom Gelbe, sie zanken wegen des Geldes, sie singen vom Geld, sie loben das Geld, sie trachten nach Geld, sie seufzen ums Geld, sie vergessen das Geld im Tobtenbett nicht. O ihr elende Simpel; ihr thut schaben und graben, ihr thut schnaufen und laufen, ihr thut treiben und reiben, ihr thut springen und ringen, ihr thut trennen und rennen nur um das Geld, nur wegen des Geldes. Daher stekken euch die Augen im Kopf, wie zwei hohle Nußschalen, die Wangen sind erbleicht wie ein alter pergamentner Lehrbrief; die Haar sind euch zerstreuet, wie ein abgestochenes Schwalbennest, eure Beine sind nur mit einer Haut überzogen wie eine alte Garnisontrommel. O elende Narren.

1775. Eine Stube ohne Tisch, ein Teich ohne Fisch,
ein Thurm ohne Glokken, eine Suppe ohne Brokken,
ein Schiff ohne Ruder, ein Zech ohne Bruder,
ein Schreiber ohne Feder, ein Schuster ohne Leder,
ein Bauer ohne Pflug, ein Hafner ohne Krug,
ein Soldat ohne Gewehr, ein Mensch ohne Lehr
sind Alle nicht weit her.

Lehre und Wissenschaft sind in dem Menschen, wie in
der Erde das Gold, in dem goldenen Ringe der Edelstein,
in dem Edelstein der Glanz.

1776. Beim Brette sitzen. — Mancher sitzt beim Brett,
welcher in der Schule die Eselbank in Bestand gehabt.
Wenn man schon einem Advokaten den Namen eines Propheten nicht vergönnt, so muß man gleichwol bekennen,
daß er weiß schwere Sachen gering zu machen, und wo
vieler Hirn und Stirn nicht weiß zu helfen, da kann er

1777. Der Hakke einen Stiel finden und

1778. Den Knopf auflösen.

1779. Wenn die Noth an der Tafel sitzt, braucht man
für Freunde nicht zu dekken.

1780. Wo die Trübsal zum Fenster heraus sieht, sehen
keine Freunde hinein.

1781. Wo Armuth den Wamms flikkt, da hilft kein
Freund einfädeln. Gar selten trifft das Sprichwort des gemeinen Pöbels;

1782. Je gelehrter, je verkehrter. — Die guten Werke
sind zur Pestzeit sehr häufig, denn

1783. Noth bricht Eisen.

1784. Noth macht essen grobe Speisen.

1785. Noth macht aus Narren Weise.

1786. Den Gelehrten ist gut predigen.

1787. Er ist höflich wie Kains Keule.

225

1788. Er ist süß wie der Krauttopf der Prophetenkinder.

1789. Er ist fein wie Simsons Philisterklinge. (Eselskinnbakken.)

1790. Er ist so manierlich, wie das Ding, mit dem man Getreide drischt. — (Zunächst gebraucht es Abraham von groben Ehemännern, ohne daß dadurch indeß die Anwendung auf diese allein beschränkt werden soll.)

1791. Will er Sauer, so will sie Süß;
will er Mehl, so will sie Gries;
schreit er hu, so schreit sie ha;
ist er dort, ist sie da;
will er essen, will sie fasten;
will er gehn, so will sie rasten;
ißt er Suppen, so ißt sie Brokken;
will er Strümpfe, so will sie Sokken;
sagt er ja, so sagt sie nein;
trinkt er Bier, so trinkt sie Wein;
will er dies, so will sie das;
singt er Alt, singt sie Baß;
steht er auf, so sitzt sie nieder;
schlägt er sie, so kratzt sie wieder;
will er hi, so will sie hott;
das ist ein Leben, erbarm es Gott.

Ist ein solcher Ehestand nicht eine bittere Myrrhen?

1792. Sie passen zusammen, wie Speck und Judenmagen. — (Zunächst braucht es Abraham von Eheleuten, die gar nicht zu einander gehören, dann läßt es sich auf alles Nicht zusammenpassende anwenden.) So wie

1793. Zusammenpassen wie Sichel und Messerscheide.

1794. Ihre Liebe ist so heiß, man konnte Stroh darin aufheben.

1795. In seinem Garten wachsen nur Holzäpfel. — (Von einem bösen Ehemanne.) Eben so

1796. Sein Kalender setzt nichts als Finsterniß.

1797. Sein Wald trägt nichts als Prügel.

1798. Sein ganzes Geschirr besteht aus Flaschen. — (Er liebt den Trunk.) Ein Weib, das so einen bösen Mann hat, gleichet fast in Allem dem Straußvogel, weil sie sowohl muß

1799. Manchen Strauß ausstehen, als viel

1800. Harte Brokken verbauen.

1801. Ein Rauch, ein böses Weib und Regen sind dem Hause überlegen.

1802. Es ist schlechter Lautenklang, wenn die Saiten nicht zusammenstimmen; also abgeschmackt lautet es bei den Eheleuten, wenn die Saiten nicht zusammenstimmen; ein solcher

1803. Ehestand (was ist er anders, als ein) Wehestand. — Ein Fechtplatz, eine Kreuzschul, ein Besenmarkt, ein Reibeisen, eine Habersuppen, ein Igelbalg, eine Peinfolter, ein Distelkraut, eine Schlaguhr, eine Gemüthshechel, eine Pfeffermühl.

1804. Ihre Uhr schlägt (zeigt) immer eins. — (Von Eheleuten, die stäts innig sind.) Ein solcher Ehestand ist eine Grammatik, in der man nur amo conjugirt, und rixa deklinirt; ein solcher Ehestand ist ein goldner Ring, dessen edelstes Gestein die Einigkeit ist. In einem solchen Ehestande ist nichts als Sing und Segen anzutreffen. Denn

1805. Der Himmels-Thau fällt nur, wenn Windstille ist. — Also vermuthlich fällt über solche Eheleute der häufige Himmelssegen, weil nichts als Ruhe und Stille darinn.

1806. Ein guter Soldat muß drei Stück an sich haben: Etwas vom Garten, etwas von der Karten, etwas von der Schwarten. Von der Schwarte dies, daß er bei einfallender Roth könne

1807. Hungern, daß die Schwarte knackt. — Von der Karte muß er haben Herzbub, vom Garten Rittersporn. Wo diese drei Dinge sind beisammen, verdient man erst eines Soldaten Namen.

1808. Sich die Haut voll lachen. — Ich lache mir die Haut nicht voll, sagte der Tod, denn ich habe keine. Ich lobe in soweit die Aussage der Ärzte, und wollte ihnen nicht gern

1809. Einen Stein in den Garten werfen, (aber:)

1810. Ihre Waare taugt nicht auf meinen Markt. — Obgleich ich mit meiner geringen Lehre

1811. Keine Bäume ausreissen werde, so trau ich doch wenigst

1812. Den Baum zu zeigen, wovon Gott die Ruthen flechtet. — Dieser Baum ist die Sünde.

1813. Gott bezahlt mit gleicher Münze.

1824. Wer Gott den Rücken kehrt, von dem wendet er die Augen. — Man klagt, daß Acker und Bäume und Weingärten nicht mehr so viel Frucht bringen, wie vor Zeiten. So wisse aber auch, daß die Leute nicht mehr so gut, die Sitten nicht mehr so gerecht, wie vor diesem. Die Elemente richten sich nach dem menschlichen Wandel, ist der schlimm so

1815. Tanzen (sie), wie wir pfeifen, und sind auch bös.

1816. Ein Elend gibt dem andern die Schnalle in die Hände.

1817. Ein Unglück brütet das andere aus.

1818. Der Winter sieht oft dem Sommer in die Karten.

15

1819. Oft greift der Sommer dem Winter ins Hand=
werk. — Dazumal waren die Leut viel frömmer, die Ge=
richter viel gewiſſenhafter, die groſſen Herrn viel behut=
ſamer, die Geiſtlichen viel eifriger, die Alten viel eingezo=
gener, die Jungen viel ſittſamer, die Männer viel mäſ=
ſiger, die Weiber viel tugendſamer, die Töchter viel ſcham=
haftiger, die Reichen viel freigebiger, die Armen viel ge=
dulbiger, der Edelmann viel bemüthiger, der ⬛uer viel
redlicher, der Bürger viel gottesfürchtiger, der Handwerks=
mann viel emſiger, der Dienſtbot viel treuer, die Leut viel
gottſeliger und beswegen auch viel glückſeliger. Daſſ aber
der Zeit ein Elend dem andern die Schnallen in die Hand
reichet, ein Trübſal an dem andern kettenweiſe hänget, ein
Unglück das andere ausbrütet, ja ſchier alles umgekehrt,
und zuweilen der Winter dem Sommer in die Karten
ſchaut, der Sommer zuweilen dem Winter in das Hand=
werk greift, der Frühling mit dem Herbſt, der Herbſt mit
dem Frühling pochet. Kein Jahr iſt mehr in den Zeiten,
wie es ſoll ſein, ſondern von oben, von unten und auf der
Seiten, nichts als lauter Trübſal; iſt aber Urſach, merkt
mir dies wol, Urſach alles Übels iſt das Übel, verſtehe die
Bosheit und Sünd jetziger verkehrter Welt.

1820. Unglück und Schwalben niſten gern in die Häu=
ſer. — Wir Adamskinder ſind gar oft wie die Weintrau=
ben unter Preſſ, wie die Roſen unter den Dörnern, wie
eine Uhr mit dem ſchweren Gewicht, wie ein Birkenbaum
mit lauter Ruthen beſtekkt, wie ein Garten, worin lauter
Wermuth wachſet, wie ein Meerufer, ſo von ſteten Wellen
angeſtoſſen wird, und niſtet uns faſt allzeit das Unglück
in das Haus, wie die Schwalben. Der Teufel ſitzt auf
auf keinem Bokk, keinem Stein, keinem Seſſel, keinen
Stuhl, ſondern

1821. Auf der langen Bank, allda ertappt er die meisten, unglükkseligen Seelen, denn diejenigen, welche die Buß auf die lange Bank schieben, gerathen gemeiniglich in seine Hände. Weil Gott dem Lucifer den Sitz im Himmel nicht vergönnt, weil er ihn gar zu hoch gestellt, also hat, dem Himmel zum Trotz der höllische Reibvogel die lange Bank aufgebracht, auf welche die ubesonnenen Adamskinder ihre Buße schieben und hierdurch ihr ewiges Heil verscherzen.

3. Lösch=Wien, d. i. eine bewegliche Anmahnung zu der kaiserlichen Residenzstabt Wien in Ost= reich, was Gestalten dieselbige der so viel tau= send Verstorbenen, Bekannten und Berwandten nicht wolle vergessen 2c.

1822. Der Himmel ist nicht für die Gänse erbaut. — So sagt man; ja, auch nicht für die Enten, sondern für die Menschen; aber höre wohl, im Himmel ist man nicht allein heilig, sondern auch heillig. Wer die geringsten und winzigsten Makel hat, dem

1823. Zieht man einen Schlagbaum vor — und heisst unterdessen:

1824. Vor der Thür ist draussen.

1825. Eher wird die Donau zurükkgehen.

1826. Eher werden die Kühe fliegen.

1827. Eher werden Wolf und Schaf Freunde.

1828. Eher jagt das Lamm einen Löwen.

1829. Eher frisst eine Mükke einen Adler.

1830. Eher verfolgt (treibt) der Hase einen Hund — ehe ich glaube, daß ein Kind sollte seine Eltern vergessen können; ich weiß gar wohl, daß bei euch

1831. Das Neue klingt, das Alte klappert, — nichts

15*

desto weniger werft doch eure Gedanken auf das alte Testament.

1832. Der Teufel bekommt das Fleisch und Gott bleiben die Beine.

1833. Die Welt bekommt den Wein und Gott den Bodensatz. — (Von denen, die in irdischen Freuden und Genüssen untergegangen, nicht Zeit und Kraft haben für ihren Geist und Gott zu leben.)

1834. Der Tod schüttelt auch unzeitige Äpfel.

1835. Der Fleischer sticht so viel Kälber als Kühe.

1836. Sich die rechte Brille aufsetzen. — (Die Sache aus dem richtigen Gesichtspunkte betrachten.)

4. Große Todten = Bruderschaft. Das ist: Ein kurzer Entwurf des sterblichen Lebens 2c.

1837. Sein Verstand geht auf Stelzen. — (Abraham gebraucht die R. a. von Solchen, welche berauschende Getränke im Uebermaaße genossen haben.)

1838. Auch schön im Haar und jung von Jahr ist nicht sicher vor der Bahr.

1839. Auch weiß im Gesicht und reich an Gewicht entgeht dem Tode nicht.

1840. Den Weg muß Jeder gehn.

1841. Dies Bad muß Jeder austrinken.

1842. Diesen Knopf muß ein Jeder auflösen.

1843. Dies Lied muß ein Jeder singen.

1844. Nach dieser Pfeife muß ein Jeder tanzen.

1845. Dieser Schuh drückt Jeden. — Sterben müssen Alle; auch die Jugend ist davon nicht befreit. Der menschliche Leib ist eine Herberge, die Seele ist ein Inwohner, Gott kann ihm die Herberg aufsagen, und den Strohsack vor die Thür werfen, wann er will und wo er

will; das menschliche Leben hängt an einem Faden, diesen
ann Gott abschneiden, wann er will und wo er will; ja
es ist nicht Neues, daß eine Blüthe vom Baum fällt, und
die arme Tröpfin nicht zur Frucht gelanget. Es geschieht
gar oft und aber oft, daß die blühende Jugend von dem,
rasenden Tod hingezukkt worden. Man soll den alten und
betagten Leúten lieber mit Kleidern behülflich sein; ich
aber wollte ihnen sogar das Hembe noch abziehen. Man
verstehe mich aber recht, das allgemeine Sprichwort sagt:

1846. Die Gewohnheit ist ein eiserner Pfaid.— Diese
wollte ich ihnen gern auszieben durch die Betrachtung des
Todes.

1847. Wer den Winter auf dem Kof hat, muß nicht
den Frühling in den Beinen haben.— (Muß in seinem Be=
tragen ernst sein und die Vergnügungen der Jugend fliehen.)

1848. Den Jungen ist der Tod auf dem Rükken, den
Alten aber vor Augen.

1849. Jung gewohnt — alt gethan. — Ihr Alten,
ist es Sach, daß ihr eúre Jugend der schlürpfrigen Welt
geschenkt, nur junge und gesunde Jahr in schnöder Lust
verschwendet, und endlich den Zwang ihrer langwürigen
Gewohnheit das Feuer noch nicht gar in eúrem Ofen er=
loschen, sondern noch unter eúer alten baufälligen Hütten
sich zuweilen die Venus noch reúspelt; ist es Sach', daß
ihr durch eúren fast ganzen Lebenswandel nur nach Ge=
winn und Interesse gebuhlt, und die gúldene Zeit dem un=
ruhigen Mammon vergönnt, daß eúch bereits noch der
Münzklang noch in den Ohren erschallet, und nach dem
Geldsakt lieber, als nach dem Opferstokk sehet, so ist es
ein Zeichen, daß eúch die üble Gewohnheit allzustark hab
eingezaúnt und über diesen Zaun altershalber könnt küm=
merlich springen?

1850. Arm und reich gilt dem Tode gleich.
1851. Das schönste Glas bricht auch in Scherben.

5. Auf, auf ihr Christen! Das ist: Eine bewegliche Anfrischung der christlichen Waffen wider
den türkischen Blutegel rc.

1852. Es ist ein Vogel, der nur beim Vollmond singt.
(Von Freunden, deren Freundschaft irdische Absichten hat
und die uns nur so lange wohl wollen, als es uns wohl geht.)

1853. In einer kalten Küche bleiben keine Fliegen.

1854. Beständig, wie die Kürbißblätter des Jonas.

1855. Es muß ein harter Winter sein, wenn ein Wolf
den andern frißt. — Und hält demnach die Natur den
Zügel, daß ein Blut der Anverwandten schone.)

1856. Seine Weste (Vordertheil) ist mit Hasenfell
gefüttert.

1857. Aussehen wie ein Essigtopf.

1858. Zittern wie ein Bachstelzenschwanz.

1859. Je stärker man den Ball auf den Boden wirft,
desto höher springt er. — (Gott führt oft abwärts, um
aufwärts zuführen.)

1860. Wenn die Rakete am höchsten ist, so platzt sie.

1861. Freßburg ist ihm lieber als Preßburg. — (Er
scheut alle Anstrengungen, weil er bloß sinnlichen Genüssen
lebt.)

1862. Er ist ein Soldat, er könnte mit alten Weibern Faden ziehen.

1863. Er ist ein Soldat, er könnte bei dem Kürschner
Hasenbälg ausklopfen.

1864. Er könnte hinterm Ofen mit der Bruthenne das
Nest hüten. — (Von feigen Soldaten.)

1865. Es ist ihm keine Blume lieber als die Schwertlilie.

1866. Er hat nur Herz in seiner Karte. — (Von tapfern Soldaten.) Ein guter Soldat muß in seiner Karten nichts mehrers haben, als Herz. Ein guter Soldat muß einen Magen haben, wie ein Strauß, daß er also das Eisen wohl kann verdauen. Ein guter Soldat muß sich reimen, wie eine Faust zum Auge. Ein guter Soldat muß nicht erbleichen im Angesicht, wohl aber sein Degen muß roth werden vom Blut seines Feindes. Ein guter Soldat muß keine Blumen mehr lieben als die Schwertlilien. Ein guter Soldat muß seinen Feind zu keiner andern Speise laden, als auf ein Gestoßnes. Ein guter Soldat muß keine Fische lieber essen, als Schaiben und Bräxen. Ein guter Soldat muß wol schlagen auf dem Hakbretel, nicht aber auf der Zittern. Ein guter Soldat muß seinen Feind nicht mit Zung, sondern mit dem Degen die Sprichwörter geben. Mit einem Worte:

Zu einer Dame gehört ein Page,

zu einem Kaufmann gehört eine Lage,

zu einem Hut gehört eine Plumage,

und zu einem Soldaten gehört eine Courage.

1867. Wenn nur der Vollmond in seinen Beutel scheint.

1868. Wenn nur auf seiner Tafel Ostern ist, mögen doch die andern (die Nachbarn) Quartember halten.

1869. Ein Gott helf dir kostet nicht mehr Mühe als ein hol dich der Teufel. — (Gegen das Fluchen.)

1870. Er hält es, wie ein Affe heiße Nußschalen. — (Von den Gesetzübertretern.)

1871. Was die Maurer in der Woche gewinnen, muß am Sonntag durch die Gurgel rinnen. — Die Kutscher und die Fuhrleute sind sonst solche Leute, welche nicht allein mit der Geißel umgehen, sondern gar oft auch

1872. Über die Schnur hauen — und wissen sie sowol die Leúte von einem Ort zu dem andern zu fúhren, als auch

1873. Hinter das Licht zu fúhren. — Die Schneider sind zuweilen Leúte, die einen Zeúg schneiden ohne Zeúgen, aber

1874. Eine Schneiderscheer zwikkt oft mehr, als eine Krebsscheer. — Es kann gar wohl sein, daß sich der Soldat tapfer mit den Feinden herumhaut, und dennoch sein Gewissen nicht

1875. Im Stiche lässt.

1876. Ein Loch in den Himmel beissen. — Manche glauben, sie haben schon ein groß Loch in den Himmel gebissen, und weiß nicht, was für Heiligkeit geschikkt, wenn sie anderthalb Vaterunser in den Hut beten, welches so inbrúnstig, daß ein Strohdach davor sicher. Bei den Túrken fúhrt die martialische Tapferkeit jederzeit

1877. Die Braut heim.

1878. Er schikkt sich (nämlich zu etwas) wie eine Pistole in ein Brillenfutteral.

1879. Er ist's gewohnt, wie David das Panzerhemd.

1880. Dem Geld gehorchet alle Welt. — Alexander ist mächtig gewesen, Hannibal ist mächtig gewesen, Pompejus ist mächtig gewesen, Xerxes auch, Scipio auch, Lucullus auch ꝛc. Aber dieses Ding ist mächtiger. Grade machen, was krumm ist; gescheut machen, was plump ist; schón machen, was schlecht ist; links machen, was rechts ist; jung machen, was alt ist; warm machen, was kalt ist; schwer machen, was leicht ist; tief machen, was seicht ist; gelehrt machen, was stramen ist, nicht wahr machen, was amen ist; hoch machen, was niedrig ist; lieb machen, was zuwider ist; ist ja viel, und aber viel, und dies alles kann das Geld. Geld ist das Mächtigste in der Welt, dem Geld gehorsamet Alles in der Welt.

1881. Das Glück ist aus Flandern und geht von Einem zum Andern.

1882. Mit Jemand umgehen, wie die Knaben mit den Nußbäumen im Herbst. — (Mit Prügeln in ihn schlagen.)

1883. Jemanden ansehen, als wenn man vom Krönreiben käme.

6. Dank- und Denk-Zahl des Achten gegen dem Drey, das ist: Eine kleine Schluß-Predig, so in der Oktave des solennen Dankfestes zu der Allerheiligsten Dreifaltigkeit ꝛc.

1884. Gleicher Kop — gleicher Hut.

1885. Gleiches Maul — gleicher Löffel.

1886. Gleiches Pferd — gleicher Zaum.

1887. Gleiche Glokken — gleicher Strikk.

1888. Gleiche Diebe — gleiche Galgen.

1889. Wo Ernst und Klemens nicht Brüder sind, bekommt das Herrschen die Schwindsucht. — (Strenge und Liebe muß sich überall, wo regiert wird, einen, es sei auf dem Thron oder im Hause.)

7. Neú erwählte Parabeyß-Blum; von dem allerdurchlauchtigsten Ertzhaus Östreich ꝛc.

1890. Aus Nesselkraut wird kein Lawendel.

1891. Wo der Papst ist, da ist Rom. (Ubi Papa, ibi Roma.) — Und wo Christus ist, da ist der Himmel.

8. Soldaten-Glory das ist: Von dem heiligen Ritter und heilsamen Vorbitter Georgio, Schuldige Lob-Red ꝛc.

1892. Seinen Feinden die Zähne zeigen. — Wie jener Soldat, der sie seinen Feinden doppelt gezeigt, indem er sie

34

sich im Evangelium von bleiernem Geschosse ausgestoßen, in die Flinte geladen und unter die Feinde geschossen.

1893. Es gibt kein besser Holz zur Himmelsleiter, als Bettelstäbe. — (Wohlthätigkeit gegen Arme führt gen Himmel.)

1894. Die Wahrheit ist eine Waare, die wenig Käufer findet.

1895. Halte das Maul, so verscherzt du nicht den Gaul. — Wahrheit hört man nicht gern. Während des Landtags, den Friedrich der Rothbart zu Reneali in Italien hielt, ritt der Kaiser einmal auf seinem schönsten Leibpferd. Neben ihm standen die beiden Doktoren der Rechte, Bulgarus und Martin, welche Friedrich fragte, ob er nicht ein rechtmäßiger Herr der Welt sei, was der Erstere verneinte, und der andere bejahte. Der Kaiser stieg vom Pferde, und schenke es dem Dr. Martin, worauf Bulgarus bemerkte: Hätte ich fein gehalten mein Maul, so hätt ich nicht verscherzt den Gaul. So angenehm ist die Wahrheit.

1896. Es ist kein sicherer Weg in den Himmel, als der Kreuzweg.

1897. Kein Sieg ohne Kampf.

1898. Kein Frühling ohne Winter.

1899. Auf die Kreuzwoche folgt Ostern.

1900. Glück im Spiel ist Wetter im April.

1901. Dem Gold ist Jeder hold.

1902. Wer ist goldselig, der ist holdselig.

1903. Hohe Steiger fallen gern.

1904. Hohe Leute stoßen bald die Köpfe an.

1905. Hohe Bäume bricht der Sturm.

1906. Hohe Häuser trifft der Blitz am ersten.

2

1907. Hohe Singer werden bald heiser.

1908. Höhe ist selten ohne Wehe.

1909. Keine Würde ohne Bürde.

1910. Die mit Gold den Leib verschanzen, müssen auch den Kehraus tanzen. — (Gold schützt vorm Tode nicht.)

9. Wohlriechender Spika=Narb, das ist: Eine kurze Lob=Verfassung des heil. Clarvallensi=schen Bernardi ꝛc.

1911. Den Säufer erkennt man an der Nase.

1912. An den Zähnen kennt man die Pferde.

1913. Die Glokken erkennt man am Klange, und den Vogel am Gesange. — So konnte man schon aus dem Gesang und den Reden leicht erkennen, was aus dem heil. Bernardum ins Künftige für ein Alauda oder Lob=Vögerl Gottes werden werde.

1914. Sicut ferrum trahit magnes, ita Ferdinandum trahit Agnes. — (Wie der Magnet das Eisen, so zieht Agnes den Ferdinand.) (Abraham gebraucht es von denen, welche weiblichen Reizen nicht widerstehen können.)

1915. Er will den Staub vom Olymp abblasen. — (Von denen, die sehr stolz einhergehen;) dachte etwa Bernardus: Jeder Bischof trägt einen Stab, der sich oben in eine Rose krümmt, und

1916. Wo Rosen sind, da sind auch Dörner.

1917. Je höher ein Thurm, desto enger. — Also je höher ein Mensch, desto ängstiger, denn Würden sind nicht ohne Bürden. Wenn der Teufel nichts nutz ist, so ist er doch so viel nutz als

1918. Das fünfte Rad am Wagen.

10. Die heilige Hof = Art, das ist: Ein schuldige
Lob=Red von dem großen Wunderthätigen In=
bianer = Apostel ꝛc.

1919. Abllg Blut färbt oft den Hochmuth.

1920. Hofbrei essen und Maulverbrennen sind beisam=
men wie Hahn und Henne.

11. Astriacus Austriacus. Himelreichischer
Ostreicher, der Hochheilige, Marggraf Leo=
poldus, vor den gesammten Kaiserl. Hofstabt. ꝛc.

1921. Was fragt ein Stein nach harten Streichen.

1022. Je höher die Lerche fliegt, desto lieblicher singt sie. —
(Von denen die auch beschreiben bleiben, wenn sie die höch=
sten irdischen Ehrenstufen erreichen.)

1923. Die Ehre ist ein goldener Angel, wo ein Jeder
beissen will.

1924. Ehr ist ein Magnet, der Alles anzieht.

1925. Die Ehre ist ein Teich, in dem fischt Arm und
Reich.

12. Prophetischer Willkommen. Das ist: Ein=
Weissagung von Glükk ohne Lükk ꝛc.

Ich weiß einen Heiligen, der

1926. Ist angebrennt, — und dies ist sein Lob, es ist
der heil. Laurentius. Ich weiß einen heiligen der

1927. Ist geschossen, und dies ist sein Lob, der heil.
Sebastian. Ich weiß einen Heiligen,

1928. Der hat Sporen. — Dies ist sein Lob, der heil.
Georg. Ich weiß einen Heiligen,

1829. Der ist nicht weit her, — und dies ist sein Lob,
und dieses ist der heil. Leopoldus, er ist nicht weit her,

maſſen er ein Öſtreicher, ein Kloſter Neuburger, und eben darum wird er uns beſto eher helfen.

1930. Gott macht ſeine Ruthen aus Weſen, d. i. wenn er einen Menſchen verwirkter Unthat halber mit einer Ruthe züchtigen will, ſo ſchikkt er ihm etwas Böſes zu.

1931. Ein Speiſegewölb ohne Ham, ein Kleid ohne Bram, ein Markt ohne Kram, ein Spiegel ohne Rahm ein Menſch ohne Zahm. (Zaum), ſind nicht weit her alleſam.

**15. Zeugnus und Verzeichnus eines Lobwür-
digſten Tugend=Wandels.**

1932. Gut Beiſpiel zieht Viel.

1933. Gut Exempel iſt eine Fakkel, die leuchtet. — Manche Leute ſind wie

1934. Die Glokken, die andern zur Kirche lauten, gehen aber ſelber nicht hinein. — Nicht alſo Prior Anſelm, ſondern was er ſeine untergebenen Geiſtliche ermahnte, das zeigte er ſelbſt in dem Werk.

1935. Er geht in die Kirche wie die Eulen, die ſind zwar in der Kirche, aber des Nachts ſaufen ſie das Öl aus den Lampen, und löſchen den Docht aus, nicht alſo Anſelm; er ſuchte und verſuchte Alles, wie er Docht und Andacht in der Kirche anzünden könne.

1936. Er baut wie Noahs Zimmerleute. — (Für Andere. Von denen, welche für Andere ſorgen, und ſelbſt dabei zu Grunde gehen.) Alſo giebt es Einige, die Andere zur Heiligkeit anſpornen, und ſie ſind ſelbſt ohne Schein.

1937. Höh iſt ſelten ohne Weh. — Der Dornenbuſch wurde nach der alten ſinnigen Fabel König.

1938. Ein Leib der voll, ſchikkt ſich zum Beten nicht wohl.

1939. Wenn man der Myrrhen zerstößt, riechen sie (erst) gut. So ist der menschliche Leib beschaffen. Oder:

1940. Ein Pferd wird erst gut, wenn man es zäumt. — (Empfehlung der Selbstbeherrschung.)

1941. Zucht bringt Frucht. — Selbst die Erbe muß man mit einem Pflugeisen durchschneiden, wenn sie Frucht bringen soll.

14. Der glückliche Fischzug in Ungbach. Das ist: eine trostreiche Predig von der überschwenklichen Barmherzigkeit der Mutter Gottes ꝛc.

Die Welt hat gesündigt und Gott

1942. Wäscht ihr den Kopf — mit der Lauge der Sündfluth, alle müssen zu Grunde gehen, und also das gesammte menschliche Geschlecht außer acht Personen müssen.

1943. Das Bad austrinken. — Nebukadnezar, der König, hatte ein wenig einen hohen Geist, wollte mit Lucifer

1944. Den Alt singen, — und wie ein Gott angebetet werden, aber der Allmächtige zeigte ihm, daß er kein Gott sei, sondern

1945. Ein seltsamer Heiliger, — daher er ihn in ein wildes Thier verwandelte. Wer die Welt nennt eine Katze, der nennt sie recht, und ich schreibe dazu:

1946. Eine saubere Katze thut vorn lecken und hinten kratzen.

1947. Die Welt ist ein Schalk, sie geht wie der Schimmel in der Walk.

1948. Die Welt ist eine Braut, es steckt aber ein Schelm in der Haut.

15. **Öſtreichiſches Deo Gratias.** Das iſt: Eine ausführliche Beſchreibung eines Hochfeierlichen Dank=Feſtes ꝛc.

1949. Nach dem Regen kommt der Segen,
 Nach dem Leide kommt die Freude.

1950. Drei Dinge ſind gut zur Peſt: Schnell gehen, ſich weit entfernen, und langſam wiederkommen.

1951. Aller guten Dinge ſind drei. — Aus dem erhel=let, was Nutz und Schutz mit ſich bringe, die Andacht zu der allerheiligſten Dreifaltigkeit; o wie Troſtvoll iſt dieſes göttliche drei! Wohl recht lautet das allgemeine Sprich=wort: Alle gute Dinge ſind drei. Drei Farben hatte jener wunderſchöne Regenbogen, welchen Gott nach dem Sündfluß an dem blauen gewölbten Himmel geſtellt hat, zum Zeichen, daß er nicht mehr wolle auf ſolche Weiſe ſtrafen. Drei Soldaten ſind geweſen, welche mit uner=hörtem Heldenmuth durch die feindlichen Waffen gedrungen, und aus der Ciſtern zu Bethlehem dem David einen fri=ſchen Trunk offerierten. Drei Städte hat Moſes ver=ordnet den Iſraeliten, welche aus Befehl Gottes Städte der Zuflucht benamte. Dreimal hat der Herr Jeſus gebeten in dem Garten, das drittemal iſt er von dem Engel geſtärkt worden. In drei Himmel iſt der heilige Paulus, dieſer tarſenſiſche Prediger verzückt worden. Drei Brote hat ein Freund von dem andern gebeten nach der Parabel Chriſti. Den dritten Tag iſt die Eſther mit königlichen Kleinoden und Zierden angethan worden. Vier=mal drei Thore hatte dasjenige himmliſche Jeruſalem, wel=ches in einer wunderlichen Verzückung der heilige Johan=nes geſehen, von Aufgang drei, von Untergang drei, von Mittag drei, von Mitternacht drei. Das Drei

bringt faſt allezeit Freúden; nach drei Tagen iſt der ge=
benebeite Jeſus gefunden worden im Tempel; ſo iſt denn
das Drei allezeit glúkſelig, nach drei Tagen iſt der ſünd=
hafte Heiland von den Todten auferſtanden. So iſt denn
das drei faſt allezeit gnadenvoll: nach drei Tagen hat der
Herr Jeſus das Volk wunderlich geſpeiſet in der Wúſte.
So iſt ſchier das Drei faſt allezeit heilſam; nach drei
Tagen iſt der Jonas· von dem naſſen Arreſt des Wallfi=
ſches erlöſt worden. So iſt ſchier das Drei allezeit ein
gutes Zeichen, in dem dritten Jahr hat die Judith den
Holefernes obgeſiegt. So bringt dann das Drei faſt
allezeit etwas Gutes; drei Maria ſind. geweſen, welche
die freúdenvollen Urſtände Chriſti ausgebreitet. So iſt denn
das Drei zum öffentlichen Troſt voll; drei gekrönte Mo=
narchen ſind geweſen, welche mit drei Schänkungen den
neúgebornen Jeſus angebetet. So iſt denn das Drei faſt
allezeit erwúnſcht; drei Apoſtel ſind geweſen, welche den
Abriſſ der himmliſchen Glorie geſehen auf dem Berge Ta=
bor. So iſt denn das Drei mehrtens lobreich; drei
Sprachen ſind geweſen, welche Jeſus von Nazareth, ein wah=
rer König der Juden auf dem Kreúztitel erklärt haben. Aber
kein beſſeres Drei iſt, als die heiligſte Dreifaltigkeit,
denn dieſes göttliche Drei, macht uns von der Peſt frei.

16. Der klare Sonnenſchein in dem heiligen
und berúhmten Dominikaner=Orden. Das iſt:
Eine kurze Lob=Predig von dem glorreichen
Dr. Thoma Aquinate ꝛc.

Es iſt ein Sprichwort:

1952. Wenn Mönch und Pfaffen reiſen, ſo regnets
gern. — Wer dieſen Gaukelſpruch erſonnen, weiſſ ich nicht,
wol aber weiſſ ich deſſen eigentlichen Urſprung. Im Meer

ist ein gewisser Fisch, welcher einen Kopf hat und geschorne
Platte wie ein Mönch, weswegen er den Namen hat Mo-
naco. Wenn gedachter Fisch von einem Orte zum andern
wandert, und von einem Gestade zum andern reiset, so ist
es ein gewisser Vortrab zu künftigen Regenwetters.

1933. Auf ein solches Geschirr gehört kein solcher
Dekkel.

1934. Auf ein solches Gebäude gehört kein solches Dach.

1935. Auf diesen Kern gehört eine bessere Schale. —
(Abraham gebraucht es von denen, welche meinen:) junge
Leute und gescheibte Köpfe müsse man nicht ins Kloster
schikken, es sei Schade, daß eine so goldene Jahreszahl solle
im Dominikaner-Kalender stehen. (Abraham erwidert darauf:) daß hiesse:

1936. Den Kern essen und Gott die Schalen vorlegen.

1937. Die Kirschen naschen und Gott mit Stielen
traktiren.

1938. Den Spekk schlikken, und Gott das Kraut vor-
setzen. — Du bist wol eine ungehobelte Welt, du trittst
in diesem Falle in die Fußtapfen Kains, welcher auch das
Beste für sich behalten, und Gott das Schlechtere geopfert;
stehet oft: den Spekk und die Feiste soll man Gott überlassen, du aber kehrst es um, du willst den Weizen, d. h.
hier, die witzigen Leute für dich behalten, und das Stroh,
d. h. hier, Strohköpfe den Klöstern schenken. Die Rosen
willst du behalten, die Saublumen Gott opfern.

1939. Den Spekk auf den Teller legen, und die Beine
Gott vorwerfen. — Trotz dem Widerreden der Welt ist
Thomas Aquinas Dominikaner geworden.

1960. Einen Mohren kann man nicht weiß waschen. —
Aber einen Engel kann man auch nicht schwarz machen.

1961. Roß und Wagen, Hals und Kragen, Alter und

16

Pflüge, Waſſer und Krüge, Weiber und Flammen ſind gemeiniglich beiſammen.

1962. Meſſer und Gabel, Poet und Fabel, Zech und Bruder, Schiff und Ruder, Weiber und Flammen ſind meiſt beiſammen. — Thomas von Aquin war in der Schule ſehr ſchweigſam, daher ihn ſeine Mitſchüler ſpottweis einen ſtummen Ochſen nannten. Aber behutſamer, meine leichtſinnigen Scholaren! Ihr müſſt wiſſen, daſſ

1963. Stille Waſſer tief ſind — tiefer als rauſchende. Alſo dieſer ſtille Thomas viel tiefſinniger als ihr Schreier. Ihr müſſt wiſſen, daſſ, wo eine Stubenthür allezeit offen ſteht, geht keine Wärme aus; wo das Maul allezeit offen iſt, fliegt nicht Hitz ſondern Witz aus. Chriſtus wurde in der Nacht, da alles ſtill war, geboren, alſo ſteigt die obere Weisheit nur in ſtille Gemüther.

1964. Der Wein iſt ein Schleifſtein. — (Er wetzt den Verſtand.)

III. Gack, Gack, Gack, Gack à Ga,
einer Wunder=ſeltſammen Hennen in dem Herzogthum Baiern; das iſt eine ausführliche und umſtändliche Beſchreibung der berühmten Wallfahrt Mariaſtern in Taxa ꝛc.

1965. Traue nicht zu großem Glück, es läſſt nimmer ſeine Tück.

1966. Wem das Glück wohl will, der fährt auf einem Schüſſelkorbe über den Rhein.

1967. Gut bringt Muth.

1968. Voller Tropf, voller Kropf.

1969. Gutes Glükk bringt stolze Blikk.

1970. Wer Glükk und Unglükk nicht leiden kann, der ziehe Sporn und Stiefeln an, siß auf einem Esel, reit davon und leb' im Wald auf sein Raison.

1971. Wer Glükk hat, führt die Braut heim. — So mich Jemand soll befragen, was denn meine Aussag von dem Glükke sei, dem wollt ich unverzüglich mit dem deütschen Sprichwort begegnen: Wers Glükk hat, führt die Braut heim. Verstehe mich aber solcher Gestalten; wenn du, mein eifriger Christ, die allerseeligste, unversehrteste, übergebenedeiteste Jungfrau Maria, als eine himmlische Braut heimführest in dein Herz, alsdann hast du wahrhaftig Glükk. Man kann dich nachmals nicht anders nennen, als Frater Felix; man soll dich folgends nicht anders anreden, als Meister Prosper; man wird dir nachgehends keinen andern Namen schöpfen, als Herr Fortunat. Denn wer Maria liebt', der wird von Maria geliebt; der von Maria geliebt wird, der wird von Maria geschüßt; wer von Maria geschüßt wird, der wird von Maria erhalten *); wer von Maria erhalten wird, wird noch an dem Zeitlichen, noch an dem Ewigen leiden; wer weder zeitlich noch ewig leidet, der ist wahrhaftig glükkselig; willst du nun solches Glükk haben, so führe die Braut heim.

---

*) Wer indeß den allmächtigen Bräutigam Gott in sein Herz heimgeführt hat, kann den marianischen Schuß und die marianische Erhaltung als problematisch entbehren.

---

16 *

IV. **Etwas für Alle**, das ift: Eine kurße
Beſchreibung allerlei Standes=, Amts=, und Ge=
werbs=Perſohnen, mit beigedrukfter ſittlicher
Lehre und Bibliſchen Concepten ꝛc.

1972.. Je größer das Haupt, je gröffer der Schein. —
(Große Regenten ſollen nicht allein haben eine große Obacht,
ſondern auch eine große Andacht.)

1973. An Purpurmänteln und Bauernkitteln iſt's dem
Winde gleich zu ſchütteln.

1974. Der Schnee fällt ſowohl auf den Pallaſt, als.
auf ein Strohdach.

1975. Die Krankheiten findet man nicht allein im Spi=
tal, ſondern auch bei Hofe. — Nur daſſ man ſie hier mit
ſeidenen Dekken, dort nur mit rauhen Kußen zuhüllt.

1976. Die Roſe verwelkt ſo gut wie die gemeine Korn=
blume. — So haben auch die höchſten Gebieter auf Er=
den keine Salva Guardia vor dem Tobe.

1977. Kappen und Kron ſpricht der Tod gleichen Hohn.

1978. Der König wird ſo gut geſtochen wie ein Ge=
meiner. — (Hinfälligkeit irdiſcher Größe; Bild vom Ke=
gelſpiel.)

1979.. Scepter und Hirtenſtab legt der Tod ins Grab.
In Summa, die Fürſten ſind ebenfalls wie andere elende
ſterbliche Menſchen, darum Chriſtus der Herr im Evan=
gelio, das Himmelreich verglichen einem Menſchenkönig.
Weſſenthalben ſie ſittſame Urſach haben, der Demuth nicht
zu vergeſſen, in Erwägung, daſſ der Höchſte nichts meh=
rers haſſe als den Hochmuth, und dergleichen ſtolze Feder=
banſen meiſtens pflege zu rupfen, wie da wiederfahren
Nabuchodonoſor, dem Antiochio, dem Diocletiano, dem

245

Caligulo u. 'f. w., welche aus Hoch= und übermuth für Gott haben wollen gehalten werden, find aber aus Götter Fretter worden.

1980. Eines Fürften größtes Glück hangt am Gal= gen*); — wenn dieser mit Dieben voll ift, fo ift das Land, von Diebftükken leer, bringen alfo die Strikk ein Glükk. Die Hauptlafter nehmen ftark ab, wo man den Böfewich= tern das Haupt abfchlägt. Ein Landregent foll die Eigen= fchaft haben einer Rofe, welche zwar in den ausgebreite= ten Purpurblättern, in dem fo annehmlichen Geruch, in dem mittleren goldenen Herz nichts als Gütigkeit zeiget; entgegen aber auch mit fpißigen Dörnern bewaffnet, und thut zuweilen auch bis auf das Blut verwunden. Gut ift es, wenn ein Landregent die Clemenz braucht gegen den Saúmigen, er muß aber auch ein Ernft brquchen, in Beftrafung des übels.

1981. Des Scepters Segen kann nicht fein ohne De= gen. — Und:

1982. Thron und Droh'n ftehen wohl beifammen. — Lieb und Furcht find zwei Grundfeften einer guten Herr= fchaft (Regierung).

1983. Alls fchenken, niemals henken verändert Land und Stand.

1984. Ein Prophet gilt wenig in feinem Vaterlande.— Vor diefem haben fich die gekrönten Monarchen wenig fe= hen laffen. Die Worte unfers lieben Herrn lauten felbft gar wohl, daß kein Prophet angenehm fei in feinem Va= terlande; denn derjenige den man allezeit fieht, mit dem man allezeit umgeht und ftets mit ihm redet, wird gar

---
*) Diefer Anficht ift man zur Ehre unferer Zeit jeßt nicht mehr.

gemein bei solchen Leuten, wodurch seine Herrlichkeit nicht ein Wenig die Schwindsucht bekommt.

1985. Hat es der Fürst gethan, so folgt auch der gemeine Mann. — Die Soldaten haben Christum den Herrn ganz höhnisch und spöttlich traktirt, ihm eine alte rothe Joppe anstatt des königlichen Purpur angelegt, nachmals ihm ein Meer-Rohr anstatt des Scepters in die Hand gegeben; dessen ist sich aber so stark nicht zu verwundern, denn sie haben solches von dem König Herodes gesehen, wie selbiger Christum in einem weißen Kleide ausgehöhnt, und ihn für einen albernen Menschen gehalten; denn die Untergebenen thun Alles nach, was sie von ihren Oberen sehen, und ist das Volk dem Könige so gleich, wie die beste Copei seinem Original, und wie der Echo der Stimme.

1986. Ein Land wird nicht regiert mit Sitzen, sondern mit Schwitzen.

1987. Regieren besteht nicht in Hetzen und Jagen, sondern in Sorgen und Plagen. — Es besteht nicht in Wollüsten und Mahlzeiten, sondern vielmehr in Sorgfältigkeiten. Die Sorge eines Königs über seine Unterthanen soll nicht minder sein als eines Vaters über seine Kinder, als eines Hirten über seine Schafe.

1988. Je höher ein Nebel steigt, desto mehr glänzt er. — Je höher der Allmächtige den Menschen in Dignitäten und Würden setzt, je mehr soll derselbe mit dem Tugendwandel vorleuchten. Wenn ein Landregent will haben, daß unter die Seinigen Tugend und Frömmigkeit soll gepflanzt werden, so ist von Nöthen, daß er förderst sich derselben befleisse. Denn die Tugend eines Regenten und Oberhaupts ist ein goldener Sporen, womit die Untergebne zu gleichen Wandel angetrieben werden.

1989. Ein Feuer ist leichter zu löschen, wenn das Wasfer nahe als wenun es weit ist. — Großen Fürsten und Potentaten ist nichts anständiger, als die Vorsichtigkeit, dahero sehr rathsam und nützlich, daß sie bei guten und friedlichen Zeiten so viel zusammen bringen, damit sie bei vorstehender Noth versehen sein; man muß sich auch zur Friedenszeit für den Krieg präpariren, denn eine Brunst ist weit leichter zu löschen, wenn das Wasser schon bei Handen, als wenn man selbes erst muß von fern holen.

1990. Während die Hirten schlafen, stiehlt man die Wolle den Schafen. — Wenn die Häupter und Oberregenten schlafen, da kann Nichts, als alles Unglück und Elend zu gewarten sein. Wie Noä hat geschlafen, da ist er spöttlich von seinem eigenen Sohne entblößt worden. Wenn etliche große Fürsten und Potentaten nicht wären so schläferig gewesen, so hätten sie nicht Land und Leut verloren.

1991. Wenn der Teufel Kegel schiebt, so trifft er oft den König. — (Die Fürsten sind der Gefahr zu sündigen sehr ausgesetzt.)

1992. Ein Rad ist gut zum Führen, ein guter Rath zum Regieren. — Wenn ein Regent gute Räthe nicht viel achtet, so wird bald aus seiner Regierung eine große Verwirrung, und kann solcher Gestalten eine Krone ohne Hohn nicht lange bestehen.

1993. Verschloßner Wein bleibt bei Kräften.

1994. Ein Rath muß vor Allem verschwiegen sein und soll dieser aus seiner reichen und häufigen Bibliothek kein Buch lieber und öfter lesen, als den Tacitum; denn die Verschwiegenheit ist die Seele aller hochwichtigen Geschäfte. Der Wein in einem wohl bedeckten Geschirr bleibt bei seinen Kräften; der verschlossene Mund erhält große Vorhaben im besten Stande. Vornehme Rathschläge sind den bren-

nenben Kohlen nicht ungleich, welche ihr Leben erhalten,
so lang sie unter dem Aschen verborgen bleiben; der ist
allein weise und verständig, welcher seinen Geheimnissen
mit der Zunge keine Gemeinschaft vergönnt.

1995. Es ist kein Dienstel so klein, es ist der Eh=
ren werth.

1996. Er kann nicht auf drei zählen. — Von einem
hinterhaltigen und mit Fuchsbalg gefutterten Gesellen pflegt
man zu sagen, er stellet sich, als wenn er nicht könnte
drei zählen; von etlichen Beamten kann man mit Wahr=
heit sagen, daß sie nicht können Treue zählen.

1997. Manches Amt macht verdammt. — (Sobald es
untreu verwaltet wird.)

1998. Der abnehmende Mond regiert. — (Von Be=
amten, Dienern rc., welche die Güter ihrer Herrschaft
schmälern.)

1999. Es ist eine wunderliche Speise um ein Amt, das
bald fett macht.

2000. Es ist eine seltsame Kuh um ein Amt, die ei=
nem so viel Milch giebt.

2001. Es ist ein artlicher Akker um ein Amt, der ei=
nem sobald die Scheuern füllt. — O wie Viele giebt' es
noch dergleichen, die sich solcher Gestalten mit fremdem Gut
bereichern. Es wäre zu wünschen, daß jener ungerechte
Haushalter im Evangelio, welcher einen Greiffen im Wap=
pen geführt, und mit seines Herrn Gütern umgegangen,
wie der Raubvogel mit dem Geflügel=Werk; zu wünschen
wäre es, daß solcher keine Nachfolger weder Kameraden
hätte; aber leider sind da und dort einige zu finden, bei
denen das Nefas einen stets rinnenden Zapfen hat.

2002. Es ist selten eine Wiese ohne Scherrhaufen.

2003. Kein Sommer ohne Mükken.

2004. Es ist selten ein Schatz ohne falsche Münze.

2005. Es ist selten ein Buch ohne Eselsohr.

2006. Es ist selten eine Schreiberei ohne Sau.

2007. Selten ein Kirchtag ohne Händel.

2008. Es sind wenig Bäume ohne Wurmstich.

2009. Wenig Pelze ohne Schaben.

2010. Es ist selten ein Wald ohne Gimpel.

2011. Keine Fasten ohne Stockfisch.

2012. Selten eine Schule ohne Eselsbank.

2013. Kein Akker ohne Disteln. — Also ist auch selten ein Stand oder Profession ohne böse Leute, daher Advokaten ebenfalls gewissenlose und tadelhafte Gesellen anzutreffen sind.

2014. Sprünge machen wie ein Lachs.

2015. Er liebt das trübe Wasser wie der Aal.

2016. Er steht fest wie eine Wiege (ironisch.)

2017. Er geht wie der Wagen, wenn er geschmiert ist.

2018. Sich selbst besiegen, heißt christlich kriegen.

2019. Ein Soldat kann ein so gutes Gewissen haben unter dem Zelt, als in seiner Zell.

2020. Man kann sowohl in der Casamatta als in der Casa sancta beten.

2021. Man kann die Kugel in den Mund nehmen, und doch mit den Händen Gott loben. — Der Soldat kann ein eben so frommer Mensch sein als jeder eines andern Standes. Er kann mitten unter dem Schießen ein kleines Schuß=Gebetel zu Gott schikken; man kann auf der verlornen Schildwacht gleichwohl das Seelenheil nicht verlieren; dem Soldaten irret seine Patrontasche nicht, daß er nicht zugleich die Patronen im Himmel kann verlieren, in Summa ein Soldat kann gleich Andern fromm und heilig leben.

2022. Er belagert keine andere Festung als Magde=

burg. — (Von Soldaten, die große Verehrer des schönen Geschlechts sind.)

2023. Jeder Topfmarkt hat zersprungne Häfen.

2024. Nicht geschwind, die Eil ist blind.

2025. Schand oder Ehre stammt aus dem geführten Amt.

2026. Ein junger Frosch wird nie wie ein Kanarien= vogel singen.

2027. Wie der alte Schiffer flucht, auf dieselbe Me= lodie flucht sein Sohn. — Die Schiffleute pflegen gar oft an das große Schiff ein kleines Schiffel hinterhalb anzubin= den; daher wird man sehen allezeit, wie das große gehet, auch das kleine folge. Nicht eine ungleiche Beschaffenheit ist zwischen den Eltern und Kindern; den Alten folgen die Jungen in Allem. Wenn ein Schiffmann flucht und schel= tet, so wird sein Sohn keine andere Melodie singen. Wenn er die meiste Zeit bei Blunzen und Blutger sitzt, so wird der Sohn wenig Quatember halten. Wenn er mit Be= trügen und Lügen umgehet, so wird der Sohn auf glei= cher Saiten und Sitten spielen; denn ein junger Frosch wird niemals wie ein Kanarienvogel singen, sondern sein abgeschmaktes Qua, Qua, Qua, welches er von den Alten erlernet. **Major trahit minorem.**

2028. Gottes Arzenei macht vom Tode frei.

2029. Der Menschen Arzenei macht nie vom Tode frei.

2030. Die Nachtigall behält ihren Preis, wenn auch ein Gimpel mit ihr im Walde herumfliegt. — (Mag es noch so viel Afterärzte und Quacksalber geben, der verstän= dige Arzt wird deshalb doch geachtet.)

2031. Öl ohne Wein laß sein. — (Lauter Güte ohne Strenge taugt nichts.)

2032. Soll die Sünde leiden, muß man Schmerzen leiden.

2033. Ein Hase lauft leichter bergauf als bergab. — Mann kann leichter in den Himmel als in die Hölle kommen, und es ist schwerer dem Teufel als Gott zu dienen.

2034. Das Jagen ist selten ohne Klagen. — Die Landleute werden durch große Jagden meist sehr bedrükkt. Die Jägerei ist den Bauern keine kleine Geierei. Philipp II. von Spanien hat auf seinem Todtenbette nichts mehr bedauert, als seine schädlichen Jagden. Der Herzog Barnabas zu Mailand hat 2000 Hunde gehabt, die er in die Dörfer vertheile, und von den Bauern hat unterhalten lassen. Eine ganze Familie hat er aufhängen lassen, weil sie ein Wildschwein gefällt.

2035. Den Sieg erringt, wer sich bezwingt.

2036. Der Tanz raubt oft den Kranz. — Daher die Eltern, so ihren Töchtern zu allen Tänzen die Freiheit lassen, eine große Rechenschaft geben müssen. Bei dem Tanze werden oft andere Kleinodien verloren, die man nimmermehr finden kann, und verursacht solches Springen gar oft, daß man auch auf die Ehre tritt.

2037. Der Freundschaft Treu springt meist in der Prob entzwei.

2038. Sind die Saiten nicht gespannt, so haben sie keine Stimme. — Wenn die Menschen in Freiheit und Frieden, in Lust und Gust leben; so denken sie nicht viel auf Gott, erheben keine Stimme gen Himmel; da sie aber der höchste Gott mit einer Trübsal und Kreuz heimsuchte, und ein Kranker auf dem Bette liegt, gespannter wie eine Saite auf der Geige, da ruft er zu Gott und seinen Heiligen. Wenn den Tobias der Fisch nicht hätte geschrekkt, so hätte er niemals die Hülfe des Engels angerufen. Wenn

das kananaische Weib nicht hätte eine elende Tochter ge=
habt, so wäre sie zu Christo den Herrn nicht gekommen.
Wenn Ignatius Lojola nicht wäre am Fuße blessirt wor=
den, so wäre er nie zu Gott gelaufen. Wenn Gott die
Leúte nicht zuweilen wie die Saiten anspannte, so würden
sie wenig zu Gott rufen.

2039. Mit dem Schein muß man nicht zufrieden sein.

2040. Sei bereit, weils Zeit.

2041. Ein böses Gewissen ist ein Hund, der allezeit
bellt. — Ein böses Gewissen ist nicht ungleich einer solchen
Uhr, welche den Sünder in allweg pflegt zu verrathen;
denn es mag auch ein kaltes Wetter sein, so brennt ihn
doch das Gewissen, er mag auch Honig schlukken, so em=
pfindet er doch Bitterkeit im Gewissen; er mag auf
Flaumfedern liegen; so drükkt ihn doch das harte Ge=
wissen; er mag ganz mäuselstill sein, so schreit doch
das böse Gewissen. Es ist ein Hund, der allezeit bellt;
ein Hahn, der allezeit krähet; eine Glokke, die allezeit
klingt; ein Fluß, der allezeit rauscht; eine Orgel, die alle=
zeit pfeift; ein Fuhrmann, der allezeit knallt; ein Kuchen,
der allezeit raucht; ein Wagen, der allezeit gurrehz; und ist
ein Puls, die allezeit geht.

2042. Durch Trübsalsgluth läutert Gott den Muth.

2043. Der Wein ist ein Schlüssel zum Herzen.—Und
kann man öfter mit dem Oktobersafte besser unter die Wahr=
heit kommen, als der Scharfrichter mit seiner Folter. Der
Wein macht, daß die Arcana aus dem Leibe gehen, der
Wein macht, daß die Gedanken Flügel bekommen; der
Wein macht, daß die Worte auf der Post reiten; der
Wein zieht den Vorhang auf, hinter welchem manche Stükke
verborgen sind. (In vino veritas.)

2044. Aus einem kleinen Samen wird ein großer

Baum. — Aus einer läfslichen Sünde, die man zuweilen nicht achtet, erwachsen die größten Laster.

2045. Er geht mit den Leuten um, wie der Gärtner mit dem Buchsbaum. — (Er beschiert sie.)

2046. Er ist treu wie die Katze im Speisegewölbe. — (Von ungetreuen Beamten.)

2047. Adam hat das Obst gegessen, und wir haben das Fieber davon. — (Von der Erbsünde.)

2048. Suchst du vor Wäschern Ruh, so schnall Ohr und Lippen zu.

2049. Der Schein betrügt, die Wahrheit siegt.

2050. Was bei dem Smaragd liegt, wird grün. — Scheint wenigstens grün. Das gute Beispiel ist gleich dem Smaragd, es macht wie er alle nahen Gegenstände gleich-farbig.

2051. So lange die Lampe Öl hat, brennt sie. — Die gebrechlichen Adamskinder werden nimmermehr die ungebührende Flamme dämpfen, wenn sie nicht aufhören aufzugießen; denn das Wort Kandel hat keinen andern Echo, als Andel. Post diem Jovis folgt dies Veneris, wenn man Jovialiter sauft, so bleibt die Venus nicht aus. Phantasten sind die Poeten, indem sie dichten, daß diese cyprische Götter sein aus dem Meere geboren, indem viel gewisser ihr Stamm-Haus der Wein, und nicht das Wasser.

2052. Faullenzen erweitert des Teufels Gränzen. — Stehen und Faullenzen macht ebenfalls den Menschen schlecht, denn das Faullenzen macht dem Teufel eine Arbeit, und der thut nie mehr anfeuern, als wenn der Mensch feiern thut.

2053. Wer Tugend liebt, wird oft geliebt.

2054. Vom Pferde auf den Esel kommen. — Saul

ist vom Esel aufs Pferd gekommen, denn wie er die Ese⸗
lin seines Vaters gesucht, ist er zum König gesalbt worden,
denn

2055. Aus einem armen Tropf, wird oft ein großer
Schopf.

2056. In seinem Kalender ist die güldne Zahl groß. —
(Er ist reich.)

2057. Der Vogel Habich sitzt auf seinem Dache. —
(Von Wohlhabenden.) Auch:

2058. In seinem Garten wachsen Goldblumen. Oder

2059. Unter seinen Kräutern ist viel Frauenmünze.

2060. Ein Schwitzer kommt weiter als ein Sitzer. —
Durch Schwitzen und nicht durch Sitzen; durch Stra⸗
peziren und nicht durch Spaziren; durch Pfnausen und
nicht durch Jausen; durch Fleiß und nicht durch Speiß;
durch Wachen und nicht durch Lachen; durch Fasten und
nicht durch Rasten; durch Lanzen und nicht durch Ranzen
kommt man über sich.

2061. Einem Schaf, das bluten kann, steht keine
Wolfsklau an.

2062. Gehen wie eine Spitaluhr. — (Sehr langsam.)

2063. Gehen wie ein Spielmann am Freitag. —
(Verdrossen.)

2064. Gehen wie ein Hund aus einer kalten Küche. —
(Unwillig.)

2065. Leicht verletzet, was ergetzet.

2066. Wo das Tausendguldenkraut wächst, da findet
sich auch das Löffelkraut. — Reichthum erzeugt sinnliche
Ausschweifungen.

2067. Münz und Metz ziehen an einem Netz.

2068. Reichthum lockt leichte Dirnen herbei, und

2069. Geiz und Hoffahrt sind der Reichen Lustfahrt.

2070. Pomp, Pracht und übermuth ist der Reichen Sündfluth. — Es ist ein gemeines Sprichwort:

2071. Er schaut wie ein Nadelmacher. — Welches so viel will gesagt haben, als er habe ein scharfes Gesicht, denn diese Leute müssen sehr genau schauen, damit sie das Nadelloch recht machen. Im übrigen aber schauen sie, wie sie die Leute mögen betrügen, sie machen mit allem Fleiß schwache und kraftlose Nadeln, damit solche nicht lange dauern.

2072. Eigenwitz ist der Thorheit Spitz.

2073. Die Pillen der Apotheker sind schön, aber inwendig bitter.

2074. Die Farbe thuts nicht, sonst wäre der Gimpel der erste Vogel.

2075. In der schönsten Scheibe steckt oft eine üble Klinge.

2076. Bei Leibe trau keinem Weibe. — Sie ist aber schön; trau nicht, die Pillen der Apotheker sind auch schön vergoldet, und doch inwendig sind sie bitter. Sie ist aber weiß; trau nicht, das Silber ist auch weiß, und besudelt gleichwohl die Hände. Sie ist aber schön roth; trau nicht, ein Gimpel ist auch roth, und hat gleichwohl einen üblen Schnabel. Sie hat aber schöne Augen; trau nicht, ein Pfau am Schweif hat auch schöne Augen, und gleichwohl ein Geschrei wie der Teufel, Angelus penna, voce Gehenna. Sie hat aber ein schönes Maul; trau nicht, es ist wohl öfters eine schöne Scheibe, und eine üble Klinge darin. Sie hat aber eine schöne Stimme; trau nicht, es ist nicht selten ein Falset darunter verborgen. Sie ist aber sauber gekleidet; traue nicht; eine Zwiebel hat wohl mehrere Röcke, und treibt dennoch einem die Zähre aus den Augen; Sie ist hübsch glatt und wohl gestaltet; trau nicht, ein

Kieselstein ist auch glatt und giebt gleichwohl Feuer. Sie ist hübsch freundlich; trau nicht, ein Wintergrün ist auch freundlich, und thut sogar den Baum umhalsen, nimmt ihm aber die Kräfte. Trau nicht, trau nicht, sondern gedenke, daß ein Engel bei dem Grabe des Herrn mit drei heiligen Weibern sich nicht hat wollen in einen langen Discurs einlassen, sondern dieselbe bald von sich geschafft.

2076. Jemanden aus dem Sattel heben. — Den Meisten ist es nicht lieb, wenn man sie aus dem Sattel hebt, aber wie Saulus durch eine Stimme, Glanz und Donnerläute vom Himmel aus dem Sattel gehoben worden, hat er hierdurch den größten Nutzen geschöpft, und solcher Gestalten bekehret worden, welches allein der Gnade Gottes zuzuschreiben ist. Der Fall Pauli ist seine Auferstehung gewesen.

2077. Die Pracht vermehrt den Schein, und ändert nicht das Sein.

2078. So lange der Esel beim Futtersack steht, läßt er das Gumpen nicht. — Diejenigen, die ihr Haupt in allen Dingen zu sehr zärteln, denen ein jeder Fasttag ein Lasttag ist, die mehr Achtung geben auf ihr Fell, als Gideon auf sein Schaffell; die da ein Licilium für ein Gespenst halten, die da ein Vigil für eine türkische Schildwacht ansehen; die da eine viertelstunde Knien ohne Polster, als eine neronische Folterbank ausschreien; alle dergleichen geben es sonnenklar an den Tag, daß dem Leib wohl sei, der Seele aber übel. Denn so lang diese Mistsinke herrschet, so muß die Seele eine Sklavin sein; so lange der Esel beim Futtersack stehet, so läßt er das Gumpen nicht.

2079. Je mehr man den Wein beschneidet, je mehr Trauben trägt er. — Nichts nützlicher ist dem Menschen, als wenn er mit seiner Haut nicht heiklich umgehet. Der menschliche Leib ist, wie eine Brennessel; wenn man diese gar zart anrührt, so brennt sie grob, nicht aber, wenn man sie hart reibet. Der menschliche Leib ist wie ein Weinstokk; wenn man diesen nicht wohl beschneidet, und manche Wunden versetzt, so bringt er keine Frucht. Der menschliche Leib ist wie eine Saite; wenn man diese nicht wohl anspannt, so giebt sie keinen Klang. Der menschliche Leib ist wie ein Fisch, den man den Aal nennt; wenn man solchen nicht hart mit den Händen drükkt, so schlipfert er aus. Der menschliche Leib ist wie der Flachs; wenn man diesen nicht wohl durch die Hechel zieht, so nutzt er nichts. Der menschliche Leib ist wie die Leinewand; wenn man dieser nicht wohl den Kopf wäscht, so wird sie nicht sauber. Der menschliche Leib ist wie ein Akker; wenn man diesem nicht gute Puffe und Wunden versetzt mit dem Pfluge und Krampen, so wird man wenig Gutes von ihm zu erwarten haben. Der menschliche Leib ist wie eine Uhr; wenn diese nicht mit schweren Gewichten behängt wird, so wird sie nicht gut gehen. Der Leib des Menschen und die Seele sind wie zwei Waagschalen; wenn eine hinuntergeht, so steigt die andere in die Höhe; wenn man den Leib mit Fasten und Kasteien unterdrükkt, so hebt sich die Seele in die Höhe.

2080. Ein schwerer Beutel macht leicht eitel.

2081. Der schönste Apfel fault an.

2082. Heut wakker, morgen auf dem Gottesakker.

2083. Heute: Grüß dich Gott, morgen: Tröst dich Gott. — Es mag der Apfel auch die schönste Farbe haben, so wird er doch unverhofft faul. Es sei der Mensch so wohl gestaltet, als es immer sein kann, so ist er doch vor dem Tode nicht sicher. Heut roth, morgen todt; das siehet man oft. Heut wakker, morgen auf dem Got-

17

resakker. Heut eine Fraule, morgen eine Faule. Heut ihr Gnaden, morgen Gnad dir Gott. Heut unter den Ehren, morgen schon unter der Erde. Heut grüß dich Gott, morgen tröst dich Gott. Heut voller Freuden, morgen auf dem Friedhof.

2084. Stolz und Neid steht beim neuen Kleid.

2085. Er sieht einem Diebe so ähnlich, wie ein Schnizer einem Messer.

2086. Die besten Geiger lassen ihre Saiten nach. — Gleicher Natur ist der Mensch, so ebenfalls nicht stäts kann dem Gebet, dem Stubiren, der Arbeit obliegen, sondern ist von Nöthen, daß man ihm bisweilen eine Luft lasse, oder einigen ehrlichen Spaß vergönne, weil auch die Musikanten in ihrem Gesange einige Pausen haben, auch die strenge Fastenzeit einen Sonntag hat, der heißt Lätare; auch die besten Geiger die Saiten nachlassen; auch der Akker und Erdboden durch die Brache zu feiern hat; auch dem Pferd wird nicht allzeit das Laufen aufgebürdet, sondern es hat seine Zeit, da man ihm den Zaum aus dem Maul löset, und auf einer grünen Weide etwas vergumpen läßt.

2087. Ehre sättigt nicht, sie speist nur das Gesicht.

2088. Schenke Wollust ein, so trinkst du Pein.

2089. Er sauft wie ein Bürstenbinder. — Willkommen ihr saubern Bürstenbinder, ihr säubert andere und bleibet selbst unsauber. Das Sprichwort ist schon drei Meilen hinter Babylon bekannt: Er sauft wie ein Bürstenbinder. Ihr macht keine Arbeit lieber als die Kandelbürsten. Eure Arbeit nimmt den Staub weg, aber bei euch glaubt das Maul nimmermehr, weil es allemal von Wein und Bier feucht ist. Darum kein Wunder, daß eure Arbeit so liederlich, und wird ein Börstwisch kaum viermal gebraucht, so fängt er schon an zu maufen, wie eine alte Bruthenne.

2090. Wer sein kann sein, nehm Dienst nicht an.

2091. Im Trüben ist gut fischen. — In Trübsalen fischt und fängt Gott die meisten Adamskinder.

2092. Auf Hitz und Regen folgt Gottes Segen.

Aus: Etwas für Alle ꝛc. Zweiter Theil.

2093. Die Stacheln verrathen den Igel.

2094. Der Rauch zeigt den Brand.

2095. Der Gestank verräth das Aas. — Es verlaufe sich ein Wild so tief ins finstre Holz, als es wolle, so wird es doch die Spur verrathen. Es ziehe sich ein Igel so eng zu sammen, als er kann, so werden ihn doch seine Borsten verrathen. Man verdekke ein Aas, so viel man mag, so wird es doch der Gestank verrathen. Man verberge einen Brand, wie immer möglich ist, so wird ihn doch der Rauch verrathen. Es spinnen und winden sich die Seidenwürmer ein, so stark sie wollen, so wird sie doch ihr Gespinnst verrathen. Man werfe ein faules Holz in einen finstern Winkel, so wird es doch zur Nacht sein eignes nachtsichtiges Licht verrathen. Ein böses Gewissen, ein höllisches Brandmahl, wie soll es nicht rauchen! Ein geistliches Aas, wie soll es nicht stinken! Ein borstiger Igel, wie soll er nicht hervorstechen! Ein faules Holz im Finstern, wie sollte es nicht scheinbar sein! Ein flüchtiges und leütscheües Wild, dessen Spur Furcht und Schrecken, Angst und Unmuth, Marter und innerliche Pein, wie soll man es nicht wahrnehmen!

17*

260

2096. Es ist keine größere Freude als an einem weißen Brustfleck (gutem Gewissen). — Das Gewissen ist über Alles. Das gute Gewissen ist ein Garten, worinnen nichts anders wächset, als Tugentrost. Das gute Gewissen ist ein Kalender, worinnen nichts anders stehet, als gutes Wetter. Das gute Gewissen ist ein Brevier, worinnen nichts anders gelesen wird, als Dominica Lätare. Das gute Gewissen ist ein Lämmlein, welches nichts anders trägt, als Wohl. Das gute Gewissen ist eine Schildwach, wo man nichts anders schreit, als gut Freund. Das gute Gewissen ist eine Hochzeit, worauf das Herz vor Freuden tanzt.

2097. Ein gutes Gewissen ist ein guter Bissen.

2098. Glück gebiert Neid, Sicherheit — Gefahr, Vertraulichkeit — Verachtung, Wahrheit gebiert Haß.

2099. Freund und Anker kennet man, wenn sie Hülf in Noth gethan.

2100. Trag und sei still, so lange Gott will.

2101. Wem die Haut juckt, der gibt einen schlechten Ablader ab. — Die Zärtlichkeit will für einen Ablader (Kaufmannspacker, Bierschröter und dergl.) passen, wie Bratwürste in eine Judenküche.

2102. Auf Angst und Schweiß folgt Ruh und Preis.

2103. Buß nimmt weg den Ruß.

2104. Reu macht die Seele frei.

2105. Bekannte That ist das beste Bad. — (Von den Wirkungen der Beichte, nach der Lehre der katholischen Kirche.)

2106. Wenn man das Korn nicht umrührt, verbirbt es.

2107. Ein Kleid, das stäts im Schrein, wird bald voll Moder sein.

2108. Wenn man die Reben nicht beschneidet, so wird ein Wald daraus.

2109. Man muß die Trauben pressen, soll sie nicht die Faulheit fressen. — Viele Dinge werden durch Bewegung erhalten, welche sonst verdürben. Dennoch verwundern wir uns, und verdrüßt uns, daß wir Menschen von Gott durch so viel und mancherlei Trübsale geübt, geschwungen und exercirt werden; ja die menschliche Vernunft vermeint, sie könne es eben nicht fassen, noch verstehen, daß der Gottlosen Weg also glückselig sei.

2110. Krieg, Feuer und Zeit verlacht der stolzen Häuser Pracht.

2111. Beim Bauen muß man schauen, um sich nicht zu verhauen, sonst kommt man dem Elend in die Klauen.

2112. Wer bauen will, setze sich in der Still und nehme des Geldes viel, denn auch mit diesem gelangt er kaum zum Ziel.

2113. Zeit verloren — Alles verloren. — Ist das Kleid zerrissen, kann man solches wiederum verbessern. Ist das Haus baufällig, kann man solches wiederum erheben und erneuern. Hast du Geld und Gut verloren, kannst du solches wiederum erwerben; aber ist die Zeit verloren, hast du Alles verloren.

2114. Reichthum, Schönheit, Stärk, ist nur Puppenwerk.

2115. Besser ein Esel, der schwitzt, als ein Schwein das sitzt, oder vielmehr liegt auf der Mast, denn das Ende der Mastung ist der Tod, der Faulheit Ende physischer und moralischer.

2116. Es ist unmöglich Allen das Maul zu stopfen.

2117. Laß die Störche klappern, es ist ihr Gesang.

2118. Ein jeder Vogel schlägt, wie ihm der Schnabel gewachsen ist.

2119. Böse Schar trägt nur böse Waar. — (Trost bei Verlaumbungen und Spottreden, die den Rechtschaffenen treffen.)

2120. Der Heuchler gleißt ohne Geist.

2121. Dort mit faulen Fischen. — Die Fische, wenn sie frisch sind, als dann sind sie am mehrsten zu rühmen, aber wenn sie faul, so machen sie eine Unlust im Maul. Nichts schöneres als die Wahrheit, aber mancher muß gewiß ein Haar in der Wahrheit gefunden haben, weil er sogar nicht daran will, und was er nur heraus hustet, das ist schon zehnmal erlogen.

2122. Wer in den Himmel will, muß leiden viel. — Das Leiden und die Verdienst sind die Leitersprüssel, auf denen man in den Himmel aufsteigen muß, und gebühret denselben der Vorzug, welcher mehrere der Verdienste sammelt. Die Siege in dem Himmel werden von einem himmlischen Vater ausgetheilt werden; dieser braucht keinen Respekt, er siehet nicht an die Freund= und Verwandtschaft, sondern wer mehr leidet, mehre Verdiensten sammlet, denselben setzt er höher an. In Summa, wer im Himmel die ewige Wollust und himmlische Sinnlichkeit will genießen, der muß zuvor die widerwärtige Kraüterbrühe austrinken, aus dem Kelch des Leidens Bescheid thun, alle Trübsal und Kreüz mit Geduld übertragen.

2123. Unbedachtsam Wagen, bringt für Nutzen Klagen.

2124. Dem Gold ist Jedermann hold. — Es ist ein gewisses Sprichwort und dauert immer fort und fort: Dem Gold ist jeder Mann hold. Wenn einer gleich begehren soll, was er wollte, wenn er Gold hat, darf man ihm versprechen glatt, denn dieser irdische Gott vermag auf der Welt, wie Geld, alles und jedes.

2125. Beim Hammer ist viel Jammer. — (Nach

Abrah. als Sprichwort gebräuchlich, und erfahren es, wie er sagt, die Kupferschmiede besonders.)

2126. Ei Messer, wann wirds besser, sagt der Messerschmied.

2127. Bei Messer und Scheiben muß man viel leiden. — (Sprache des Messerschmieds.)

2128. Nichts im Sakk, viel auf der Kreiden, geschieht Wehe allen beiden. — (Von Zweien, die sich beklagen, wenig Geld und viel Schulden zu haben.)

2129. Auf hart reimt sich wart. — Warte fleissig der Hülfe Gottes, die dir doch wohl ihren Segen zulegen wird.

2130. Thue nichts übels, so widerfährt dir nichts übels.

2131. Hüte dich vor solchen Dingen, die deiner Seele Schaden bringen, alsdann soll dein Lob erklingen.

2132. Das Herz in den Händen tragen.

2133. Etwas unter dem Mantel halten.

2134. Einem die Spatzen ausnehmen.

2135. Sein Schild hinter einen Fuchsbalg hängen. — Wer in dieser schlauen Welt begehret fort zu kommen und sein gewünschtes Ziel zu erreichen, der muß nicht offenherzig sein; der muß das Herz nicht in den Händen tragen, wie man pflegt den heiligen Augustinum abzumalen, sondern muß die ganze Sache wissen unter dem Mantel zu halten, sonst wird ihm Einer leicht die Spatzen ausnehmen; er muß den Fuchsbalg für ein Spalier brauchen, dahinter er sein Schild hängt, damit ein Anderer nicht so leicht erfahren kann, was er im Schilde führe. Er muß sein, wie das Wirthshaus beim weißen Lämmel, wo der Wirth Herr Wolfgang heißt. Er muß sein, wie die Apotheker-Pillen, so von außen ganz vergoldet, inwendig aber eine gallsichtige Materie haben. Er muß sich wissen, in alles zu schiklen, wie ein Schlambataschi=Hut. Er muß sich wissen hin und her zu lenken und wenden, wie ein Gockelhahn auf dem Thurm. Er muß sich äusserlich stellen wie ein Abel, wenn er schon inwendig ein Kabol ist. Er muß die Psalmen mit singen, obs ihm schon von Herzen geht, wenn er nur das Gloria recht ertappt. Er muß das Paternoster mit beten, obschon wider seinen Willen, wenn er nur badurch zum Credo oder Credit kommt. Er muß mit der Prozession gehen, obschon nicht gern, wenn er nur badurch den Prozeß gewinnt. Er muß in der Kirche die Knie beugen, ob es ihm schon hart ankommt, wenn ihm nur hierdurch wieder auf die Füße geholfen wird. Er muß äusserlich Gott dienen, ob er schon den Teufel im Herzen trägt, wenn er nur den Himmel erreicht, wo Glück und Stern haften.

2136. Die Henne sammt dem Küchlein essen. — (Mutter und Tochter zugleich lieben.)

2137. Solchen Vögeln gehören keine andern Leimruthen, als wo die Raben sitzen. (Galgen.)

2138. Solche Wäsche muß Niemand aufhängen als Meister Knüpfauf. — (Der Henker.)

2139. Er verdient keinen andern Kragen, als einen, die der Seiler dreht. — (2134—39, von Schlechten, die für den Galgen reif sind; Abraham gebraucht sie von Hofschmeichlern.)

2140. Wer will haben, der muß graben.

2141. Wer will haben Kühe, muß nicht sparen (scheuen) Mühe, sondern Arbeiten spät und frühe.

2142. Wer will kommen zu Geld, muß sich umtummeln in der Welt.

2143. Schinden und schaben wird mit begraben, wie mit den Raben.

265

2144. Bei ihm heißts schab, schab, schab bis ins Grab. — (Von Erwerbsamen im Guten, von Geizigen und Habsüchtigen im übeln Sinne.)

2145. Mann kann den ganzen Tag schaben, um von der Welt die Hälfte zu haben, man wird doch begraben.

2146. Jemehr Geld, je größer Rechnung.

2147. Besser Gott als Gold.

2148. Besser reich in Gott, als reich in Gold. — Fällt euch aber Reichthum zu, so vergesset nicht, etwas durch Wechsel in den Himmel zu übermachen, auf daß, wenn ihr hernach folget, ihr einen Vorrath daselbst finden möget. Zahlet euer Geld an die dürftigen Glieder Christi, sie werden euch durch ihre gottseligen Seufzer und Vorbitt, einen Wechselzettel geben, der im Himmel ohne Widerrede angenommen, und nach Sicht wie die Kaufleute reden, bezahlt wird. Dies ist das richtigste Mittel, seiner Güter versichert zu sein, und ihrer nach diesem Leben zu genießen.

2149. Jemanden einen Bart spinnen. — (Abraham gebraucht es in dem Sinne wie:) Jemanden eine Nase drehen, oder genauer: Einen in die Gefahr bringen, ihm einen Schaden zuzufügen. Er sagt: Es gibt nichts Gefährlichers als Minen, womit man dem Feinde einen Bart spinnen kann.

2150. Hätt ich kein Weib, so hätte ich keine Noth, weil ichs drum hab, so ists mein Tod.

2151. Er hat sich den Nagel selber gespitzt, in den er getreten ist.

2152. Er hat sich die Zwiebel selber gezogen, die ihn in die Augen beißt.

2153. Er hat das Feuer selbst angelegt, welches sein Haus verzehrt. — (Er ist selbst an seinem Unglück schuld.)

2154. Die Schwalben sind ihm über die Augen ge=
kommen, wie dem Tobias. — (Er sieht nicht gut.)

2155. Er traümt nur von Reben, wie Pharaos Mund=
schenk. — (Ist ein Freund des Weins.)

2156. Der blinde Bub ohne Schuh läfft keine Ruh. —
(Die Liebe läfft sich mit Gewalt nicht verbannen, oder auf=
halten.)

2157. Obenhin, wie die Hunde aus dem Nil trinken. —
(Mangel an Gründlichkeit; Oberflächlichkeit.)

2158. Wo das Fleisch verliert, wird der Geist geziert. —
Gute Freunde kannst du viel haben, aber für einen Rath=
geber nimm dir aus tausenden kaum einen. Vielleicht kann
uns der Pöbel und gemeine Wahn der Leute recht rathen,
weil man sagt:

2159. Vox populi — vox Dei. Die Stimme des Volks
ist eine Stimme Gottes durchaus nicht; sintemal wie Se=
neca sagt: Argumentum pessimi turba est. Gemeiniglich
ist das übelste, dem der Pöbel beifället.

2160. Der Hahn krähet nicht nur, sondern schlägt
auch mit den Flügeln. — Die bessten Fürsten in einem Für=
stenthume, die besten Grafen in einer Grafschaft, die besten
Regenten in einem Lande sind diejenigen, welche Ernst
heißen, die Severin heißen, die Hartmann heißen.
Diese sind die besten, welche mit Ernst das Böse strafen.
Der Hahn krähet nicht allein, sondern er schlägt auch mit
den Flügeln. In der Arche des Bundes war nicht allein
das süße Manna, sondern auch die Ruthen Moysis. Chri=
stus der Herr hat nicht allein jedermann viel Gutes erwie=
sen, sondern hat auch die Rabiner zum Tempel hinausge=
peitscht. Also wird nothwendig erfordert bei großen Herren
und Regenten, welchen Gott das Schwerdt in die Hand

gegeben, die strafende Juſtiz, ſonſt kann die Clementia eine Dementia genannt werden.

2161. Es lebe die Gerechtigkeit und ſterbe die Welt. — Du wirſt zerſtört werden. Wenn bei dir das Schwerdt der Juſtiz roſtig iſt, ſo wird bei dir das Glükk im ſchlechten Glanz ſtehen. Wenn bei dir der Galgen leer ſteht, ſo wird das Land voll Dieben ſein. Wenn bei dir die Keuchen und Gefängniſſe offen ſtehen, ſo wird bei dir Glükk und Segen hinten ſtehen. Fiat justitia et pereat mundus: Das Böſe ſoll und muß abgeſtraft werden, und ſollte auch die Welt darüber zu Grunde gehen, denn die Juſtiz erhält das Land, ſtärkt eine Stadt, reinigt einen Markt, verbeſſert eine Gemein, reut aus das Unkraut, gefällt Gott, erfreuet die Engel, verbrieſt die Teufel, ergötzt den Himmel, erquikkt die Erde, vereinigt die Menſchen, beglükkt die Gewerbe, befördert den Frieden, und macht alles gut.

2162. Ein Laſtträger muß gute Schultern haben.

2163. Bei ſicherer Hut ſchmekkt friſche Weide gut.

2164. Jeder will den Alt ſingen. — (Jeder will der Erſte ſein, ſucht ehrenhalber nach einem obern Platze.)

2165. Wer ohne Bücher ein Doktor will ſein, gehört in die Narrenſchule hinein; denn er will Waſſer mit dem Siebe ſchöpfen.

2166. Der Fleiß verjagt, was Faule plagt.

2167. Sie trägt die Hoſen. — Es ſoll das Weib bleiben, wie ſie iſt, nemlich unterworfen ihrem Mann, nicht für ein Haupt ſich aufwerfen, noch weniger ſich über daſſelbe erheben, ſondern ſich an des Abrahams ſtattlicher und mit allen Tugenden wohlgeſchaffener Ehegemahlinn Sara ſpiegeln, als welche dem Abraham nicht anders genennt als ihren Herrn. Wie umgereimt ſteht es, wenn ein Haupt ſoll von einer Rippe regiert oder geherrſcht werden u. ſ. w. Daſſelbige

Gebot, welches Gott im alten Testamente gesetzt hat, noch auch bei diesen Zeiten seine Kraft. Das Weib soll keine Mannskleider anlegen, und sich der Hosen nicht anmassen, sonst kann es nicht anders sein, als daß die liebe Einigkeit und der erwünschte Friede muß Schaden leiden.

2168. Der Tod entdeckt, was man versteckt.

2169. Seine Mutter hat sich an einer Beißzange versehen. — (Er hat krumme Finger, heißt mitgehen.)

2170. Am Schall erkennt man das Metall.

2171. Wer heucheln und schmeicheln kann, ist jetzt ein gemachter Mann — Halts Maul Schmeichler; es geht dir nicht von Herzen, du lobest nur die Leute um das Interesse, und zeigest ihnen vielmehr, wie sie sein sollen, nicht aber, was sie in der That sind; es erheben oft viele dergleichen Menschen ihre Patronen bis in den Himmel, und wollten sie durch ihr Lob gar in das Firmament, und unter die Sterne versetzen, wenn man endlich die Sache beim Licht beschaut, so ist es eine lautere Schmeichlerei, und das Lob trifft eben so wenig mit ihrer Person zu, als die Kalendermacher mit ihrem Wetter.

2172. Behutsamkeit gewinnt den Streit.

2173. Wer die Welt anlacht, hat die Zeche schon gemacht.

2174. Wer Vögel fangen will, muß nicht mit Knütteln unter sie werfen.

> Da man will die Vögel fangen,
> wirft man nicht mit Prügeln drein;
> auf den Pfiff bleibt mancher hangen,
> der betrogen so will sein.

2175. Vor Gottes Angesicht taugt grobe Hoffahrt nicht.

Aus: Etwas für Alle 2c. Dritter Theil.

2176. Die Wahrheit läfft sich sehn, wenn man sich auch will verdrehn.

2177. Zum Goldmachen gehören sechs Sachen: Tag und Nacht laboriren, und ohne Unterlaß das Feuer schüren, Rauch und Dampf spüren, sich selber inficiren, Gesicht und Gesundheit verlieren, und endlich den Betrug mit trübem Herzen spüren.

2178. Goldmachen wäre die beste Kunst, wäre nicht alle Mühe umsonst.

2179. Wer sein Geld verlaborirt, und seine Kunst im Rauch probirt, dem wird der Weisenstein ein Grabmahl für den Reichthum sein.

2180. Zu Jericho bleiben, bis der Bart gewachsen ist.

2181. Einkehren, wo der Esel in der Wiege liegt. — (Im Stalle.)

2182. Einhergehen, als wenn man dem babylonischen Thurme den Knopf auffetzen wollte. — (Sehr stolz, hochmüthig.)

2183. Geputzt wie der Esel am Palmsonntag.

2184. Einigkeit erhält, was uns wohlgefällt.

2185. Wasserreich und Hopfenarm, ist ein Bier, daß Gott erbarm.

2186. Er ist wie ein Blasbalg, sobald man ihn erhöht, so wird er aufgebläht.

2187. Einem den Strohsack vor die Thür werfen. — (Eine Verbindung auflösen, oder Jemand von sich stoßen.)

2188. Habbanks Geschlecht ist ausgestorben. — Die Welt ist undankbar. Liebe wird mit Unrecht belohnt, die Gutthat mit dem Korbe bezahlt; das korbische Geschlecht ift überall zu finden, das habebankfche ift ausgeftorben. Wie oft bekommen die Eltern von ihren eigenen Kindern ben Strohfakk.

2189. Das Herz muß rein und fauber fein.

2190. Stell dich fein närrisch, fo gibt man dir gern. — Ich halte dafür, daſſ die Komödianten für die allergrößten Narren follen ausgerufen werden, als welche auch die Narrheit Tag und Nacht ftubiren, und es profeſſo bei ihrer Narrheit eine Glorie fuchen, oder ein Bettel-Suppen, denn es fagt das Sprichwort: Stell dich fein närrisch, fo giebt man dir gerne.

2191. Ein Affe bleibt ein Affe, und wenn man ihm ein gülben Stükk anzöge. — Es wollte fich ein Hofdiener bei dem Könige Ptolomäo gern infinuiren, richtete fich daher unterfchiedliche Affen fo artlich ab, daſſ fie eine luftige Komödie miteinander fpielen konnten; da er nun vermeinte, daſſ fie ihrer Kunft gewiß, zog er diese Thiere poſſirlich an, führte folche auf den dazu bereiteten Schauplatz, und hatte die Gnade, daſſ ihm der König zufchaute. Allein wie das Agiren am beften follte angehen, warf ein Anderer, welcher dem Affen-Informator nicht gut war, Nüſſe auf das Theatrum, darüber vergaſſen die Affen alle ihnen beigebrachten Unterweiſungen, und liefen nach den Nüſſen; lieſſen fich auch nicht zu der rechten Afion wiederum bewegen. Da würde das Sprichwort beftättigt: Ein Affe bleibt Affe, und wenn man ihm ein goldnes Stükk anzöge.

2192. Wer nicht beten kann, geh aufs Meer*). — Es ift ein gemeines Sprichwort: Qui nescit orare, vadat ad mare; Denn die Noth wird ihm allborten Gebets-

---

*) Und doch find grade die Matrofen als die größten Flucher bekannt.

Formeln genug an die Hand geben. Es ist freilich eine
gefährliche Sache, sich auf das hohe Meer zu begeben, und
bisweilen nicht nur etliche Tage, Wochen oder Monate,
sondern auch etliche Jahre darauf zu kreuzen, was aber
den Schiffpatron am meisten in seiner Gefahr tröstet, ist
der Kompaß.

2193 Es ist ein Männlein auf dem Torf. — Gar artig beschreibt das holländische Sprichwort: Männlein
auf dem Torff, die nichtige Einbildung der Stolzen,
denn gleich wie der Zwerg auf dem Stükke Torf deswegen
nicht größer, so sind wir eitle Menschen deswegen nicht
mehr, ob wir gleich höher zu stehen scheinen, als Andere,
weil der Grund sowohl, als wir selbsten, nichtig und ver-
gänglich ist.

2194. Leben und Glas, wie bald verwelkt das. — Das
Leben ist allein beständig in der Unbeständigkeit, und wie
ein Blatt auf dem Baume, auf dem Wasser ein Faumb,
ein Schatten an der Wand, ein Gebau auf dem Sand,
sich kann rühmen geringfügiger Beständigkeit; noch minder
darf ihm zumessen das menschliche Leben. Klopft mir bei
Leibe nicht, wenn ich dir werde folgende Worte vor der
Thür singen: Heute roth, morgen todt; heute ihr Gnaden,
morgen Gnade dir Gott; heute ihr Durchleucht, morgen
eine todte Leich; heute allen ein Trost, morgen tröste ihn
Gott; heute kostbar, morgen eine Todtenbahr; heute hui,
morgen pfui.

2195. Er taugt, wie die Kuh zum Kegelaufsetzen.

2196. Ehre ist ein Rechenspiel, bald gilt man nichts,
bald viel.

2197. Jung gewohnt, alt gethan. — Legt doch wenigst jetzt in eurem Alter solches Lasterleben hinweg, indem
ihr schon mit einem Fuß im Grab, mit einer Hand schon

einen Schnaller der Ewigkeit in den Händen habt, und mit
einem Auge schon in die andere Welt schauet. Aber um=
sonst, umsonst ist alle Ermahnung, was sie gewohnt ha=
ben in ihrer Jugend, das haben sie nicht lassen können in
ihrem Alter. Die Katze läßt das Mausen nicht. Jung ge=
wohnt, alt gethan.

2198. Wer der Welt gewogen, findet sich betrogen.

2199. Ein Anlauf nimmt keine Festung.

2200. Ein Blasen macht kein Feuer. — (Beharrlichkeit
in der Jugend.)

2201. Der schläft auf sanftem Kissen, wer rein ist im
Gewissen.

2202. Wer sich in Alles will mischen, muß oft die Au=
gen wischen.

2203. Verstehst du nicht deine Kunst, so ist alle Müh
umsonst.

2204. Der Welt Herrlichkeit währt nur kurze Zeit.

2205. Wo man viel feiert, da feiert der Teufel nicht.

2206. Heute noch im Prangen, morgen gefangen.

2207. Aus der Noth eine Tugend machen. — Wenn
Gott zu Zeiten einen Menschen in eine langwürige Krank=
heit, in eine große Verfolgung, in die Armuth, in die
Dienstbarkeit, in ein Gefängniß hineinlässet, möchte man
vereinen, er sei verloren. Da doch ein solcher, wenn er die
Kunst recht kann, und weiß aus der Noth eine Tugend
zu machen, in seiner Trübsal aus gesalzenem Meerwasser
lauter Perl=Muschel der Tugendwerk, als des Gebets der
Demuth, der Geduld, des Vertrauens zu Gott, der Erge=
bung in seinen Willen, der Liebe gegen Gott, der Ver=
zeihung gegen den Verfolger sammelt, mit denen er be=
reichert empor kommt, und daraus die edelste Perle der

Verdienste löset, die er im Himmel um große Belohnung verhandelt.

2208. Im April schickt man die Narren, wohin man will.

2209. Müßiggang ist alles Unglücks Anfang.

2210. Ein rinnender Fluß läßt sich schwer aufhalten. — Wer kann Jemandem eine alte böse Gewohnheit abgewöhnen! Denn Gewohnheit ist die andere Natur.

2211. Die sich heilig und andächtig stellen, sind gewöhnlich doppelte Schälke. — Nicht Alle, welche mit einem Sack voll Bücher in die Kirche eilen, daß auch ein Mülleresel genug daran zu tragen hätte, sind andächtig, und nicht Alle, die beten, daß ihnen das Maul stäubt und fast trockener wird, als der Weg durchs Meer, den die Israeliten passirt, sind andächtig; nicht Alle, die beten, daß die Zunge müde wird, wie Simson, da er die 1000 Philister mit dem dürren Kinnbakken erschlagen, sind andächtig; nicht Alle, die lange beten, daß schier von Nöthen wäre, der Meßner jagte sie zum Tempel hinaus, wie der Herr die Ebräer, sind andächtig; nicht Alle, welche Gesichter und Affekten in der Kirche machen, als wenn sie mit Paulo in dem dritten Himmel wären, sind andächtig; nicht Alle, welche wie Magdalena dem Kruzifix um die Füße fallen, sind andächtig; nicht Alle, welche die Hände in die Höhe rekken und stekken, als wollten sie alle Heiligen vom Himmel herunterziehen, sind andächtig, sondern es sind solche Andächten mehrmals ein lauterer Schein, und Anstrich über innerliche und heimliche Bosheiten und Gottlosikeiten, daß man mit Fug, ohne Trug und Lug, von ihnen sagen kann jenes alte Schrichwort: Die sich heilig und andächtig stellen, sind gemeiniglich doppelte Schälke.

18

2212. Das heißt geflogen ohne f. — (Von einem Lügner, Aufschneider, Großprahler.)

2213. Die Hände in den Sack schieben. — (Nichts
mehr thun;) eben so:

2214. Die Hacke in den Winkel legen, und

2215. Sich auf den Strohsack legen. — (Alles von
Gottes wunderbarer Fürsorge erwarten.)

2216. Die Schellen gehören für die Narren.

2217. Gefüllte Pfeifen haben einen schlechten Klang. —
Wenn der Mensch mit Essen und Trinken wohl angefüllt, da ist
das Beten und Seufzen zu Gott sehr gering. Fasten ist
auch für Lehr und Wissenschaft gut. Denn

2218. Fraß ohne Maß läßt selten etwas wenig Gutes
in den Kopf.

2219. Jemanden um Gotteswillen barbiren. — (Schlecht;
mit stumpfen Messer.)

2220. Wassergüß und Feuersbrunst, Teufelsbanner und
Hexenkunst, Weiberzorn und Löwenbrüllen sind sechs Stücke
schwer zu stillen.

2221. Ein Spieß über die Achseln, macht keinen Soldaten.
Soldaten, die sind wie die Salat, wo mehr Öhl als Essig,
die verdienen nichts. Soldaten, die ins Quartier eilen,
wie die Schwalben ins warme Sommerland, verdienen nichts.
Soldaten, die vor dem Feinde zittern, wie ein espens Laub,
verdienen nichts. Soldaten, die ein Grausen haben vor
dem Streit, als hätten sie einmal ein Haar darin gefunden, verdienen nichts. Soldaten, die da wünschen, ihr
Roß hätte sechs Füße, damit sie desto hurtiger möchten durchgehen, verdienen nichts. Soldaten, die weniger Wundmähle
zeigen, als der Rabe weiße Federn, verdienen nichts. Soldaten, die lieber tummeln als trommeln hören, verdienen
nichts. Soldaten, die lieber den goldnen Adler am Wirths-

haufe, als den ſchwarzen Abler an Kriegsfahnen ſehen, verdienen nichts. Soldaten, die mehr nach Laſchi als Couraſchi trachten, verdienen nichts. Soldaten, die nur die Bauern zwagen, und mit graben Schaufeln, alſo mit ihrem Stokk ſchlagen, daſſ den armen Tropfen von Michaeli bis Georgi nicht mehr niederzuſetzen gelüſtet, verdienen nichts. Aber Soldaten, die ſich tapfer und ritterlich halten, verdienen Alles, denn ein Federbuſch auf dem Hute macht keinen Soldaten, ſonſt wäre auch der Wiedehopf ein Kriegsoffizier. Eine Schärpe um die Lenden macht keinen Soldaten, ſonſt wären auch die Engel am Fronleichnamstag Soldaten. Ein Spieß über die Achſel macht keinen Soldaten, ſonſt wären auch die Landboten Soldaten; ſondern eine anſehnliche Tapferkeit, unerſchrokkne Generoſität und unüberwindlicher Heldenmuth machten einen Soldaten.

2222. Weiberkuſſ iſt ein grober Schuſſ, — denn er trifft das Herz. Auch Wintergrün umhalſt den Baum, nimmt ihm aber zugleich Saft und Kraft.

2223. Gott bricht den Stolz zuletzt wie Holz.

2224. Keine Ungeduld dämpft des Glükkes Schuld.

2225. Wie man lebt, ſo ſtirbt man. — Der Tod iſt ein Wiederhall des Lebens, maſſen kein Echo oder Wiederhall ſeiner Stimm ſo gleich ſein kann, der Tod iſt noch gleicher dem geführten Leben. Iſt das Leben böſe, ſo folgt auch unfehlbar ein gefährlicher und böſer Tod darauf. Mit einem Wort; Qualis vita, finis ita, wie gelebt, ſo ſtirbt man.

2226. Die Wolluſt ſcherzt, aber ihr Ende ſchmerzt.

2227. Geduldig ſein, bringt Segen ein.

2228. Er iſt mit Schelmen gefüttert, wie das trojaniſche Pferd. — Es giebt viel Wölfe in Schafspelzen, ſie können die Leúte hinters Licht führen, ſind gleichwohl keine

18*

Fuhrleut. Es sind die unbedachtsamen Adamskinder, mehr=
malen so gewissenslos, daß sie nur suchen den Nächsten
mit Arglist zu überfallen, und erwägen nicht, daß Gott
solche Schalkheit sehe, auch zu seiner Zeit gebührend ab=
strafe.

2229. Wenn das Schauspiel aus, schikkt man das Kleid
nach Haus.

2230. Schwamm für Spekk geben. — (Vom Heuchler.)
Ein Gleißner traktirt wenig mit einem kälbernen Brätel,
wie Abraham die Fremdlinge; wenig mit gebratenem Kitzel,
wie Rebekka den Isaak; wenig mit gutem Koch, wie der
Habakuk ben Daniel; wenig mit feisten Wachteln, wie Gott
die Israeliter; wenig mit Linsenkoch, wie Jakob den Esau;
wenig mit Milch, wie Jael den Sisara; wenig mit Brat=
fisch, wie Christus die Apostel; sondern anstatt Federwild=
brett, giebt er Mistfinken; anstatt Spekk giebt er Schwämme;
anstatt Rebhühndel gibt er Rabenhühndel; anstatt Confekt
giebt er Kuhfekt; anstatt Allobatritta giebt er Ollam pu=
tridam; anstatt Auerhahn giebt er Mauerhahn; anstatt
Wein von hieraus, giebt er Wein von Brunnhaus. Pfui
Teufel, Anstatt Reichthum giebt er Irrthum, anstatt Batzen,
giebt er Botzen; anstatt Seidten giebt er Kotzen; anstatt
Geld giebt er Blätter; ist das nicht ein armer Fretter?

2231. Wenig Suppe aber viel Löffelei. — (Vom Hoch=
leben.)

2232. Auf Plage folgen heitre Tage.

2233. Mit Essen und Trinken,
    mit Faullenzen und Stinken,
    mit Schlenken und Spaziren,
    mit Löffeln und Gallanisiren,
    mit Springen und Tanzen,
    mit Liegen und Ranzen,

mit Jagen und Hetzen,

mit Koplimentiren und Wetzen,

mit Räppel und Schimmel,

kommt man, weiß Gott,

nicht in den Himmel.

2234. Mit Gebuld und Zeit kommt man sacht auch weit.

2235. Erst Muth, dann Gut. — O ihr ungeduldigen Menschen, die ihr allein trachtet, damit es euch wohlgehe, die ihr die geringste Schmach- und Spottrede nicht könnt verdauen, die ihr, wann euch nur eine Mücke verletzt, ein spannenbreites Pflaster auflegt, sagt her, wo werdet ihr hinkommen? Glaubt ihr denn ohne Kreuz, ohne Leiden, ohne Gebuld, zu erhalten die göttliche Huld, zu bezahlen eure gemachte Schuld? Das nicht, das gar nicht, das in Ewigkeit nicht, das so wenig nicht, als Gott nicht kann die Unwahrheit reden, der da gesagt hat: Der sein Kreuz nicht trägt und mir nachfolget, der ist meiner nicht werth. Man sagt sonst:

2237. Einem Schelm ist nicht zu trauen. — Die Welt ist ein Schelm in der Haut. Es ist auf den Tanz oder Werth der zeitlichen Freuden gar nichts zu trauen, denn es ist nur ein Aprilwetter, so nach kleinem Sonnenschein ein großes Regenbad weiß anzurichten.

2238. Wer mit Gefahren will scherzen, sucht Lob und findet Schmerzen.

2239. Was das Übel ärger macht, wird mit Recht verlacht.

2240. Zu wenig und zu viel verdirbt des Lebens Spiel.

2241. Ordnung, wenn man sie zu halten weiß, hat überall den höchsten Preis.

2242. Wohl geschieht, was mit Ordnung wird gericht.

2243. Trauwolf reitet das Pferd aus dem Stall.

2244. Mein Glükk ist in Gottes Händen, wie er will,
so kann ers wenden.

V. Mercurialis, oder: Winter=Grün,
Das ist: Anmuthige und Kurtzweilvolle Geschichte
und Gedichte, worinnen unterschiedliche sittliche
Lehr=Punkten und sehr reicher Vorrath Bib=
lischer Concepten zu finden.

2145. Was ein Lager ohne Zelt,
    was ein Säkkel ohne Geld,
    was ein Wald ohne Holz und Wild,
    und ein Rahmen ohne Bild,
    was ein Weiher ohne Fisch,
    und ohne Speis' ein gedekkter Tisch,
    was ein Seiler ohne Seil,
    und ein Köcher ohne Pfeil,
    was eine Wiese ohne Gras,
    und ein Keller ohne Faß,
    was ein Schuster ohne Schuh,
    und im Betteliegen ohne Ruh,
    was ein Kasten, der stäts leer,
    und ein Soldat ohne Wehr,
    was ein Garten ohne Blum,
    und ein Kriegsfürst ohne Ruhm,
    was ein Redner ohne Maul,
    und ein Reiter ohne Gaul,

was ein Küchel ohne Haf,
und ein Schäfer ohne Schaf;
nicht mehrer ist ein **Chriſt**,
der ohne Tugend iſt.

(Wer ſeine Zeit ohne geiſtlichen Nutzen verzehrt, der irret,
und führt bloß den Namen eines Criſten.)

2246. Man trägt ſo viel Kalb als Kühhäute zu Markt. —
Wir ſind keinen Augenblick vorm Tode ſicher, ſondern wie
die Fiſche klein und groß gefangen werden mit der Angel,
und die Vögel jung und alt beſtrikket werden mit Schlei=
fen, alſo werden gefeſſelt die Menſchen. Viel vermeinen
zwar ſich der Kreaturen zu gebrauchen in der Jugend,
aber der Tod kommt auch in der Jugend. Es ſterben der
Jungen ſo viel als der Alten. **Man trägt ſo viel
Kalb als Kuhhäute auf den Markt.** Viele denken,
ſie ſeien am glükkſeligſten, aber da kommt an dem hellen
Mittag der finſtre Tod, da ſie es zum wenigſten vermei=
nen, ſondern von der betrüglichen Meerfraulein dieſer Welt
bethöret, ein langfröhliches Leben verhoffen. Ach eben mit
der Sichel, mit welcher der unbarmherzige Tod die zeitige
Ähre abſchneidet, thät er auch der kaum ausgeſchloſſenen
Blümlein nicht verſchonen.

2247. Der Tod nimmt weder Geld noch Gab, daſſ er
bei einem vorüber trab. — Fürſt, Kaiſer, König, Jung
und Alt, ſind Alle in des Todes Gewalt, und dieſes iſt
das erſchrekklichſte, weil der Tod gewiß, die Zeit aber unge=
wiſſ. Jeſus iſt kein undankbarer Gaſt,

2248. Er bezahlt ſeine Zeche gut. — Sobald er in
den hochzeitlichen Saal zu Kana eingetreten, hat er die
Waſſerkrüge in Weinfäſſer verwandelt.

2249. Wem man wohl bettet, der liegt wohl.

2250. Sie ist weiß wie die Fliege in der Milch. — (Von schlechten Personen in Gesellschaft guter.)

2251. Läßt man die Dienstboten schaffen, was sie wollen und nicht sollen, so ist mehr als kund, die Wirthschaft geht zu Grund.

2252. Wer fragt von fern, der gibt nicht gern. — Liebe und Gutwilligkeit lassen sich nicht gut ändern, denn

2253. Wenn man den Hund auf die Jagd tragen muß, gibt es eine schlechte Hetzung. — Es wird wenig eingebracht, und die Kuchel schlecht versehen, aber

2252. Mit begierigen Hunden ist leicht etwas zu fangen

2253. Wer lauft, den darf man nicht ziehen. — (Wer es freiwillig giebt, von dem soll man es nicht fordern.)

2254. Wenn es kommt ans Geben, so ist Dieser arm, Jenen drükt der Kinderschwarm, Dieser stekket selbst in Noth, Jener hat im Hans kein Brot, Dieser ist in großen Schulden und dieser muß sich selbst gedulden als ein Schmalhans. — Obgleich man zu dem Allmosen Geben von Armstadt ist, so ist man doch zu denen Ergötzlichkeiten von Reichenau. Ob man schon gegen den Armen etwas mitzutheilen von Mangelburg ist, so ist man doch die Hand einer geilen Metzen und Fetzen zu füllen von Glüksstadt; Ob man schon den Bedürftigen ein Stükklein Brod zu vergünstigen, von Bettelsgersten ist, so ist man doch in das Wirthshaus zu gehen von Gebhausen und gibt man so viel aus, daß Weib und Kinder leiden den größten Hunger zu Hause.

2255. Wenn der Mann voll ist, ist das Weib toll.

2256. Ist der Mann im Wirthshaus, geht das Weib ins Schenkhaus.

2257. Schmaust der Mann beim Pflug, sitzt das Weib beim Krug.

2258. Ift ber Mann im grünen Kranz, wacht bas Weib auf gleicher Schanz.

2259. Zehrt ber Mann beim Stern, ift bas Weib nicht fern.

2260. Gleiche Schalen, gleiche Kern; Gleich und gleich gefellt fich gern.

2261. Je mehr man gibt, je reicher man wird. — Verlangeft bu aber gar zu fehr bereichert und erhöhet zu werden, können bich bie Armen zu bem Grafen, Fürften und herzöglichen Stand erheben. Wenn bu lau wirft in deinem Geiz, und nicht wie bie Heiden felber, bas Gold für einen Götzen halteft, fondern freigebiger bich erzeigeft gegen ben Armen, fo bift bu ein Herzog von Sachfen= Lauenburg. Wenn bu beifpringft bem Bedürftigen und Hausarmen mit milbreicher Freigebigkeit, baff fie in ihrer Wirthfchaft nicht fo großen Mangel erleiden; fo bift bu ein Herzog von Wirtemberg.

2262. Eine Blume verliert leicht ihren Ruhm.

2263. Wenn ber Pfau feine Füße anfäh, fo würbe er kein Rab fchlagen. — (Wenn wir betrachteten unfer arm= feliges Leben, hätten wir keine Urfach uns zu übernehmen.)

2264. Wie bem König unter ben Kegeln, ber Eul' unter ben Vögeln, ber Taub' unter ben Raben, bem Pelz= werk unter ben Schaben, bem Efel unter ben Treibern, ber Schönheit unter ben Weibern, bem Käf' unter ben Ratzen, bem Korn unter ben Spatzen, alfo ftoßen in ber Zeit ben Menfchen taufend Widerwärtigkeiten. — Alle Weißheit, Stärke und Schönheit hat bei uns ein Ende ehe fie recht an= gefangen. Darum nicht unbillig ein jeber Menfch ben erften Glanz bes weltlichen Lichts mit Thränen begrüßet, mit kläglichem Weinen fein zukünftiges Elend beweinet, und feine Stimme zu einem Klaglied brauchet, zu bebauern feine

Geburt, durch welche er gelangt in seinen Stand, der billig zu beweinen, weil der Mensch nichts anders ist, als ein Haus der Sorge, ein Sitz der Trübsale, eine Einkehr der Krankheiten.

2265. Es ist kein Morgen so schön, eine Wolke trübt ihn.

2266. Eine Blume, die zu früh aufblüht, verwelkt bald.

2267. Wohl gestutzt, ist wohl geputzt. — (Von der Selbstbeherrschung in jeder Beziehung. Beschneide deine aufgesperrten Ohren, deine Zunge, deine Kleiderpracht, Hoffart, deinen Übermuth, deine Neigungen ꝛc.)

2268. Je schneller die Blume aufblüht, je eher fällt sie ab. — Kein Ding ist allhier in steter Ruhe. Die Winde selbsten, verkehren sich nicht so oft, als der Menschen Thun und Wollen. Die Blumen, welche am geschwindesten blühen, fallen am ehesten ab. Und je langsamer sie aus ihrem Knopf hervorkommen, je länger bleiben sie stehen, wiewohl sie beide verwelken müssen. Wann die Sonne ihre Strahlen in dem Aufgang zeiget, so giebt sie schon zu erkennen, daß sie auf den Untergang zulaufe, und die Zeit mit sich führe; wie denn auch unser Leben zwischen Schmerzen und Unglück, von denen es zu allen Seiten angesprenget wird, verschwindet und abnimmt.

2269. Wenn man das Getreide wirft, verliert es die Spreu. — Also auch rechte Christen verlieren durch geringe Anstoß alle ihre Eitelkeit und Laster, reinigen sich desto mehr, je mehr sie gerüttelt und geschüttelt werden.

2270. Wenn man das Korn nicht rührt und umschlägt, fressen es die Würmer.

2271. Ein Kleid, das man nicht anlegt, zernagen die Schaben.

2272. Wenn man das Holz nicht anstreicht, wird es wurmstichig.

2273. Eisen, das man nicht braucht, wird rostig.

2274. Altes Brot schimmelt.. — Eben eine solche Gestalt und Beschaffenheit hat es mit uns Menschen, denn nichts macht uns verdrossen, nachlässig, saumselig, als wenn wir eine Zeitlang nicht angefochten werden.

2275. Wer einen Brand aus dem Feuer nimmt, fasst ihn am umgekehrten Ende an. — Wir müssen die Streiche, so uns treffen, nicht an dem Theil, so uns schmerzen und beleibigen kann, sondern auf selbigen Ort betrachten, wo er uns fruchtbaren Nutzen bringt und Gottes Ehre befördert.

2276. Er lässt gut Vögelein schalten und walten. — (Von denen, die sich um nichts bekümmern, sondern bloß ihren Vergnügungen nachgehen.) Ihr Geld und Hab' nimmt täglich ab, wird schier schab ab bis zum Bettelstab.

2277. Einen König in der Regierung, einen Feldherrn in der Anführung, einen Soldaten in der Schlacht, der Name Jesu*) siegen macht.

2278. Einem Kaufmann in dem Gewerb,
einem Kinde in erlangten Erb,
einem Studenten in der Lehr',
einem Schiffmann auf dem Meer,
einem Handwerker in der Arbeit,
bringt Jesus*) die reichste Beut.

Auf diesen Namen, wenn wakker, der Bauer sich steift im Akker, die elternlosen Kinder, die lastervollen Sünder, die Armen in der Noth, die Sterbenden im Tod; aus Allen

---

*) Gottes! Christus selbst empfiehlt Gott= aber nicht Jesus=Vertrauen.   D. H.

kann keinen was betrüben, wenn sie thun lieben, verehren
und ehren diesen heilbringenden Namen, welcher mit sei=
ner Flammen verzehret zusammen den bösen Saamen, und
bringet die allerkostbarlichste Frucht, dero Lieblichkeit alle
irdische Lustbarkeit unvergleichlich übertrifft.

2279. Wer sich selbst veracht, mehr nach dem Him=
mel tracht.

2280. Wer gut schläft, sündigt nicht. — Es ist eine
angenehme Sache um den Schlaf, durch ihn werden die
Glieder erquikket, die Kräfte gestärket, das Gemüth be=
sänftigt, die unruhigen Gedanken auf die Seite gelegt, und
die vielfältigen Sorgen vergessen. Ja ohne den Schlaf kann
der Mensch nicht lange seine Gesundheit erhalten; darum
etliche vermeinten, daß des Menschen größte Freude und
höchstes Gut bestände in dem Schlafen. Denn wenn der
Mensch schläft, sagten sie, so bekümmert er sich nirgends
um. Er empfindet keine Schmerzen des Leibes, keine An=
fechtung des Geistes, keine Unruhe der Geschäfte und keine
Verwirrung des Gemüths. (Dennoch ist Paulus Röm. 13
dagegen.) Wenn der Richter seine Hand ausstrekkt, zuzu=
schlagen, so

2281. Versprechen wir goldene Berge. — Wenn er
aber die Geißel zurükkzieht, so hat

2284. Versprechen kein halten.

2285. Besser ehrlich sterben, als schändlich fliehen —
weil man durch solchen Tod lebt im Gedächtniß nach dem
Tod. Aber

2286. Wer stirbt in der Sünd, das rechte Verderben
findt. — Er erwirbt einen schlechten Namen, verliert eher
Leib und Seel zusammen; hier ist also die Flucht viel nütz=
licher. Denn

2287. Wer fliehet im Streit, erhält die Beut.

2288. Wer flieht die Sünden, wird das Siegen finden.

2289. Wer ewig will im Himmel sein, steige lebend in die Hölle hinein. — Ein sehr nützliches Werk ist es, wenn man noch bei Leben in die Hölle siehet, damit man nicht nach dem Tode dahin gerathe, indem jetzt betrachtet werden die große Pein und Schmerzen, so die Verdammten allda ausstehen und leiden wegen ihrer begangenen Sünden und Laster.

2290. Wenn der Spürhund kein Wild riecht, kann man ihn leicht an einem (kurzen) Strikke führen. — Wo er aber auf die Spur kommt, reißet er aus und setzet solchem nach. Also ist es mit uns Menschen, so lange wir den Verdienst der Tugenden oder die Strafe der Laster nicht riechen, so sind wir langsam zu dem Guten, und lassen uns durch einen kleinen Strikk der Eitelkeit aufhalten, allein das Gute zu riechen, ist unsere Nase sehr versteckt.

2291. Wer streitet, der beutet. — Jener Heilige verglich die Versuchung mit einem Fluß. Wenn wir versucht werden, so schwimmen wir, wenn wir aber in die Versuchung einwilligen, so gehen wir zu Grunde.

2292. Männlich gestritten, ist halb gesiegt. — Ohne starkmüthige Beständigkeit und ohne solche beständige Stärke verdient der Mensch keine Ehre, und die Tugend keine Krone, gleich wie ohne sie der Streitende nicht siegreich ist, und der Siegreiche den Palmenzweig nicht erhält. Wohl gewagt, unverzagt, und ohne Furcht gestritten, ohne Schuld, mit Geduld, kleine Müh gelitten. Die Hoffnung thut allhier keine Betrüben.

2293. Auf Gott vertraut, ist wohl gebaut.

2294. Hoffen und Harren, macht Manchen zum Narren. — Wenn die Hoffnung anders wohin zielet, als auf Gott, wird man mit Hoffen leicht zum Spott.

[**2295.** Er ist ein Jonas von Naffau.

2296. Seine Gedanken sind im Weingarten.

2297. Er schreibt sich einen Herrn von Kupferberg. — (Er ist dem Trunk ergeben.)

2298. Wer die Gefahr liebt, geht in ihr zu Grunde. — Wer aber den Verfuchungen und Strikken des Teüfels entgehen will, der muß beim Jonas von Naffau sein, deffen Gedanken jederzeit nach Weingarten stehen, allwo er durch Erhandlungen des Oktoberfaft sein Geschlecht erhöhet, und sich einen Herrn von Kupferberg schreibet. Denn wer durch den Wein näffer ist, als der Prophet Jonas im Wallfisch, ist schon gefangen in des Teüfels Strikk. Noch vielweniger muß er sein, von Stuben= oder Rofenfeld, indem er gedenket in einer von fernere eingeheitzten Stuben sich zu gebrauchen der Rofen aller Ergötzlichkeit, denn wer die Gefahr liebt, geht in ihr zu Grunde, fondern muß aus Liebe gegen Gott alle Sünden fo viel ihm möglich vermeiden. — Wer sich in Werken übt, welche der Tugend gehört, hat sich vor dem Teüfel nicht zu beforgen. Denn gleichwie

2299. An der Hunde Hinken, an der Huren Winken, an der Weiber und Gelehrten Weinen, an der Krämer Schwören, fich Niemand foll kehren, — alfo foll auch Niemand achten, die Verfuchungen, der auf obbemeldete Weife gewaffnet ist. Und gefetzt, er wollte durch die Verfuchung einen Streit ankündigen, wird er doch kein Siegen finden, ungeachtet er auch follte ein Schwert führen, wie Degen= feld, unweit Kreizlingen, fo wird er den Degen und das Feld verlieren.

2300. Der Regen netzt das Kleid aber das Herz nicht.

2301. Wer recht thut, acht't es nicht, was Satan ihm einfpricht.

2302. Gefochten oder verdorben, gelitten oder gestorben. — Haltet es vor lauter Freüde, wenn ihr in mancherlei Versuchung fallet.

2303. Bälle treibt das Schlagen, den Menschen erhöht das Plagen. — Sei also weiter ein Ball, laß dich von den Anfechtungen geschlagen werden, bis in die Höhe des Himmels; sei mit dem heiligen Paulo mit Trost angefüllet und voll der Freüden, in aller deiner Trübsal, so wirst du nach überwindungen der Versuchung und kurzen Leiden, ewig leben in Freüden.

2304. Brot ist das Beßte in Hungersnoth.

2305. Seine Sachen sind in der hebräischen Schule. (Sind bei einem Juden versetzt.)

2306. Es erstikken mehr in den Freßhäfen, als in den Meerhäfen.

2307. Die Suppe verschütten. — Wo jeder Tag ein Faßnachttag, wo jeder Zeit der Tisch bereit, jede Stunde ist voll der Mund; wo es stets unaufhörlich heißt: richte an die Speisen, lauf, trag auf, dies und das, Kandel und Glas, schenk ein, Bier und Wein, alles ganz voll, dem wird wenig von diesem göttlichen Mahl der Süßigkeit zu Theil werden. Denn wer auf solche Weise vor Gott die Suppen verschüttet, der hat kein beßres Traktament zu erwarten.

2308. Stolz kommt vorm Fall, wie man erfährt überall. Haman war stolz, sein Lohn war das Galgenholz; Vasti bildete sich viel ein, mußte aber bald vergessen sein; Nebukadnezar vermeinte, er sei weiß nicht was, mußte aber bald essen, wie ein Ochs das Gras.

2309. Sich bükken und krümmen wie eine Bratwurst auf dem Rost.

2310. Groß und faul taugt wohl für einen Karrengaul.

2311. Jedes Gleichniß hinkt und Eigenlob stinkt. — Darum sagt der heilige Gregorius: Willst du gelobt sein, so lobe dich ein fremder Mund, und nicht der deine, denn Eigenlob macht den Menschen verhaßt bei Gott, und den Menschen; wer sich aber gering schätzet, der erwerbet große Ehre;

2312. Je tiefer der Ball auf die Erde fällt, je höher springt er wieder auf. — Und je mehr sich ein Mensch erniedrigt, je mehr wird er erhöht.

2313. So freundlich, als wenn er Holzäpfel-Essig getrunken hätte.

2314. Unter einem Freundstück steckt oft viel Schelmstück.

2315. Unter falschem Liebkosen sind viel Dörner ohne Rosen.

2316. Unter den Rosen sind viel Dörner.

2317. Vergoldete Pillen sind auch bitter. — Man vermeint zwar oft, man habe die besten Freunde, wenn sie ein gutes Wort verleihen, aber ach! unter den Rosen sind gar viel Dörner, und unter den vergoldeten Pillen viel Bitterkeit vermischt. Absonderlich jetziger Zeit findet man dergleichen sehr viele, welche von äußerlichen Geberden sich erzeigen ganz goldreich, der mehr als goldene Freundschaft. Sie stellen sich zwar freundlich, aber im Herzen sind sie falsch, und deren Judaskinder sind gar viel, welche anders reden, und anders thun.

2318. Sieht der Hund Brod in der Hand, so wedelt er mit dem Schwanze. — Eben thun dergleichen Freund, denn als lang sie sehen, daß einer das Brot der Ehren, Reichthum und Ansehen in der Hand hat, so sind die schmeichlerischen Freunde, aber wenn Macht, Geld und Gut hin ift, alsbann bellen unb murren fie wie· bie Hunbe, zwikfen unb zwakfen hier unb bort feine Ehre ab, unb. will gleichfam ein Jeber auf ihm Holz hakken.

2319. Das Pferb wirft gern ben Zaum ab, bie Jugenb bie Zucht, bas Alter bie Dienftbarkeit. — Wenn wir un= fern Begierben ben Lauf laffen, unb bie Zügel ber Frei= heit nicht einhalten, fo haben wir bei bem Tag viel zu erzählen, unb bes Nachts viel zu beweinen. Biele Menfchen findet man, bie bas Böfe unterlaffen, weil fie nicht wollen, aber hingegen find nicht wenig, welche es verfaumen, weil fie nicht können. Man bebarf nicht weniger Berftanb, bie Freiheit zu erhalten, als Tapferkeit, fie zu bezwingen. Die Freiheit, als gleichfam ben unvergänglichen Schaß, unb ir= bifche Glückfeligkeit zu verlieren, ift eine befchwerliche Sache, alfo baff man zu öfters viel lieber ben Tob wollte ausftehn, als eine Leibeigne ober Gefangenfchaft bes Pharo u. f. w. Es ift ein gemein Sprichwort:

2320. Welcher bie Wahrheit geigt unb bas, was wahr ift, fingt, bem wirb bie Geige gezeigt, baff fie am Kopfe zerfpringt. — (Das hat vor allen Chriftus erfahren.)

2321. Der Liebe ift kein Winb zu kalt. — Der Lie= benbe bringt fein Herz für ein Rauchfaß, feine betrübte Seele für ein Opfer, fein unterthäniges Flehen für ein Ge= bet. Da fürchtet er weber Froft noch Hiße, weber Schauer noch Bliß, weber Regen noch Schnee, weber Trübfal noch Weh, weber Tag noch Nacht, weber Stunden noch Wacht, befchwert fich nicht über Leib noch Neib, fraget nichts nach Gewalt unb Recht. Es ift ihm nichts fo füß, er kann es ausfchlagen, nichts fo fauer, er überträgt es, bamit er nur ihre Gunft könne erwerben; ba ift ihm kein Norbwinb zu kalt; bie brennenbe Liebe, unb ber entzünbenbe Eifer feines Herzens vermögen ihn ertragen.

19

2322. Es ist eine Kerze, die einen bösen Gestank zurück läßt. — (Von Dingen, die unangenehme Folgen haben; zunächst von nachtheiligen, unerlaubten Liebschaften.)

2323. Solche Fratzen vertragen viel Batzen.

2324. Solche Hulden kosten Gulden.

2325. Sie hat die Tugenden einer Wanze; so lange sie lebt, beißt sie, und wenn sie stirbt stinkt sie. — (Von buhlerischen Frauenzimmern, welche den Beutel schröpfen.) Abraham schildert sie so: Ihr Zäschen leeret die Taschen; ihr Antasten säubert Kasten, und ihr Liebkosen sind Dornen ohne Rosen, und wenn man nicht stets schickt und spickt, giebt und schenkt, neigt und lenkt, werden solche unverschämte Bilder nur wilder, bis dergleichen Schnappsäcke entfüllen Küsten und Säcke, denn solches Frauenvolk sind gleich einem Igel, welcher nicht weiß, was wir im Leibe haben, und dennoch uns das Blut heraussaugt.

2326. Auf beiden Seiten Wasser tragen. — Wer die Wahrheit redet, wird verhaßt; wer lügt, wird geachtet; wer zu Allem kann als ein listiger Mann, weiß nicht was sagen, und auf beiden Seiten Wasser tragen, sich zeigen und neigen, sich gesellen und stellen, als ob er nichts zu merken von bösen Werken, der ist zu Hof bequem, und überall angenehm.

2327. Gut macht Ehre, Gut wird geachtet. — Gut macht Freund, wer arm ist, wird veracht't.

2328. Wer sich vor dem Teufel scheucht, wird nimmermehr bereicht. — (Dies pflegte nach Abraham, ein Kaufmann von Genua zu sagen. Eine Rede, welche bei vielen Kaufleuten wohl in Acht genommen wird.)

2329. Unter Dornen sind oft die schönsten Rosen. — Thamar war eine ehrliche Jungfrau, und hätte sich keinesweges eingebildet, daß ihr Bruder Ammon die Ungebühr mit ihr pflegen sollte; allein

2330. Gelegenheit macht Diebe.

2331. Wenn man die Schnekke anrührt, so zieht sie sich in ihr Haus zurükk.

2332. Wenn die Hühner den Habicht sehen, verkriechen sie sich.

2333. Wenn der Sperber kommt, flüchten die Tauben in den Söller. — Also soll eine Jungfrau, welche mit der vollkommnen Reinigkeit bereichet sein will, alle und jegliche Reden, die nicht auf ein gutes End angesehen sind, fliehen, und ihnen kein Gehör erstatten, denn dadurch wird sie die Reinigkeit unfehlbar erhalten.

2334. Beim bessten Tanz bleibt oft nicht eine Saite ganz. — (Beim Spiel ist kein Gewinn.)

2335. Wer will sauber bestehen, muß nicht mit Sauen umgehen.

2336. Die Schellen gehören dem Narren,
    die Schaufel zu dem Karren.
    die Eicheln den Sauen,
    der Ekkstein zum Bauen,
    das Herz für die Soldaten,
    das Laub für große Thaten,
    der Zaum den Lüsten,
    das Kreuz jedem Christen.

Man sagt:

2337. Nichts ist gut für die Augen. — Ein solches Nichtspulver, wenn wir für die Augen unsers Gemüths und Herzen brauchen wollten, so ists zu verstehen, daß das bessste Mittel sei, dieselben in ihrer Klarheit zu erhalten. Wenn nämlich du, wertheftes Herz nichts Schädliches und Unkeusches, von gemalten oder lebendigen Bildern der cyprischen Königin ungesehen dich befleißigst, damit der kleine

19 *

verſchleierte Schütz ſie nicht verletzen möge, denn ſeine Pfeile ohne Vermerken verwunden.

2338. Nicht Alles, was ſcheint, wird Gold vermeint. — Die Juden hielten es für eine Unreinigkeit, in das Haus eines Heiden und Unbeſchnittenen zu gehen, ungeachtet ſie unrein genug waren, indem ſie begehrten zu vergießen das unſchuldige Blut Jeſu. Eben ſo wollen Viele

2339. Dem Reiſe entgehen, und fallen in den Schnee.

2340. Den Regentropfen entfliehen, und in den Bach fallen.

2341. Der Ruthe entweichen, und unter die Prügel ſchleichen. — So wollten die Juden einen kleinen Graben fliehen, und ſtürzten ſich in eine tiefe Grube.

2342. Ein Lindwurm verliert ſein Gift nicht, wenn er auch an einem reinen Orte lebt. — Alſo auch ihr (Juden,) ob ihr ſchon nicht wollt in das römiſche Richthaus gehen, ſo traget ihr doch die Sünd in euerm Herzen.

2343. Von außen ein unſchuldig Kind, inwendig voll Sünd. — Viele Chriſten ſind dem äußerlichen Anſehn nach ein Tempel des heil. Geiſtes, im Herzen ſind ſie nichts anders, als ein Geſchirr des Teufels; von außen ein Engel, inwendig ein Schlingel, von außen rein, inwendig ein Schwein; von außen ein unſchuldig Kind, inwendig voller Sünd; von außen geiſtreich, inwendig jenem gleich, der voller Haſſ; wie ein ſchönes Faſſ, darinnen lauter Gift behalten wird.

2344. Den Vogel erkennt man am Geſange. — Wie verhaßt dem höchſten Gott ein Gleißner ſei, iſt abzunehmen an den Schwänen, welchen der mildreichſte Erſchaffer aller Kreaturen verboten, ihm zu opfern, ſintemal er an Federn weiß erſcheint, wie ein Heuchler, und trägt ein ſchwarzes Fleiſch; ſonſt kennt man den Vogel an dem

Gesange, aber solche Galgenvögel sind an ihrem Gesang nicht leicht zu vermerken, denn ihre Worte sind weit vom Herzen.

2345. Das süßeste Fleisch wird zuerst madig. — Aus einer süßbrünnstigen Liebe gegen die Welt wird leichtlich der Tod und die Würmer des Grabes.

2346. Es ist leicht zu erfahren, wer bei Raben einkehrt, wird wenig ersparen. — (Von unredlichen Gastwirthen.) Die Wahrheit ist verhaßt, und findet schwer Herberge. Vermeinet sie aufgenommen zu werden von der zarten Jugend, bei welcher aller Betrug und Unwahrheit sollte unbekannt sein, ist ihr der Eingang verschlossen, denn

2347. Wie die Alten singen, so die Jungen springen. — Bemühet sie sich bei den Geistlichen eine Beherbergung zu erlangen, so wird sie zwar gern eingelassen; aber man getrauet sie nicht zu behalten, sintemal man jetziger Zeit nur dergleichen Seelensorger und Beichtväter haben will, die mehr durch die Finger sehen, als die Wahrheit gestehen.

2348. Wenn der Schnee vergeht, wird sichs finden. — (Auch die Wahrheit wird sich finden, wenn der Schnee dieses leicht zerfließenden Lebens vergeht.)

2349. Was dich nicht brennt, laß unberennt.

2350. Jeder Narren hält seinen Kolben für den schönsten.

2351. Ein Schalk macht zehn.

2352. Bei Tänzern lernt man Tanzen, bei Schanzern lernt man Schanzen, bei Saüfern lernt man Saufen, bei Krämern kaufen.

2353. Bei Lausigen kriegt man Läuse, mit Katzen fängt man Mäuse, und wer sich gesellt zu Narren, der wird von gleichen Haaren. — Man findet viel Menschen, die, wenn sie mit ehrlichen Personen verhandeln sollen, liederlich sind, wenn sie mit weisen Leuten reden sollen, einfältig sind.

wenn fie mit vorſichtigen Gemüthern umgehen ſollen, un-
beſonnen ſind; wenn ſie aber mit den Narren traktiren
ſollen, vermeinen ſie, daſſ ſie verſtändig ſind. Warum aber
das? die Urſache iſt, wenn mans betrachtet, weil ein Narr
den Andern macht.

2334. Es beißt kein Rauch ſchärfer in die Augen, als
Verachtung (Spott) der Hochmüthigen.

2335. Man muſſ ſich nicht über jeden Vogel ärgern,
der über den Kopf fliegt.

2336. Der Mond fragt nichts danach, daſſ ihn die
Hunde anbellen. — Von der Welt verachtet zu werden,
ſoll den Menſchen zu geduldiger Übertragung anſpornen,
der glorwürdige Sieg, ſo aus einem ſolchen klein zu ach-
tenden Streite zu verhoffen erſcheint.

2337. Wer das Saure nicht verkoſt, dem wird das
Süße nicht gekoſt. Es iſt ein Altes:

2338. Gewalt geht vor Recht.

2339. Vom Tanz zum Roſenkranz. — (Von denen,
die ihr weltliches Leben und Treiben aufgeben, und ſich
der Tugend weihen.) Viele ſind, ſagt Abraham, welche
durch die Betrachtung des ſchmerzlichen Leidens Jeſu von
dem Wirthshaus in ein Gotteshaus, von dem Trapeliren
zum Pſalliren, von dem Tanz zum Roſenkranz, von dem
Rapier zu dem Brevier, vom Trinken und Eſſen zum
Gottesdienſt und Meſſen, vom Spielen und Lachen zu nütz-
lichen Sachen, vom Springen und Singen zu geiſtlichen
Dingen, vom Fluchen und Toben, Jeſum zu loben ange-
reizt werden. Gedenket ihr denn nicht, daſſ ihr durch eure
Wolluſt dem ewigen Verderben zulaufet, denn

2360. Prahlhans ſtirbt ſowohl als Schmalhans. —
(Dem Tode iſt Alles gleich.)

2361. Wer will haben die Rosen, muß die Dornen kosen.

2362. Nach Freud folgt Leid.

2363. Nach dem Herbstschein fällt der Winter ein.

2364. Nach dem Freudenmärz folgt allezeit ein Schmerz.

2365. Wer genießt der Fröhlichkeit, halte sich zum Kreuz bereit.

2366. Das Glück hat verborgene Tück. — Wer Gottes Freund und zu der Glorie erwählet, dem begegnen viele Widerwärtigkeiten, Trübsale und Kreuz. Wenn einer am Kopf einige Wunden empfängt, so bringt solche viel größere Schmerzen, als wenn sie an einem andern Gliede des Leibes wäre, nach dem gemeinen Sprichwort:

2367. Wer leidet Schmerz im Kopf, im Hirn und in Gedanken, der ist ein armer kranker Tropf, und liegt in harten Schranken. Bei dem obersten Richter wird nicht wirken der Juristen übellautendes Sprichwort:

2368. Si fecisti, nega. (Wenn du es auch gethan, nur leugne frisch.) — Sintemal allda wird wahr werden:

2369. Nichts ist so klein gesponnen, es kommt an die Sonnen. — (Sündige derowegen ein Jeder, so oft es ihm beliebt, fliehe ein Jeder das Licht und die Zeugen, so oft es ihm beliebt, so wird doch sein Leben an Tag kommen.)

2370. Solchen Vögeln gehört ein solcher Käfig. — (Zunächst von denen, die im Zuchthause ein Verbrechen abbüßen müssen, dann aber auch von Allen, die für irgend ein Vergehen ein Ungemach, eine Strafe leiden müssen.

VI. Abrahamisches Gehabdichwohl. Oder Urlaube, in diesem End=Werke seiner Schriften; schaue hinein, und lies das, und mach dir einen Knopf auf die Nas; denn hierin wirst du finden, ein Abscheu gegen die Sünden, und in Traurigkeit eine Gewissens ꝛc.

2371. Müßiggang bringt Untergang.

2372. Faul trägt wenig in das Maul. — Faulheit und Müßiggang verursachen alles Übel in den meisten Sachen, in dem Eisen den Rost, in dem Holz den Wurm, in dem Tuch die Schaben; in dem stehenden Wasser die Faulniß, auf dem Akker das Unkraut, in dem Hauswesen das Verderben, in dem Menschen aber Noth und Armuth, in der Armuth böse Gedanken, in den bösen Gedanken die Sünde, in der Sünde den jetzigen und ewigen Untergang.

2373. Wer dem Faulenzen ergeben, bekommt den Bettelstab zum Lohn.

2374. Aus dem blauen Mondtag wird ein fauler Dienstag, auf den folgt ein durstiger Mittwoch, und ein schläfriger Pfingsttag.

2375. Bleibt die Arbeit stekken, wird das Wochenlohn nicht weit erklekken.

2376. Der Knecht fragt nichts nach den Schafen, die Magd sitzt beim Spinnrad schlafen, aber zum Essen thut sich keiner vergessen.

2377. Lehrer, die keinen Nutzen schaffen,
Knechte, die bis um acht Uhr schlafen,
faule Mägde bei dem Rokken,
faule Messner bei den Glokken,

faule Meister und Gesellen,
Buben, so nichts lernen wollen,
faule Bettler auf den Straßen,
und Baganten auf den Gassen,
Müßiggänger bei der Brenthen,
faule Schüler und Studenten,
Künste. die kein Brot eintragen,
soll man alle zum Land ausjagen.

2378. Bei solcher Lampe (Weinflasche) betet man kei=
nen Rosenkranz.

2379. Wenn Bachus hinter dem Ofen einheizt, so
räuspert sich die Venus gern.

2380. Der Hunger muß groß sein, weil die Katze
mausen geht.

2381. Wie schwarz bist du, sprach der rußige Kessel
zu dem Hafen. — (Narren sind die, welche von Andern
falsch urtheilen, und ihre eigenen Mängel nicht erkennen.)

2382. Er wird in seinem Garten Unkraut genug fin=
den. — (Niemand ist so vollkommen, daß dies nicht der
Fall wäre. Nichts wird in menschlichen Sachen so gut ge=
macht, daß nicht ein Fehler mit einschleiche.)

2383. Es ist nicht alles Gold, was glänzt. — Die
meisten Menschen sind ein parrhasisches Gemälde, sie zeigen
unter äußerlicher Gestalt und schönem Deckmantel, was sie
doch nicht haben in der Wahrheit. Die jetzige Blenderei
der Welt betrüget nicht nur die Vögel, sondern die Künst=
ler selbst, Alles ist nur auf äußerlichen, eitlen Schein gerichtet.

2384. Trau keinem Wolf auf grüner Heid,
und keinem Juden bei seinem Eid,
trau keinem Pferde in dem Laufen,
und keinem Bruder in dem Saufen,

trau keinem Sonnenschein im April,
trau keiner Weiberliebe zu viel,
trau keinem bir versöhnten Feind,
und keinem schmeichelhaften Freund,
trau keinem Hunde beim Beine nagen,
und Keinem, der viel reben und fragen,
trau keinem rothen Haar und Bart,
alle diese sind von falscher Art.

2385. Ein Wort, ein Wort; ein Mann, ein Mann. — Die alten Deütschen, wie Helmodius schreibt, haben ihre Bärte überaus lang wachsen lassen, und wenn sie sich an den Bart gegriffen, so war es schier ein gewisses Parolla, ein Wort, ein Wort, ein Mann ein Mann. Jetzt läßt man sich die Bärte abscheeren, daß man nicht darnach greifen kann, hat also auch das Parolla mit dem Bart ein Ende.

2386. Jedes Ding will seine Zeit haben. — Es ist Zeit zum Lachen, und Zeit zum Weinen, Zeit zum Frieden, und Zeit zum Greinen, Zeit zum Niederreißen und Zeit zum Bauen, Zeit zum Akkern und zum Hauen, Zeit zum Gewinnen und Verlieren, Zeit zum zu Hause und zum Spatzieren, Zeit zum Tödten und zum Heilen, Zeit zum Langsamgehen und zum Eilen, Zeit zum Trauern und zum Singen, Zeit zum Sitzen und zum Springen, Zeit zum Säen und zum Schneiden, Zeit zum Kommen und zum Scheiden, Zeit zum Trommeln und zum Geigen, Zeit zum Tanzen und zum Leiern, Zeit zum Arbeiten und zum Feiern.

2387. Er tummelt sich wie ein Schneider am Oster-tag. — Die meisten Handwerker, wenn sie die ganze Woche hindurch entweder im Winter bei den Garten, oder im Sommer im Garten ihre Zeit zugebracht, arbeiten an

Sonn- und Feiertagen, darunter keine mehr beschäftiget sind als die Schneider, also zwar, daß schon ein gemeines Sprichwort entstanden, wenn man von einem geschwinden und arbeitsamen Menschen reden will, pflegt man zu sagen: Er tummelt 2c.

2588. Kein Fisch ohne Gräten, kein Mensch ohne Lüge.

2589. Glatte Worte sind in jetziger Zeit gemeiniglich ein Deckel der Unwahrheit.

2590. Gelegenheit macht Diebe. — Gelegenheit ist der größte Dieb. Die Philosophen sagen: Was eine Ursach ist einer andern Ursach, das ist auch eine Ursach, durch welche etwas verursacht wird; aber die Gelegenheit ist die meiste Ursach, also wird folgsam durch die Gelegenheit eine Ursach, alles andre Übel verursacht nach dem gemeinen Sprichwort: Gelegenheit macht Diebe.

2591. Gelegenheit macht Diebe. — Wäre die Gelegenheit nicht, so wären keine Diebe, keine Huren, keine Spieler, keine Saufer, keine Raufer. Alles und jedes stiftet die Gelegenheit. Ihr unbesonnenen Weltkinder, gebt bei Leibe dem Teufel keine Schuld. Die Gelegenheit bringt euch in Armuth, Schulden, Schaden und Verderben.

2592. Das böse Gewissen ist ein Has, es fürchtet bald dies und bald das.

2593. Etwas auf die schwarze Tafel schreiben.

2594. Geld streicht allen Lastern ein Färblein an. — Das Geld richt alles, das Geld schlicht alles, das Geld bindt alles, das Geld überwindet alles, das Geld exkusirt alles, das Geld promovirt alles, das Geld wendt alles, das Geld verblendet alles. Mit einem Wort: das Geld beherrscht und regiert alles; das Geld streicht allen Lastern ein Färblein an, das Geld legt allen Wunden ein Pflaster auf, das Geld macht alle krumme Händel grade, das Geld errettet manchen vom Rad und Galgen, das Geld macht gar viel Lümmel zu Doktoren.

2395. Geld und Gut macht übermuth.—Alles wünscht sich Gold. Wenn diese Wünsche aber mehr würden, so hätten wir lauter goldene Zeiten, aber auch schlimme und gottlose Leute.

2396. Geld macht schöne Leute. — Der Poet sagt:
Ist ein Mensch gleich voll des Tadel,
Geld bringt Schönheit und den Adel.

Gold und Geld eröffnet alle Pforten und Thüren. Gold und Geld macht die schwersten Prozesse aus. Gold und Geld ist der beste Kuppler in Heiraths-Sachen, und wenn die goldene Sonne will sagen, die Dukaten in den Händen glänzen, verblenden sie öfter gar vielen die Augen. Es schätzet sich auch kein Welt-Mann glückseliger denn jener, von welchem das possirliche Sprichwort lautet:

2397. Beatus Vir qui habet multum Silbergeschirr.

2398. Wer nicht zum Schiffmann hat das Geld, der schifft unglücklich in der Welt.

2399. Eine Scheüer ohne Getreid,
eine Herd' ohne Weib,
ein Pferdestall ohne Heü,
ein Weib ohne Treü,
ein Hirt ohne Feld,
ein Mensch ohne Geld,
acht man nicht auf der Welt.

2400. Tugend ist der beste Adelsbrief. — Die Tugend allein ziert, sie allein nobilitirt und triumphirt.

2401. Wie die Alten sungen, so schreien auch die Jungen. — Auf gleiche Weise machen es die Kinder, sie affen Alles nach, was sie von den Eltern sehen.

2402. Mit einem Windrohr schießen. — (Goldene Worte einladen, die doch bald wieder in Luft aufgehen.)

2403. Ein Wirth ohne Wein,
ein Doktor ohne Latein,
ein Häfner ohne Geschirr,
ein Geistlicher ohne Brevier,
ein Soldat ohne Degen,
bringen wenig zu wegen.

2404. Rotzen und Weinen,
Zanken und Greinen,
Hoffart und Verführung,
ist der Weiber Handthirung.

2405. Sich spreizen wie die Katz im Sack. — (Von Eiteln und Hochmüthigen.)

2406. Etwas auf die lange Bank schieben.

2407. Mann und Weib soll sein ein Leib. — Das reimt sich, und soll sich reimen bei allen Eheleuten, so hat es Gott verordnet: Es werden zwei in einem Fleisch sein.

2408. Er sieht aus wie der Wolf zu Schwabach. — Noch bei unsern*) Zeiten ist ein Edelmann zu Schwabach in Franken in natürlicher Wolfs-Gestalt herum gegangen, den armen Bauern Kühe, Kälber, Schafe und anderes Vieh zerrißen. Als er aber einsteins einer Henne über einen Zaun nachgesprungen, ist er unversehens in den daran gelegenen Brunnen gefallen und erſoffen. Er wurde, nicht ohne Verwunderung vieler Menſchen herausgezogen, und an einen Galgen gehangen. Zur letzten Ehre ſetzte man ihm eine Perrücke auf, und war dieſes Spektakel recht lächerlich anzuſehen, also zwar; daß daraus ein Sprichwort entſtanden, wenn man etwa einen armen Politikum

---

*) Abraham à St. Clara's

in einer abgetragenen Perükke gesehen, man gesagt: Er sehe aus wie der Wolf zu Schwabach.

2409. Es muß ein kalter Winter sein, wenn ein Wolf den andern frißt. — (Aber wohl ein Mensch den andern.

2410. Ein Kranich pikkt dem andern die Augen nicht aus, aber wohl ein Mensch dem andern. — Der Neidhard ist weit, ärger als der Teufel, denn der Teufel beneidet zwar die Menschen, aber kein Teufel beneidet den andern. Hingegen du, der du ein vernünftiger Mensch bist, und eine unsterbliche Seele hast, du beneidest deines gleichen, welches der Teufel nicht thut.

2411. Gütel hin — Müthel hin.

2412. Noth führt zu Gott. —
Warte nur auf Angst und Nöthen,
Noth wird dich schon lehren beten.

2413. Eine Orgelpfeife ohne Wind giebt keinen Ton. — Wir Menschen sind wie die Orgelpfeifen, welche keinen Ton von sich geben, wenn sie nicht Wind haben, sobald sie aber den Wind fangen, und der Organist ein wenig das Klavier berührt, da pfeifen sie, und lassen allerhand schöne Stimmen gegen Gott hören. Also, wenn uns Gott nicht einen ungeheuren Sturmwind von allerhand Kreuz und Widerwärtigkeiten zuschikkt, da schweigen wir mäuselstill, hingegen bei dem Sturm und Ungewitter fangen wir an zu pfeifen und zu schreien.

2414. Es ist nicht an der Größe gelegen, sonst erliefe die Kuh einen Hasen. — Es ist nicht an der Stärke gelegen, sonst wäre der kleine David dem Riesen Goliath nicht überlegen gewesen. Es ist nicht an der Schwachheit gelegen, sonst hätte die Judith, als ein zartes Frauenzimmer, dem Holofernes das Haupt nicht abgeschlagen. Es ist nicht an der Heiligkeit gelegen, sonst hätte David, ein Mann nach dem Herzen Gottes, keinen Ehebruch und Mordthat begangen.

2415. Elternsünd wird gestraft am Kind.

2416. Ein blinder – Mann ein armer Mann. – Aber weit elender und blinder der Sünder, welcher in den Finsternissen der Sünde und Laster dergestalt herum strauchelt, daß er die göttliche und unausbleibliche Strafe auch sogar auf seine Nachkömmlinge zieht.

2417. Unrecht Gut kommt nicht auf den dritten Erben. – Es ist gewiß, wann der Vater mit Schinderei, Wucher, Betrug, allerhand Vortheil und Arglistigkeit ein ungerechtes Gut an sich gezogen, daß solches bei dem Sohne nicht ersprißen, noch etwas ausgeben werde. Es ist gewiß, wenn der Beamte etwas zu tief in der Heerschaft Beütel gegriffen, daß das hinterlassene Gut nicht wird auf den dritten Erben kommen. Es ist gewiß, wenn der Gerhab den armen Pupillen und Waisen nicht wohl gewirthschaftet, daß seine eignen Kinder gleichfalls werden in einen verwaisten Stand gerathen. Es ist gewiß, wenn die Mutter ein geiles, üppiges, hoffärtiges Weib ist, daß Gott diese Sünde an der Tochter nicht unberochen lassen wird.

2417. An einem gutem Ende ist Alles gelegen.

2418. Es ist nichts so klein gesponnen, es kommt an die Sonne.

Gerichter fein Rei ch in gewünſchtem Frieden und Wohl
ſtand erhielten.

2423. Ein Mann iſt ein Schlüffel, wenn er nicht iſt,
wie ein Schiffel. — Er muß fein wie das Schiff des Leonh.
Velli, das er ohne Ruder malen, und es vom Orpheus
mit bloßen Lautenſchlagen regieren ließ mit der Beiſchrift
Carmine docet ire. Er überreichte dies Gemälde einem
Biſchof, um anzudeuten, daß fein Bisthum mit Güte und
Lieblichkeit könne regiert werden. Ein Mann muß fein wie
dies Schiff, er muß das Weib ſammt dem Hauſe regieren,
aber ohne Ruder, d. i. ohne Prügel, ohne Gewaltthätig=
keit, ſondern vielmehr mit Lieb und guter Manier.

2424. Ein Mann iſt ein Lümmel, wenn er nicht iſt,
wie der Himmel. — (Nach Abraham ſollen die Männer
fein wie der Himmel über dem Mond, nämlich ſtets heiter
und wolkenlos.)

2425. Ein Mann iſt ein Eſel, wenn er nicht iſt wie
ein Röſel. — Ein Mann ſoll von rechtswegen gegen fein
Weib fein wie ein Röſel gegen die Bienen, nicht bitter,
ſondern ganz ſüß und freundlich.

2426. Verſchimmeltes Brot freſſen auch hungrige
Mäuſe nicht. — Die Leidenſchaften, die ſinnlichen Begier=
den ſind ſchlimmer, ſie verſchonen auch die Alten nicht, und
wie unter grauer Aſche Gluth, ſo unter grauem Haar der
Sinnlichkeit Feuer.

2427. Böſe Gewohnheit iſt ein Roſt, den ſobald keine
Feile ausraspeln kann. — (Alle eingewurzelten Sünden
ſind ſchwer auszutilgen.)

2428. Bagatell führt in die Höll. — (Verderbliche
Folgen eines, wenn auch nur kleinen Anfangs im Böſen.)

2429. Aus einem ſolchen Funken entſteht ſolche Brunſt.

2430. Solcher Same bringt ſolche Früchte.

20

das ist schon etwas; nach dem Brand kommt die Schand, das ist zu grob; nach der Schand kommt der elende Stand, da ist es verhaust, da sieht man, daß aus einem kleinen Tippel auf dem Fließ=Papier eine große Sau wird.

2439. Wenn jeder Dieb ein Glökkel am Hals trüge, man könnte vor Geklingel sein eigenes Wort nicht hören.

2440. Wenn alle Diebe Haber äßen, so müßten die Pferde erhungern.

2441. Wenn alle Diebe zusammen pfiffen, was für gespißte Mäuler würde man sehen.

2442. Geld stiftet alles Übel in der Welt.

2443. Eher kann man bei einem Juden Spekk finden, als z. B. bei ihm ein böses Wort u. dgl.

2444. Es steht stäts Donner und Hagel in seinem Kalender. — (Von einem Flucher.)

2445. Die Liebe springt oft vom Juli in den Februar. — Jede Leiter, auf der Einer mit gebührenden Mitteln zu hohen Ehren steigt, hält Gott der Herr; alles muß ihm zugeschrieben werden und nicht dem Glükk, denn

2446. Solch Konfekt kommt nur von Gottes Tafel.

2447. Solcher Strom kommt nur aus dem Himmels= brunnen.

2448. In seinem Kalender ist die goldene Zahl sehr groß. — (Er hat viel Glükk.)

2449. Die Spieler mischen die Karten, und der Teüfel die Gemüther. — (Mancher hält lauter Herz in der Hand, aber Grollen und Zorn im Herzen.)

2450. Eher kann man einen Mohren weiß waschen.

2451. Eher kann man alte Bäume biegen.

2452. Eher kann man aus Essig wieder guten Wein machen, — als z. B. einen Spieler von seiner bösen Ge= wohnheit abkehren.

20 *

2453. Der kleinste Finger muß die Ohren räumen. — (Von der Unterdrückung der Schwachen.)

2454. Auf Lach folgt Ach.

2455. Er hat Luft dazu, wie der Hund zum Hechelleiken.

2456. Die Zähne wässern ihm nach Holzäpfeln. — (Von denen, die etwas begehren, was nicht gut, oder nicht angenehm ist.)

2457. Der Pfaffen Ketzerei ist selten ohne Reu. — (Abraham gebraucht es von denen, die es Andern ausreden, ins Kloster zu gehen.)

2458. Ein verdecktes Essen (Speise.) — Von einer zornigen Mutter wird die Tochter, die ins Kloster gehen will, so genannt.

2459. Den Engeln seine Flöhe verkaufen. — (Ins Kloster gehen.)

2460. Guter Wein, gute Freund, gutes Geld führen den besten Preis in der Welt. — Einen guten Freund zu suchen, hab ich unterschiedliche Länder durchreist, aber nichts angetroffen; auch Deutschland, denn schon lange wußte ich das Sprichwort: Guter Wein ꝛc. Lerne fliehen die Gesellschaft der Gottlosen, denn

2461. Wer mit Pech umgehet, besudelt sich, und

2462. Wer mit Hunden schläft, steht mit Flöhen auf.

2463. Wenn die Sonne aufgeht, fangen die Vögel an zu singen, wenn sie untergeht, schweigen sie. — (Bild solcher Freunde, deren Freundschaft nicht länger dauert, als die Glücksonne scheint.)

2464. Mit einer langen Nase abziehen. — (Der Teufel bei Hiob.)

2465. Der Teufel schaut wie ein Luchs, schmeichelt wie

ein Fuchs, stiehlt wie ein Spatz, lauert wie eine Katz,
sucht wie ein Schwan, wacht wie ein Hahn, lockt wie ein
Specht, raubt wie ein Hecht, schwatzt wie eine Schwalb,
und saugt wie ein Kalb. Die Wahrheit hat eine gar
schlechte Herberge bei den Gerichten, und

2466. Was die Gänse zu Martini, das leidet die Wahrheit beim Gericht.

2467. Wenn man auf dem Markte zu jeder Lüge
pfeifen sollte, so gäb es einen größern Schall, als die Orgel zu Ulm.

2468. Wenn auf jede Lüge eine Maultasche käme, so
hätte ein Ladendiener in acht Tagen keinen Zahn mehr.

2469. Wenn die Soldaten so viel Kugeln hätten als
Lügen, so brauchten sie zu einem ganzen Feldzuge kein
Blei.

2470. Wenn den Bauern so viel Getreide wüchse als
Lügen bei ihnen aufgehen, so hätten sie das ganze Jahr zu
dreschen.

2471. Wenn alle Lügner Haber fräßen, so müßten die
Pferde erhungern.

2472. Dem Widder folgen die Lämmer. — Ein gut
Exempel der Obern ist mit einem Wort ein goldner Sporn.

2473. Wer Andere hinter dem Ofen sucht, der brennt
sich grob. — (Er offenbart seine eigene Bosheit und Missethat.)

2474. Vorwitz macht die Jungfrauen theuer. — Nichts
Schädlichers ist den ledigen Töchtern, als wenn sie aus
Vorwitz an allen Orten sich sehen lassen, Alles hören, Alles
sehen.

2475. Der weiße Sonntag ist nicht mehr in ihrem
Kalender.

2476. Ihre Ehre hat Schiffbruch gelitten.

2477. Die Lilien sind im Garten verwelkt. — (Die Un=
schuld ist dahin.)

2478. Seine Heiligkeit ist nur von Wasserfarbe.

2479. Er ist von München nach Frauenhofen gegan=
gen. — (Aus dem geistlichen Stande in den weltlichen ge=
treten.)

2480. Am Zeiger kann man sehen, daß die Uhr ver=
rükkt ist. — (Vom Antlitz und äußern Betragen ist leicht
ein Schluß auf den innern Menschen zu machen.)

2481. Fremde Ehr ist dem Neidischen schwer.

2482. Fremdes Glükk ist dem Neidischen ein Strikk.

2483. Eines Andern gute Mittel sind dem Neidischen
harte Knittel. — Sie schlagen und plagen ihn. Einen
solchen Neid hatten Josephs Brüder.

2484. Hohe Baüme leiden vom Sturme am meisten.

2485. Auf hohen Bergen geht es kühl her. — So
sind hohe Dignitäten und Ämter ebenfalls tausend Gefah=
ren und Mühseligkeiten unterworfen. Eine Obrigkeit und
Vorsteher ist wie das Herz im menschlichen Leibe, hat nie
keine Ruh, steht in immerwärenden Sorgen; ist gleich ei=
ner Uhr, die zwar auswendig von Silber und Gold schim=
mert und scheint, aber inwendig eine ewige Unruhe. Re=
genten sind wie ein Regen, sie wissen nicht viel um gutes
und schönes Wetter. Der Obrigkeit bestes Confect ist Küm=
merniß; ihre Gasterei ist selten ohne Geierei, und wenn
man ihnen schon keinen gebratenen Widder auffetzt, so
bleibt ihnen doch die Widerwärtigkeit nicht aus; auch müs=
sen sie oft bei der besten Tafel harte Brokken schlukken,
ihr meistes Gewürz in den Speisen kommt aus Sorgen=
land.

2486. In den Händen steinreich, im Sakk bettelarm.—
(Abraham gebraucht es zunächst von einem Maurer.) Jakob

hob den Stein, den sonst Viele kaum wegwälzen konnten, allein vom Brunnen, um die Heerde der Rahel zu tränken. Es bleibt wahr:

2487. Lust und Liebe zu einem Dinge macht alle Mühe und Arbeit geringe.

2488. Ohne den Degen bekommt Niemand den Segen.

2489. Ohne Streit ist keine Beut. — Jakob mußte mit Gott ringen, ehe er gesegnet ward. Besonders kommt Niemand zu den ewigen Freuden, ohne vorhergehendes Leiden, denn erst

2490. Auf das Wilde folgt das Milde.

2491. Erst kommt die Last, dann folgt die Rast.

2492. Von Dornbach geht ein sicherer Weg in den Himmel, als von Rosenheim. Alle Diejenigen, welche Gott will machen zu Mitbürgern des Himmels, sucht er mit einer oder der andern Widerwärtigkeit heim; denn die Himmelsthür läßt sich nur 'mit dem Kreuzschlüssel öfnen. Gewiß ist es, daß Gott Niemand das ewige Leben ertheile, den er nicht im Kreuz findet; auch weiß man aus allen Kalendern, daß

2493. Die Kreuzwoche vor der Himmelfahrtswoche steht. — Der göttliche Mund hat das Himmelreich verglichen mit einem Senfkörnlein und mit einem Zuckerkandel, denn mit Büssen und nicht mit Possen kommt man in den Himmel; mit Schmerzen und nicht mit Scherzen kommt man in den Himmel; mit Laufen und nicht mit Saufen kommt man in den Himmel; mit Kasteien und nicht mit Gastereien kommt man in den Himmel; mit einem Wort:

2494. Ohne Weinen und Weh kommt man nicht in die Höh.

2495. Suppen eß' ich gern, aber nicht, wenn Prügel eingebrockt sind.

2496. Wenn ihr Geſicht ein Acker wäre, man fände das ganze Jahr Kornblumen darin. — (Blaue Flecke. Von einer Frau, die von ihrem Manne häufig gemiſſhandelt wird.) Gott hat ſein Kreuz ausgetheilt unter die, die er einmal will ewig zu ſich nehmen, denn

2497. Der Himmel iſt um kein ander Geld feil, als um Kreuzer. — Welche der Allerhöchſte auf der Welt mit Trübſal und Drangſal, mit Kreuz und Widerwärtigkeit heimſucht, denſelben pflegt er in jener Welt es mit Freuden und unendlichem Reichthum wieder zu erſetzen.

2498. Saiten, die heut noch klungen, ſind morgen zerſprungen. — (So hinfällig iſt der Menſch.)

2499. Man kann den Baum wohl ſtutzen, aber man muſſ ihn nicht ganz umhauen. — Das war zu grob; der Bauersmann iſt ſchuldig und verpflichtet, das Gebührende ſeiner Herrſchaft abzuſtatten, aber ſo man ſie gar auf das Blut ausſaugt, da iſt ſolches hart bei Gott zu verantworten.

2500. Wenn man den Bogen zu ſehr ſpannt, ſo ſpringt er. — Man ſoll hübſch ſein mit den Unterthanen umgehen; Alexander der Große hat wegen ſtätem Kriegführen einen ziemlichen Abgang des Geldes gelitten, daher er die Seinigen um Rath gefragt, wie in dem Falle zu helfen ſei; als dieſe aber einige rathen, er ſolle die Unterthanen beſſer barbieren, und die Bauern ſteif ſchröpfen, da hat er hierüber den Kopf geſchüttelt und geſagt: Den Gärtner, welcher das Kraut mit der Wurzel ausrauft, mag und kann ich nicht leiden.

2501. Kein Schermeſſer ſchärfer ſchiert, als wenn ein Knecht Herr wird.

2502. Laſſ die Hunde bellen und die Leute reden.

2503. Wer die Wahrheit geigt, dem ſchlägt man den

Bogen um ben Kopf. — Darum wollte auch Jonas nicht nach Ninive, in Erwägung, daß er durch solche Predigt einen schlechten Lohn werde zu gewarten haben, er wollte daher lieber zu Wasser nach Tarsus segeln. Der Teufel ist ein Maler, denn

2304. Er macht stäts einen blauen Dunst vor die Augen. — Der Teufel ist ein Schlosser, denn

2305. Er schießt Manchem einen Riegel. — Der Teufel ist ein Fuhrmann, denn

2306. Er führt Manchen hinter das Licht. — Der Teufel ist ein Bader, denn

2307. Er richtet Manchem ein grobes Bad zu. — Der Teufel ist ein Fischer, aber

2308. Er gehet stäts mit faulen Fischen um. — Der Teufel ist ein Kaufmann, aber

2309. Er handelt nur mit Bärenhäuter=Zeug. — Der Teufel ist ein Schuster

2310. Jeder soll über seinen Leisten geschlagen sein. — Der Teufel ist ein Drechsler, denn

2311. Er drehet Vielen eine lange Nase. — Der Teufel ist ein Kürschner, aber

2312. Er setzet nur Läuse in den Pelz.

2313. Er hat Katzenschrift im Gesicht, — (Ist bei einer Schlägerei zerkratzt worden.)

2314. Den Kehraus tanzen.

2315. In einer guten Orgel stimmen große und kleine Pfeifen. — (So soll ein Orden und Kloster, überhaupt jede Gesellschaft sein)

2316. Jung gewohnt, alt gethan.

2317. Wer kann dem Hunde das Bellen abgewöhnen.

2318. Die Katze läßt nicht von dem Mausen.

2319. Der Wolf läßt das Heülen nicht.

314

2520. Wer kann dem Fuchse das Schleichen abge=
wöhnen.

2521. Der Bär läßt das Murren nicht.

2522. Der Rabe läßt das Stehlen nicht.

2523. Die Gans läßt das Schnattern nicht. — Wer
kann eine alte böse Gewohnheit abgewöhnen? Ich nicht;
denn die

2524. Gewohnheit ist die andere Natur.

2525. Es ist schwer, einen Mohren weiß waschen.

2526. Einen alten Baum biegen, ist hart.

2527. Ein alter Schaden ist bös zu kuriren.

2528. Saurer Wein ist schwer süß zu machen. — Eben
so schwer ist es, einen von der alten Gewohnheit abzubrin=
gen. Reib und wasch, putz und kratz und schab, so wirst
du dennoch die alte Gewohnheit hart herausbringen.

2529. Guten Kindern folgt Heil, bösen ein Seil. —
Zu gewarten haben die Kinder, so ihre Eltern verehren,
einen Trost, die sie aber unehren, einen Rost; die ihre
Eltern lieben ein Heil, die sie aber beleidigen ein Seil; die
ihren Eltern folgen, Gott, die ihnen nicht folgen, Spott;
die sich ihrer Eltern annehmen, ein Gut, die sie aber ver=
lassen ein Blut; die ihre Eltern achten, eine Freud, die
sie aber verachten, ein Leid; die ihren Eltern beistehen, ein
Kron, die ihrer vergessen, ein Hohn, und zwar einen
ewigen.

2530. Ein Soldat muß Herz haben, — denn einen
Soldaten macht nicht die Blumagi, sondern die Couragi,
einen Soldaten macht nicht die Pasteten, sondern die Pastein;
einen Soldaten macht nicht die Parokken, sondern die Ba=
raquen; einen Soldaten macht nicht das Haarpulver, son=
dern das Schießpulver; einen Soldaten macht nicht das
Ballspiel, sondern das Hannibalspiel; einen Soldaten macht

nicht der Aufzug, sondern der Feldzug; einen Soldaten
macht nicht der Muthwillen, sondern der Heldenmuth,
einen Soldaten macht nicht die Schlafhauben, sondern die
Wekkelhaube; einen Soldaten macht nicht die Flöte, sondern
die Flinte; einen Soldaten macht nicht die Sabinerl, son=
dern der Säbel.

2531. Welcher Fisch soll nicht nach diesem Köder schnap=
pen! — (Wenn Jemandem glänzende Anerbietungen für ir=
gend eine Pflichtverletzung und dgl. gemacht werden.)

2532. Oben schwimmen, wie Pantoffelholz. — (Von
Ehrsüchtigen.)

2533. Im Thale wächst stäts das beste Gras. — (Em=
pfehlung der Demuth, der Niebrigkeit, eines niedern Standes.)

2534. Das niedere Veilchen riecht besser als Winter=
grün. — (Das anspruchslose Unten ist dem glänzenden
Oben vorzuziehen.)

2535. In der niebrigen Erde findet man mehr Gold
als auf einem hohen Thurme. — (Nicht das Hochstehende
ist allein das Gute. Christus selbst wurde in einem Stalle
geboren.)

2536. Dem Teüfel ein Ohr abschwören. — (Seinen
Eid nicht halten.)

IX. Abrahamisches Bescheidessen, soll
man wohl nicht vergessen 2c.

2537. Besser gehörlos als ehrlos. Oder

2538. Besser ohne Gehör, als ohne Ehr. — Fliehet
ihr Jungfrauen Alles, eüre jungfräuliche Reinigkeit zu ver=
lieren. Unter solcher Gelegenheit ist nicht die geringste,

das Anhören der Schmeichelwörter, der Lob=Wörter, der Lokkwörter, der Versprichwörter, der Lohnwörter, der Sprichwörter, der schönen Wörter, Wörter besser zu nennen Schwerter, welche nur nach dem Leben, dem Leben der Seele trachten; Wörter besser zu nennen Wetter, welches nur die weißen Lilien der Reinigkeit will zu Boden werfen; nichts als Unwörter, weil sie nur mit dem Kleide der Ehrbarkeit verbekkte Engel sind, ziehen aber in das Verderben. Fliehet ihr Jungfrauen solche Wörter, stellt euch taub und gehörlos! **Besser gehörlos, als ehrlos; Besser ohne Gehör, als ohne Ehr.** Gott hat schon im alten Testament und Gesetz verordnet, daß die Jungfrauen sollten sogar in der Kirchen mit bebekktem Haupt sein, und folgsam auch mit bedekkten Ohren, damit zu verstehen geben, sie sollen auch halb taub sein.

2539. Nach der Arbeit kommt der Lohn.

2540. Auf die Kreuzwoche folgt Ostern. — Tröstet euch ihr Frauen, die ihr so viel zu leiden habt! Nach dem Winter kommt der Sommer, nach der Arbeit kommt der Lohn, jetzt lebt ihr in lauter Arbeit und Betrübniß, alsdann werdet ihr empfangen den ewigen Lohn. Jetzt lebt ihr in einer stäten Kreuzwoche mit euern Hausgenossen und Ehegatten, aber alsdann werdet ihr gewiß der ewigen Ostern genießen.

2541. Auf Krieg folgt Sieg. — Jetzt seid ihr in einem stäten Krieg und Kampf, allwo nichts als Leiden, aber alsdann werdet ihr gelangen zu dem ewigen Sieg.

2542. Breter schneiden. — (Schnarchen.)

2543. Er wird eine Seilerstochter heirathen. — (Wird gehängt werden.)

2544. Er macht Hochzeit mit einer Seilerstochter in einem Hause mit vier Saúlen. — (Stirbt am Galgen.)

Was war es, worauf Christus während des Sturmes so
gut schlief? Einige meinen, es sei ein Bret, Andere, es
seien Strikke gewesen; Barrabius sagt: es ist ein gutes
Gewissen gewesen; denn

2545. Ein gutes Gewissen ist ein sanftes Ruhekissen, —
auf dem einer sicher ohne alle Furcht und Schrekken ein=
schläft. Ein mit Blumen besprengtes Bettlein ist das mit
guten Werken angefüllte Gewissen; auf einem so chen schläft
und ruht einer so wohl, daß er nichts fürchtet, ja er ist noch
freudig und lustig.

2546. Je größer die Stürme, desto fester wurzelt die
Eiche. — (So ist der, welcher ein gutes Gewissn hat; je
mehr er vom Unglükk überfallen wird, je größere Hoff=
nung setzt er auf Gott, den er in sich hat.)

2547. Je mehr man den Zimmt stößt, desto lieblicher
riecht er. — Je mehr Unbild ein Gerechter leidet, je mehr
Trost empfindet er im Herzen; dies macht das gute Ge=
wissen.

2548. Immer oben schwimmen. — Wer Gottin sich hat
und eines guten Gewissens ist, der schwimmt allezeit oben,
der schläft ruhig, ißt ruhig, trinkt ruhig, der ist allezeit
lustig und fröhlich.

2549. Wer schmiert, der fährt. Darum:
  Muß das Schmieren nur nicht sparen
  wer will in den Himmel fahren.

Wer bei den Advokaten nicht schmiert, fährt nicht; das
weiß sogar ein einfältiger Bauer. Einer verstand das
Schmieren ganz anders; gehet hin, nimmt einen Hafen
voll Öhl und Karrensalbe, kommt in des Doktors Haus,
und fand ihn spazirend auf und abgehen. So oft sich nun
der Advokat umwendete, ging der gute Tropf hin, und
schmierte mit einer Salbe des Doktors Hand, welches der

Doktor alsobald verstand, was er damit meinte, und sagte solches seiner Gemahlin. Die Frau Doktorin kommt alsobald hervor: Mein lieber Freänd, sagte sie: es ist nicht übel gethan, dass ihr meinen Herrn so schmiert, allein ihr müsst auch ein Stück linzer Leinwand haben, dass er seine Hände wieder abtrokknen kann, so werdet ihr mit Trokknen mehr ausrichten, als mit Schmieren.

2550. Wer will steigen, muss eine goldne Leiter anlegen.

2531. Es nimmt Einer nicht ein, er schieße denn mit silbernen Kugeln.

2532. Schenk und spendir, so findest du eine offne Thür. — Ein Advokat wollte diesen übeln Nachklang nicht haben, daher schrieb er an seine Stubirstube: Bonis semper patet. Ein Schalk aber machte aus dem B ein D, dass es hieß Donis.

2533. Wenn kein Fisch an der Angel ist, so neigt sie sich nicht.

2534. Mit (spanischen) Kronen und (deütschen) Dukaten geht Alles von statten.

2535. Wer schmiert, der fährt.

2536. Soll dich ein Advokat berathen, so gib wakker Dukaten.

2537. Durch Schenkung und Gaben kann man Alles haben.

2538. Bringst du nichts nach Haus, so bleib nur draus — Etliche Advokaten, nicht alle, sind natürlich, wie die Ruthen am Fischangel, so lang kein Fisch an der Schnur hängt, biegt sie sich wohl nicht, steht ganz grade; sobald aber ein großer Fisch anbeißt und behängts, so bükkt sie sich gleich. Also sind auch nicht wenig der Advokaten und andern Herrn, die etwa beim Brot sitzen. Kommt Je=

519

mand, und wenn er schon im'Hirn trägt den Balbum und
Bartolum, im Mund den Ciceronem, im Verstand den
Aristotelem, und in den Gebärden den Catonem, und im
Herzen die Treuheit selbsten; wenn er aber nichts in der
Hand hat, da biegts sichs selten; er kommt nicht fort.
Wenn aber etwas an der Angelschnur, wenn ein schwerer
Beutel Geld daran kommt, da biegt sichs gleich, da gehts
ja, ja, ja, es kann sein. Mit ein Dutzend Thalern, mit
welschen Scudien, mit spanischen Kronen, mit französischen
Dublonen, mit deutschen Dukaten geht Alles von statten.
Wer schmiert, der fährt. Wenn deiner Sachen bald ein
Advokat soll rathen, so sei, Client, im Gold nicht sparsam,
gieb Dukaten. Gibst aus ein Paar Handschuh, so kanns
schon sein, giebst ein Recompens, so kanns schon sein.

2559. Wer schmiert, der fährt. — Jesus ist in den
Himmel gefahren, und zwar von einem Berge, nicht vom
Berge Carmelo, nicht von dem Berge Horeb, nicht von
dem Berge Nebo, nicht von dem Berg Sion, nicht von dem Berg
Libano, nicht von dem Berg Tabor; sondern von dem
Oelberge, zu zeigen, der da will in den Himmel kommen,
müsse zu schmieren haben. Wer schmiert, der fährt.
Wer weiß, ob nicht etwa den fünf thörichten Jungfrauen
die Himmelspforten vor der Nase geschlossen und versperrt
worden, weil sie kein Oel in ihren Lampen mitgebracht, sind
also die armen Menscher ohne Oel auch bei dem Himmel
zu spät kommen, denn wer nicht thut spendiren, wird nur
verlieren ꝛc. Und ist zwischen Gott und der Welt nur
dieser Unterschied, was das Schmieren anbelangt, daß die
Welt will geschmiert sein mit Thalern und Dukaten, Gott
aber mit lauter Kreuzern, also, daß er den Himmel nicht
giebt, es sei denn, man schmiert ihn mit Kreuz an.

2560. Kein schwerer Holz als der Bettelstab. — Arm

345

fein ift ein groß Kreüz, und darf Niemand lange rathen, welches das schwerste Holz sei, keins ift schwerer als der Bettelstab. Die Geometer wissen, daß die Stadt Leiden in Holland, von Bethel in Paläftina, allwo Jakob den erften Altar Gott aufgericht, sei etlich hundert Meilen von einander entfernt, ich aber sag, daß Leyden und Bethel hart an einander stehen. Wer leidet mehr, als ein Bettler, als ein Armer?

2561. Armuth gehört hinter die Thür. — Wo Nix ift auf lateinisch, da gehts kühl her, und wo Nichts ift auf Deütsch, da gehts kühl her. Der arm ift und nichts hat, der muß vor der Thür liegen, wie der Lazarus, hat den erften Sitz bei der Thür, ob es zwar bei Gott anders im Brauch.

2562. Wo Mars einzieht, zieht das Glükk aus.

2563. Wo Mars niederfitzt, fteht das Glükk auf.

2564. Wo Mars das Wetter macht, da verdirbt das Glükk.

2565. Krieg macht die Kirche leer und den Kirchhof voll.

2566. Wo Krieg ift, wird der Brotakker dürr, und der Gottesakker feift. — Im Kriege find die Büchsen wohlfeil und die Sparbüchsen theüer. Ein Krieg ift dem Elend verwandt, der Noth befreündet, der Trübsal verbunden und mit allem übel alliirt. — üble Nachrede leiden, und Verschwärzungen der Ehre haben, ift ein großes Kreüz, denn

2567. Ein Himmel ohne Sonn,
  ein Garten ohne Bronn,
  eine Suppe ohne Brokken,
  und ein Thurm ohne Glokken,
  ein Soldat ohne Gewehr,
  und ein Mann ohne Ehr',
  find Alle nicht weit her.

2568. Der gute Name ist der beste Same. — Reich sein und nicht ehrlich sein, ist nichts sein; gelobt sein und nicht ehrlich sein, ist nichts sein; schön sein und nicht ehrlich sein, ist nichts sein. Der gute Name ist der beste Same aus dem einem Ruhm und Glorie wächst.

2569. Einem die Ehre abschneiden. — David konnte sich in seinem Alter nicht erwärmen als Strafe, daß er dem Saul einen Zipfel vom Mantel geschnitten; wie hoch achtet erst Gott, wenn man einem die Ehre abschneidet.

2570. Kein Weinstock trägt lauter gute Trauben. — Eine Mutter hat nicht lauter gute Kinder, sondern auch bisweilen faule, schlimme, unnütze.

2571. Süßer Wein gibt sauern Essig. — Es ist nichts Neues, daß auch gute Leute böse Kinder haben, als wie der Wein, welcher ein so braver Herr und hat einen bösen Sohn, als da ist der Essig.

2572. Immer schnappen und nichts ertappen macht endlich einen Lappen. — (Tantalos.)

2573. Wer nicht mit Elend-Leder bekleidet ist, kommt nicht in den Himmel.

2574. Wer nicht mit Geduld geharnischt ist, kommt nicht in den Himmel.

2575. Wer nicht harte Nüsse (Kummer-, Betrüb-, Beschwernisse) aufbeißen kann, kommt nicht in dem Himmel.

2576. Wer nicht einen starken Magen hat (um harte Brocken zu verdauen) kommt nicht in den Himmel.

2577. Wer nicht einen Kreuzschlüssel hat, der eröffnet den Himmel nicht.

2578. Wer nicht das Wappen Christi trägt (Kreuz), kommt nicht in den Himmel. — Mit Kreuz allein lassen sich die Hände Gottes schmieren. Wer nicht mit Kreuz schmiert, kommt nicht in den Himmel, darum haben so viel gelitten der heil. Wenzeslaus, Kilian, Lambertus 2c.

2579. Ein gutes Weib, ein gesunder Leib, ein guter Nam', ein westfälinger Ham, ein Keller mit Wein, das glaub ich, soll das Beste sein.

2580. Er ist von Häbersdorf, und sie von Beißingen. — (Von zänkischen Eheleuten. Eine ausführlichere Schilderung solcher entwirft Abraham in Folgendem:)

2581. Sagt er ja, so spricht sie nein;
will er aus, so will sie ein;
will er dies, so will sie das;
singt er den Alt, brummt sie den Baß,
greift er zum Prügel, so nimmt sie die Schlüssel,
wirft er die Tiegel, so wirft sie die Schüssel.

Die Kinder nehmen der Ältern Sitten an; denn

2582. Wie der Baum, so die Frucht.

2583. Wie der alte Vogel singt, so pfeifen auch die jungen.

2584. Wie die Henne, so die Küchlein.

2585. Wie der Meister, so der Lehrjung.

2586. Wie der Hirt, so die Schafe.

2587. Wie der Meister, so das Werk.

2588. Wie der Fürst, so der Unterthan.

2589. Wie die Ältern, so die Kinder. — Die Kinder treten gemeiniglich in die Fußstapfen der Ältern, und lernen von ihnen das Böse. Wenn das Kind sieht, daß der Vater nicht das Beten viel acht, so wird es auch wenig mit dem Rosenkranz spielen. Wenn das Kind sieht, daß der Vater aus seinem Maul stets einen Flaschenkeller macht, und so oft in Zügen liegt, daß ihm die Seele schier durch die nassen Auge geht; so wird das Kind halt auch nach dem Becherl greifen.

2590. Der Mensch hat Glück gehabt. — Still, still, das kommt Alles von der göttlichen Providenz. Dies Brot kommt von keinen andern Händen, als von jenen, den wir bitten: Gib uns heut unser täglich Brot. Dieser Wein kommt von keinem andern Keller, als der göttlichen Providenz. Diese Speise kommt von keiner andern Kuchel als der göttlichen Providenz. Diese Milch kommt von keiner andern Amme, als von den Brüsten der göttlichen Providenz. Diese Arznei kommt von keinem andern Apotheker und Provisor, als der göttlichen Providenz. Diese Waar kommt aus keinem andern Gewölb, als der göttlichen Providenz. Diese Münze kommt aus keinem andern Zahlamt, als der göttlichen Providenz. Diese Gnade, diese Wohlthaten kommen von keiner andern Hand, sie seien wie sie wollen, sie seien wo sie wollen, sie seien wann sie wollen, als von den Händen Gottes; Gott bist du's schuldig, nicht nur dem Glück.

2591. Weiß und schwarz sind nicht beisammen, so wenig wie Wasser und Feuersflammen.

2592. Er mag seine Zunge auf die Schleifmühle geben. — (Von denen, die Böses reden, verleumden.)

2593. Er leugnet Stein und Bein. — (Sehr hartnäckig.)

2594. Er ist Esaus Schwager. — (Ein Sauhirt.)

2595. Er hört die schwarze Sau läuten. — Erschrickt, und bekennt vor Gericht das gethane Unrecht. Abraham erzählt die Entstehung so: Ein Schneidergesell hat seinem Meister Tuch veruntreut, und als er des Diebstahls gezeihen worden ist, denselben hartnäckig geläugnet. Als kurz darauf der Sauhirt bei dem Hause vorbeitrieb, kam eine schwarze Sau an das Haus des Schneiders und rieb sich so, daß sie zufällig die Klingel berührt, welche in die Stube

21 *

des Schneiders führt. Der Gesell sah herunter, bemerkte das Läuten, hielt die Sau für den Teufel, erschrak darüber so, daß er sogleich dem Meister den Diebstahl gestand.

2596. Angesehen wie ein Spieß in den Augen.

2597. Gern gesehen wie ein Wolf unter den Schafen.

2598. Willkommen wie die Maus beim Käse.

2599. Eingeladen wie die Raupen ins Kraut.

2600. Weiberlust und Weiberlist meistens über Alles ist.

2601. Der Sache ein Färblein anstreichen. — Die arge Welt streicht schlimmen Sachen ein Färbel an, und will nicht mehr geizig, sondern sparsam, nicht hoffärtig, sondern ehrlich und sauber sein. Man trinkt sich nicht mehr voll, sondern nur einen Rausch. Man entheiligt den Feiertag nicht mehr, man ruhet nur und erquickt sich. Man verachtet Gottes Wort nicht mehr, man liest nur zu Hause eine Predigt aus der Postill. Man schwört und flucht nicht mehr, sondern man braucht nur ein Ernst. Man lügt nicht mehr, man verirrt nur.*) Man stiehlt nicht mehr, man macht sich nur was à parte. Man schmeichelt und heuchelt nicht mehr, man ist nur höflich. Man sündigt nicht mehr, man begeht nur bisweilen eine Schwachheit.

2602. Er will nur immer oben schwimmen. — Bei dem Schwemmteiche zu Jerusalem sind viel Süchten gewesen. Dort sind gelegen Wassersüchtige, eine üble Sucht; Schwindsüchtige, eine üble Sucht; Dürrsüchtige, eine üble Sucht; Lungensüchtige, eine üble Sucht. Die Ehrsüchtigen sind wie die Störche, die ihr Nest nur in die Höhe machen, sie sind wie die Raket, so nur wollen empor steigen. Sie sind rechte Ölbrüder, weil sie nur wollen oben schwimmen.

---

*) Oder wie neulich ein Franzose sehr artig sagte, man erlaubt sich nur eine freiwillige Ungenauigkeit.

Nachdem die Apostel den heil. Geist empfangen, hat Petrus sogleich den jüdischen Hohenpriestern die Wahrheit ohne Scheu

2605. In den Bart gerieben, — welche darüber dergestalt erbittert, daß sie an die Apostel gewaltthätige Hände legen, und sie in das Gefängniß bringen lassen, denn

2604. Die Wahrheit ist ein Brot, hart zu beißen wie der Tod.

2605. Die Wahrheit ist eine Braut, die Niemand gern beschaut.

2606. Die Wahrheit ist ein Buch, in dem man nicht gern liest.

2607. Die Wahrheit ist ein Bach, in dem sich Keiner gern wäscht.

2608. Die Wahrheit ist eine Speise, die Niemand schmekkt. — Eine Hand an der Wand, hat dem König Balthasar die Wahrheit geschrieben, an der Wand, und nicht auf den Tisch, sonst hätt mans auf die Pratzen geschlagen. Dermalen (jetzt) ists so gefährlich, die Wahrheit zu reden, daß der Prediger auf der Kanzel seinen Zuhörern, der geistliche Vater seinem Beichtkind, der Doktor seinen Kranken, der Advokat seinen Clienten die baare und klare Wahrheit vorzutragen, ein Bedenken macht. Sondern man befleißigt sich zu reden dasjenige, was man weiß, das wohlgefällig und beliebig ist.

Die Pharisäer brachten ein Weib zu Jesu, die sie im Ehebruche betroffen hatten, und forderten von ihm, er solle seine Meinung darüber aussprechen, was man ihr für einen Prozeß machen solle; aber

2609. Das war Spekk auf die Falle gelegt, — der ihnen aber nicht gelungen.

2610. Einen auf den Pelz schießen. — Ein Fürst sagte zu seinem Hofprediger, der durch Gleichnisse die Fehler und

Laster derselben gerügt hatte, über Tische: Ihr habt mich heut ziemlich auf den Pelz geschossen, Herr Hofprediger. Dieser erwiederte: Gnädigster Herr, es ist mir leid, ich habe aufs Herz gezielt, nun aber hör ich, daß ich nur den Pelz getroffen.

2611. Schwarze Raben brüten keine weißen Schwäne.

2612. An Dornhekken wachsen keine Weintrauben.

2613. Aus Meerwasser werden keine süßen Suppen.

2614. Von Wölfen kommen keine Schafe. — So ist auch wahr, daß von einer garstigen ungestalten Mutter keine schöne holdselige Tochter herrührt. Ein stolzer Mensch will meistentheils sich über Andere erheben, und will allein

2615. Hahn im Korbe sein, — er will

2616. Allzeit oben schwimmen, wie das Holz über dem Wasser. — Ein stolzer Gaul aber gehet nicht ein in den Schafstall Gottes, sondern kommt in den untern Stall,

2617. Da wird ihn (schon) der Teufel reiten.— Denn man weiß, wer Teufels sein Pferd ist, ein Hoffärtiger; wers Teufels seine Mutter, die Hoffahrt; wers Teufels sein Stammhaus ist, nichts andern, als die Hoffart; der Schlüssel in die Höll ist die Hoffart; der Schlüssel in den Himmel ist die Demuth.

2618. Die Pforte im Himmel ist klein, es kann kein großer Prahlhans hinein.

2619. Der Weg zum Himmel geht durch ein tiefes Thal.

2620. Bei Gott zählt man nichts als bloße Nullen.

2621. Wer nicht tief singen kann, taugt nicht in den Himmel. — Im Himmel ist eine niedrige Thür; Große und Hohe kommen nicht hinein. Das hat Christus in seinem heiligen Tod auf dem Kreuz erwiesen, indem er mit geneigtem Haupt hat seinen Geist aufgegeben. Das

Haupt neigen, bedeutet aber die Demuth.- Darum hat Christus wollen seinen Eintritt in Jerusalem anstellen auf einen Esel, welches ein verächtliches Thier ist, das bedeutet die Demuth. Darum hat Christus als ein Meister sich zu den Füßen der Apostel niedergeworfen, und ihnen solche gewaschen; das ist eine Demuth. Darum hat Christus, da er als ein Knäbel auf die Welt geboren worden, von den armen Hirten wollen besucht und angebetet werden; das ist eine Demuth. Darum hat Christus wollen vermenscht werden von einer Jungfrau, die sich vor einer Dienstmagd hat erkannt; das ist die Demuth. Darum hat Christus sein erstes Rastbettlein gleich nach der Geburt genommen auf bloßer, mit wenig Heu und Streu bedekkter, Erden; das ist Demuth. Darum hat Christus lauter grobe und unverschämte Fischer zu seinen Bedienten und Aposteln genommen, das ist eine Demuth.

2622. Wer sich auf Morgen verläßt, gewinnt einen übeln Abend.

2623. Wein macht gescheidte Köpfe.

2624. Wenn ich trink Wein, red ich fein Latein, trink ich aber Bier, red' ich närrisch dafür.

2625. Bachus ist allen Narren Vater und Gevatter.

2626. Einen Kachelofen für ein Bierglas ansehen.

2627. Einen Mehlsakk für ein Weinfaß ansehen.

2628. Einen Kirschbaum für einen Besenstiel ansehen.

2629. Er sieht einen Flederwisch für eine Windmühle an.

2630. Er sieht eine Katze für eine Wachtel an.

2631. Er nimmt ein Hakkebrett für einen Löffel, und Hänsel für den Steffel. — (Von Berauschten.)

2632. Narren macht der Wein, sauft man ihn unmäßig hinein.

2633. Dem Menschen sind drei Trünk erlaubt, einer

zum Durst, der Andere zur Lust, der Dritte zur Fröhlichkeit, was darüber, bringet Trunkenheit.

2634. Bachus ist ein rechter Saüfer und ein Narrentaüfer, der gibt Wein, so traurig sein.

2635. Ein Ei und ein Glas Wein erhalten einen 24 Stunden. — Ein Zechbruder aß auf einen Fasttag sehr viel Eier, und trank darauf nicht wenig, als er nun in Lust kommen, stieg ihm der Wein in den Kopf, daß er kaum mehr auf den Füßen stehen konnte, wie ihm solches sein Freund vorhielt, schau, schau, der volle Narr. „Ich weiß nicht", sagt der Volle, „ich sehe wohl, daß das Sprichwort falsch ist, daß nämlich ein Ei und ein Glas Wein einen 24 Stunden erhalten können. Nun aber habe ich über 18 Eier gegessen, und ein und dreißig Gläser Wein trunken, und kann ich mich doch kaum erhalten." Mein Narr! der Wein ist Aufenthalt des Lebens, wenn er mäßig genommen wird, sonst ist er eine Schwächung des Leibes. Der Wein ist ein Bad, mit welchem die Traurigkeit wird abgewaschen; wenn er aber zu viel genommen wird, so ertränket er die Tugenden. Der Wein ist beschaffen wie das Wasser, mit dem der Gärtner pflegt die Pflanzen und Blumen zu sprengen, wenn er wenig sprißt, ist dero Aufnahme, wenn er aber gar zu viel gießt, so verfaulen sie, also ist der Wein nach dem Brauch. Der Wein ist ein Kammerhitzer des kalten Leibes; wenn er aber gar zu viel genommen wird, ist er ein Brenner, und zündet Venusflammen an. Der Wein macht das Ingenium und Verstand klar und hell; wenn er aber zu viel, und ohne Manier genossen worden, so haüft er an das Hirn eine Schellen, eine Narrenschellen.

2636. Ein jedes Spiel hat sein Ziel, nicht zu wenig, nicht zu viel.

2637. Wenig und gut bringt guten Muth.

2638. Drei W sind in der Welt die stärksten: Weib, Wein und Wahrheit.

2639. Drei Z sind gemeiniglich bei einander: Zechen, Zanker, Zungenschmied.

2640. Drei G sind die angenehmsten in der Welt: Glück, Geld und guter Name.

2641. Drei T sind der Menschen größte Feinde: Teufel, Tod und Trübsal.

2642. Drei K sind die größten Lügner in der Welt: Kalender, Krämerweiber und krumme Bettler.

2643. Drei Leute sind, die lieber nehmen als geben: Edelleute, Kriegsleute, Bettelleute.

2644. Weib, Esel und Nussbaum gehorchen nicht, man prügelt sie denn. Ein Bauer hat einen Prügel auf einen Nussbaum geworfen, ein Weib diesen gesehen, hat den Bauern ausgelacht, daß der Stockfisch nur alle Nüss durch Schlagen und Prügeln herabgenommen, worauf ihr der Nussbaum geantwortet, weißt du das Ding nicht; ein Weib, ein Esel, ein Nussbaum, sie gehorsamen nie, man prügele sie denn.

2645. Wenn man die Narren zu Markte schickt, so lösen die Krämer Geld. — Wenn nun der Satan für etwas irdische Lust die Hölle gibt, der hat doch schlecht eingekauft und ist ja angebrennt.

2646. Wenig und gut nicht Schaden thut.

2647. Es ist selten ein Baum, der nicht auch wurmstichige Äpfel trägt.

2648. Es ist selten ein Schatz ohne bleierne Fünfzehner.

2649. Selten eine Musik ohne schlechte Triller.

2650. Jeder Acker hat sein Unkraut.

2651. Selten ein Wein ohne. Lager.

2652. Es ist selten eine Schule, in der es keine Esel
gibt. — Selten, will nicht sagen ein Kloster, sondern ein
ganzer Orden, darinnen nicht auch böse sind, wie ein Ju=
das unter zwölf Aposteln; und dieses läßt Gott zu; damit
der Frommen ihre Tugenden desto mehr gesetzt werden,
wie in einer Tafel durch den Schatten schwarzer Farb,
die andern Farben desto besser herauskommen, aber den=
noch ist ein Orden nicht zu verwerfen. Hab noch nicht
gesehen, glaub ich, werds auch kaum erleben, daß Jemand
einen Sack voll Geld wegen eines schlimmen Kreützers oder
Poltråkhen weggeworfen.

2653. Abgestandene Fisch mag Gott nicht haben auf
seinen Tisch. — Das Neue ist angenehm. Gott selbst hat
im alten Testament anbefohlen, man soll ihm im Tempel
zu Jerusalem keine Fische opfern, Ursachhalber, der Tem=
pel war weit entlegen und folgsam, ehe man die Fisch
hätte dahin gebracht, wåren alle abgestanden. Abgestan=
dene Fische mag er nicht haben auf seinem Tisch; etwas
Frisches und Neues gesiel ihm wohl, und beliebte seiner
göttlichen Majeståt; also hat er auf eine neue Manier wol=
len geboren werden von einer Jungfrau; ein neues Testa=
ment wollen aufrichten, in einem neuen Grab wollen be=
graben werden, er selbst, Gott, hat gern etwas Neues, und
es ist halt wahr:

2654. Was neu ist, das ist angenehm, was alt ist, das
ist unbequem.

2655. Neues klingt, Altes hinkt.

2656. Was neu ist, schimmert, was alt ist, trümmert.

2657. Neues faßt man, Altes haßt man.

2658. Was neu ist, lacht, was alt ist, kracht.

2659. Neues preist man, Altes zerreißt man.

2660. Man trägt lieber neúe Hosen.

2661. Man riecht lieber frische Rosen,

2662. Lieber kehren neúe Besen. — Neúe Früchte, neúe Geschichte liebt man, neúe Búcher, neúe Túcher kauft man, neúe Schüsseln, neúe Bissel liebt man. Und insonderheit ein Prediger, wenn er státs mit alten Sachen aufzieht ist er

2663. So angenehm wie der Topf Elisa's.

2664. Willkommen wie die Frösche Pharao's, — wesswegen von nöthen zu besser Aufmunterung seiner Zuhörer allezeit etwas Neúes vorzubringen.

2665. Ist der Köder frisch, so fängt er Fisch.

2666. Neúe Federn schreiben rein.

2667. Wissen und Gewissen sind selten bei einander. — Wár mancher nicht worden ein Schuler, so wár er nicht gewesen ein Buhler, gemeiniglich Virgiliani sind schlechte Vigiliani, gute Cicerones schlimme Catones, Regel und Regerl, zwei nahende Vögerl. Unser Herr, wie er zwölf Jahr alt worden, und unter Doctores gesessen, wie ein Schuljünger, haben seine Ältern vermeint, er sei verloren. Wahr ist wohl, dass Mancher verloren wird, und lernen oft mehr in Bechern, als Büchern, und unter Solchen fromm sein, ist etwas Neúes.

2668. Einer solchen Hand gehört kein ander Scepter. — (Abraham wendet diese R. a. auf Ehebrecher an, die bei einem Volke verkehrt auf einen Esel gesetzt wurden, den Schwanz des Thiers in der Hand halten mussten, und so in der Stadt herum geführt wurden.)

2669. Dörner und Körner wachsen nicht zugleich. — Es kann nicht anders sein, als dass ein Same unter Dörnern nicht aufgeht. So sagte Christus selbst. —Man sagt, und es ist wahr:

2670. Der Planeten und Poeten Influenzen sind leere Konsequenzen.

2671. Er hat weniger Glück als ein Geisbock Federn.

2672. Sein Kalender setzt nur Fasttage.

2673. In seinem Garten wachsen nur Kümmernisse.

2674. Sein Beutel ist eitel. — (leer.)

2675. Es ist ein armer Narr in seiner Pfarr. — Wer geboren wird unter dem Zeichen der Wage, der hat gut Glück zu hoffen.

2676. Der führt die Braut heim.

2677. Der kälbern die Ochsen.

2678. Auf eine Lüge gehört eine Maultasche. — Der heil. Benedikt hat einst von einem Besessenen mittels einer Maultasche einen Teufel ausgetrieben. Warum aber mit einer Maultasche? Ich glaub der hocherleuchtete Mann habe gewußt, wie der Erbfeind das ganze menschliche Geschlecht hab verführt, durch ein Feigen, denn viel dociren, daß kein Apfel sei gewesen, sondern ein Feigen, dachte also: Holla! Bösewicht du hast mir ein Feigen, ich muß dir wieder mit Feigen zahlen, und gibt also dem Teufel eine Ohrfeigen. Oder aber er gedachte Benedictus, daß der Teufel ein großer Lügner war, und mit einer Lüge das ganze menschliche Geschlecht ins Verderben brachte, ihr werdet mit nichten sterben. Ei so lüg! Auf eine Lüge gehört ein Maultaschen, welche dann der heil. Benediktus diesem verlornen Erzfeind gegeben.

2679. Ein Feuer brennt das andere nicht. — Die Jungfrauen sind bei Gott in besonders großen Ehren, mit dem Namen besudelt sich eine nur, also daß das Sprichwort lautet:

2680. Diese hat sich besudelt. — (Von denen die unkeusch leben.)

2681. Welt will Geld. — Die Pfaffen sollen sich nicht in Welthändel einmischen, sondern sich zum Beten bequemen, denn

2682. Roß und Wagen, Ehestand und Plagen, Akker und Pflug, Wässer und Krug, durstige Brüder, Zecher und Lieber, Kirchen und Pfaffen sind zusammen erschaffen.

2683. Ein Fisch außer dem Fluß, ein Kern außer der Nuß, ein Spiegel aus dem Rahm, ein Pferd aus dem Zahm, außer der Erd' eine Maus, eine Jungfrau außer dem Haus, eine Blume außer dem Garten, haben nichts als Verlust zu erwarten.

2684. Geld regiert die Welt.

2685. Gold und Geld regiert die ganze Welt.

2686. Geld allein macht Gunst.

2687. Ohne Geld ist Kunst umsunst.

2688. Ohne Geld ist Kunst nichts als Rauch und Dunst.

2689. Geld ist die größte Kunst.

2690. Geld ist der größte Held. — Geld ist eine Mühl, in der ein Jeder will mahlen; ein Ziel, wohin ein Jeder will laufen; ein Fluß, in dem sich ein Jeder will baden; eine Nuß, die ein Jeder will aufbeißen; eine Weide, wo ein Jeder will grasen; ein Kleid, das ein Jeder will tragen; ein Bißlein, nachdem ein Jeder will schnappen; eine Schüssel, aus der ein Jeder will essen; eine Braut, die ein Jeder will heimführen; ein Kraut, das ein Jeder will haben; ein Schmaus, bei dem ein Jeder will sein; ein Haus in dem ein Jeder will wohnen; eine Blume, an die ein Jeder will riechen; ein Baum, den ein Jeder will schütteln. Samson hat mit seinen Esels-Kinnbakken viel gerichtet; Gideon mit seinem Schwert hat viel gerichtet; David mit seiner Schlinge hat viel gerichtet; Jakob mit

feiner Lanze hat viel gerichtet. Rahel mit ihrem Nagel
und Hammer hat viel gericht; jenes Weib auf dem Thurme
zu Sichem hat mit den Trum von einen Mühlstein viel
gericht; aber nicht so viel als Geld. Es schlägt Alles,
jagt Alles, trutzt Alles, stutzt Alles, treibt Alles, reibt Alles
findet Alles, es überwindet Alles. Dem Gelde ist alles un=
terthan. Geld regiert die Welt; Gold und Geld re=
giert die ganze Welt. Hast du sechs, siebenmal den He=
likon durchflogen; hast du die Musen all, und Phöbum
ganz ausgesogen, hast du kein Geld dabei, ist nichts als
Lapperei; denn Geld allein macht die Gunst, ohne Geld
heilt nichts die Kunst. Mit Geld kann man Alles richten, was man
nur haben will. Das Geld all Händel schlichtet, was brauchts
nun weiter viel, nichts Kräftigers nichts Stärkers man in
der Welt jetzt find't. Ganze Kriegsheere und Knaben,
Thürme, Pasteien, Palisaden, feste Städte und Schlös=
ser, und was ist größer, das Geld jetzt überwindet. Der
Menschen Geist und Blut ist Gut und Geld; wer dies
nicht hat, der ist ein Todter in der Welt. Geld ist der
größte Held, Geld thut Glauben machen, Geld hilft zu al=
len Sachen; ist denn der Teufel in dem Geld, daß ohne
Geld man nichts erhält. Um Geld ist Alles feil, man darf
nicht ferne laufen, nach Kunst und Wissenschaft, nach Tu=
gend und Verstand. Wenn du hast bares Geld, so magst
du Alles kaufen. Man giebt dir einen Dienst, das ist ein
gutes Pfand. Mancher verläßt sich auf das Schwimmen,
gedenkt aber nicht an das alte Sprichwort; daß öfters

2691. Die besten Schwimmer ersaufen.

2692. Hunger ist ein guter Koch. — Man sieht, daß
zur Hungerszeit auch die reichen Leute sich nicht können
ausnehmen, sondern bei allem ihren Gelde mit schmalen
Bissen müssen vorlieb nehmen. Manch haiklicher Magen

den zuvor Fasanen Rebhünbel, Torten und Pasteten schier zu schlecht waren, ist nachmals froh, wenn er etwas Arbeit oder Rüben bekommt, und schmekken ihn bei solcher Zeit besser, als die allgeschmakktesten Lekkerbissen: Denn der Hunger ist ein guter Koch. Es ist sonst ein allbekanntes Sprichwort, da man sagt:

2693. Geld im Beutel ist für alle Wunden ein Kräutel. — Glaubs wer da will, aber ich glaubs nicht. Mit dem Geld kann man die Krankheit und Ungesund nicht vertreiben; denn Mancher schikkt in alle Apotheken, aber es ist so viel als

2694. Einen Mohren waschen. — Aller Kräuter ungeachtet müssen die Menschen die Schuld der Natur bezahlen, nach allgemeinem Sprichwort:

2695. Es ist kein Kräutel vor den Tod gewachsen, — und obschon mancher Reiche um ein solches Kräutel hundert Tausend Gulden hätte gegeben, so würde es ihm doch für den Tod kein Salva Quardi gewesen sein, viel weniger, dass er als Verstorbener wiederum hätte können lebendig werden.

2796. Wenn alle Diebe Heu fräßen, müßten die Pferde erhungern.

2697. Nicht jedes Freien bringt Gedeihen.

2698. Vieles Werben bringt Verderben.

2699. Wer das Geld zum Weibe nimmt, bekommt ein schlimmes Heirathgut. — Ihrer Viele halten das Beten für eine Pfafferei, und denken, Gott dürfe ihnen nicht rathen, sie wären selbst klug genug. Was ist denn Wunder, wenn bei ihrem Freien kein Gedeihen, bei ihrem Werben nichts als Verderben. Einer freiet mit den Augen, und suchet eine schöne Helenam, findet aber, wenn mans beim Licht besieht, eine hässliche unfreundliche Hecubam.

Für ein Fromm Gemahl,
wird ihm täglich Qual.

Ein Anderer freiet nur mit den Händen und greifet
nach einem Säkkel Geld; aber Gott klopft ihn auf die
Finger, und läſſt ihm für das Geld den Sakk in beiden
Fäuſten. Wer das Geld zum Weibe nimmt, dem wird
ein böſes Weib zum Heirath=Gut gegeben. Jenes wird je
länger, je weniger, dieſes je länger je ärger.

X. Wohl angefüllter Weinkeller, in welchem manche durſtige Seele ſich mit einem Geiſtlichen Geſeng=Gott erquikken kann ꝛc.

2700. Wie ein Bauernſieb, die Körner fallen durch,
und das Stroh bleibt liegen. — Es ſtehet gar nicht wohl, wenn
es bei Beſetzung der Ämter hergehet, wie bei den Brün-
nenampern, allwo der leere in der Höhe iſt, und der angefüllte unten; gar nicht rühmlich iſt es, wenn man handelt
wie der Bauer mit dem Siebe oder Retter, allwo das gute
durchfällt, und der Staub in die Höhe geht; gar ſchädlich
iſt es, wenn die Magnaten ſind wie die Magneten, welche
das gemeine Eiſen an ſich ziehen, und das koſtbare Gold
nicht achten. In allen Wahlen ſoll man die Tauglichkeit
und Verdienſten in Obacht nehmen. Viele werden zu Ämtern gezogen in Anſehung der Verwandſchaft, weil etwa
einer einen Sohn, einen Vetter, einen Schwager oder ſonſt Befreundete hat. Wenn ſie gute Gaben, löbliche Tugenden,
und ſittſame Wiſſenſchaften an ſich haben, ſo kann man
ſie zuweilen andern vorziehen. Iſt aber der Sohn ein Küm-
mel, der Vetter ein arkadiſcher Schimmel, der Schwager

in einfältiger Tropf, der Befreundete ein leerer Kopf, so ist es wider alles Gewissen, solchen zu hohen Ämtern zu helfen.

2701. Wie es in den Wald schallt, so schallt es wieder zurück.

2702. Mit gleicher Lauge gewaschen werden. — (Gleiche Strafe mit Jemanden erdulden, oder gleiches Schicksal mit ihm haben.)

2703. Er bückt sich tiefer als eine Haselnußstaude, wenn der Wind geht.

2704. Eine Henne kratzt mit den Füßen nicht so viel als er mit seinen Schuhen.

2705. Die Knie haben bei ihm nie Feierabend. — (Zunächst von Höflingen, dann von jedem Kratzfüßer von Profession.)

2706. Der ungerechte Pfennig verzehrt den gerechten Kreuzer.

2707. Manches Glück thut kein gut.

2708. Wie gewonnen, so zerronnen. — Auf solche Weise verdirbt auch mancher Reiche, welcher meistens auch ungerechtes Gut an sich zieht, und folglich zu großem Reichthum gelangt, dieser aber bekommt nach und nach die Schwindsucht, und verzehrt der ungerechte Pfennig den gerechten Kreuzer, also daß er alle beide verliert. Denn auf das Reich folget gemeiniglich die Rache, benanntlich die Rache Gottes, welche durchaus macht, daß die Besitzung eines ungerechten Gutes bald wurmstichig wird; darum das alte Sprichwort mehrentheils mit der Wahrheit übereinstimmt: Wie gewonnen, so zerronnen.

2709. Einen Pfifferling, der über Nacht aufwächst, nascht des Morgens ein Schwein weg. — (Von ungerechtem Gut.)

23

2710. Wie gewonnen, so zerronnen. — Der gelehrte Stengelius schreibt, daß einer ein Pferd gestohlen, selbes mit schönen Zaum und Sattel versehen. Gleich darauf hat er solches sammt dem neuen Geschirr verloren; **Wie gewonnen, so zerronnen.** Besagter Autor bezeügt, daß zu seiner Zeit ein Soldat aus einem Dorfe ein Pferd hinweggenommen, kaum daß er zum Dorfe hinausgeritten, da haben zwei andere ihm das Pferd sammt dem Leben genommen, wol ein saubrer Gewinn. Man wird selten einen reichen Dieb antreffen.

2711. Bauern sind oft Lauern, die so lange dauern, bis man sie hängt an die Mauern.

2712. Reben verfolgen das Leben. — (Von unmäßigem Weingenuß. Bachus ist dem Bauche gar oft der größte Feind.)

2713. Wenn man Wasser auf den Kalk gießt, so fängt er an zu brennen. — Wenn man zu viel Wein eingießt, wird das Innere entzündet, wovon nachmals viel Krankheiten entstehen.

2714. Einen Mohren weiß waschen, — das kannst du Mensch nicht, aber Gott wohl. David war ein großer Sünder, gleichwohl hat David diesen Mohren weiß gewaschen.

2715. Er hat den Köder angebissen. — (Hat der Verführung unterlegen.)

2716. Sie gibt stäts Kapital und Zinsen. — (Von Frauenspersonen, welche jedes Wort reichlich erwidern.)

2717. Sie singt ein ganzes Jahr wie die Katze nur im März. — (Von verbuhlten Frauenzimmern.)

2718. Sie hat ein Haar in der Arbeit gefunden. — (Von Trägen.)

2719. Eilen thut kein gut. — Sara's Eilen beim Ba-

ten für den Besuch der drei Männer; Loths Eilen aus So=
dom, die Eile der Engel bei der Verkündigung der Geburt
Jesu; Zachäi eiliges Herabsteigen vom Maulbeerbaum ꝛc.,
hat gut gethan, besonders thut aber das Eilen zur Buße
gut. Sage nicht, ich bin noch jung, wisse

2720. Man bringt so bald eine Kälberhaut auf den
Markt als eine Kuhhaut.

2721. Freimann war sein Brautführer. — (Er wurde
an den Galgen gehängt.)

2722. Wenn sich der Esel unter die Musikanten mischt,
bekommt er den Takt zwischen die Ohren. — Bleibe in
dem Stand, in welchen dich die Natur gesetzt hat, und be=
gehre nichts, was dir nicht anständig. Wenn ein Treiber
will einen Schreiber abgeben, o wie ungereimt. Wenn ein
Halter will ein Verwalter sein, o wie närrisch; wenn ein
Hirt will einen Wirth vertreten, o wie unbesonnen. Der
Esel wollte sich auch einmal unter die Musikanten mischen,
hat aber den Takt zwischen die Ohren bekommen. Der
Besen wollte eine Zeit unter das Obst gezählt werden, weil
er einen Stiel hat, ist aber zum Mistauskehren verurtheilt
worden; so bleib denn ein jeder wer er ist.

2723. Wenn die Geistlichen zu weltlichen Sachen rathen,
  und die Soldaten ståts sieden und braten,
  und die Weiber führen das Regiment,
  so nimmt es selten ein gutes End.

2724. Das Weib muß nicht die Hosen tragen. — Gott
der Herr hat einem Jeden schon vorgeschrieben, was sein
Dienst, Amt und Schuldigkeit ist u. s. w. Denn der Mann
muß nicht zu Hause nähen, und das Weib den Pflug füh=
ren, sondern ein Jedes bleibe bei seinem Amt. Ein Mann
gehört zu dem Wagen, ein Weib zu der Wiege; ein Mann
gehört zu den Kohlenhütten, ein Weib zu dem Kochlöffel;

23*

ein Mann gehört zu dem Säen, ein Weib zu dem Nähen; ein Mann gehört zu dem Rath, ein Weib zu dem Spinnrädel; ein Mann gehört zu dem Kalkofen, ein Weib zu dem Bakkofen; ein Mann gehört zu dem Pfluge, ein Weib entgegen zu dem Kruge, aber nur — damit Wasser zu holen.

2725. Wer wie ein Geier gelebt, wird nicht wie eine Taube sterben.

2726. Wer lebt wie ein Schwein, stirbt nicht wie ein Lämmlein. — In dem Gleichniß vom Unkraut wird der Teufel ein Bauer genannt; ich aber, ob ich es schon an keinem Orte gelesen, nenne den Lucifer einen Edelmann und keinen Bauern, und steure mich auf das alte Sprichwort:

2727. Versprechen ist edelmännisch, halten ist bauerisch. — Der Teufel verspricht Alles und Jedes, wie er denn anfangs der Eva vorgeschwaßt, ihr werdet wie die Götter sein.

2728. Ein Baum ohne Frucht, eine Jungfer ohne Zucht,
eine Stube ohne Tisch, ein Fluß ohne Fisch,
eine Festung ohne Geschüß, ein Mensch ohne Wiß;
diese Dinge sind zu schäßen geringe.

Gott hat im alten Testament den Esel von seinem Opfer ausgeschlossen, weil er ein Sinnbild eines dummen und unverständigen Kopfes ist. Es ist recht geschehen, daß von dem himmlischen Bräutigam die thörichten Jungfrauen sind ausgeschlossen, die fünf Weisen aber mit aller Gebühr eingelassen worden; denn die Weisheit und die Wissenschaft billig den Vorzug hat. Gleichwol aber ist das Wissen gar oft wider das Gewissen, wenn nämlich einer gar alles wissen will, aus schädlichen Vorwiß, der Wiß ist lobenswerth, nicht aber der Fürwiß.

2729. Wenn sie ausgezogene Frösche kauft, will sie die

grünen Hofen dabei haben. — (Von denen, die sehr ge=
nau beim Einkaufen sind.)

2730. Schließ Gott nicht aus, dann geht Alles wohl
im Haus. — Ein Schiff ohne Ruder bist du, ein Vogel
ohne Flügel bist du, ein Garten ohne Zaun bist du, ein
Soldat ohne Waffen bist du, eine Speise ohne Salz bist
du, ein Faß ohne Reifen bist du — ohne Gott. Fange
demnach Alles an in Gottes Namen; fahre in allen
fort in Gottes Namen, sodann wirst du auch alles enden
in Gottes Namen. Es bleibt dabei:

2731. Wer Gott verehrt, sein Glück vermehrt. —
Mancher sagt: Was geht mich mein Nächster an, ich habe
mit mir selbst genug zu schaffen. Ein Anderer kann selige
werden oder verloren gehen, solches liegt ihm ob.

2732. Was mich nicht brennt, das blase ich nicht.

2733. Ein Jeder kehre vor seiner Thür. — Die Seele
die er von Gott bekommen, kann er wohl selbst regieren.
Wer will hierin so

2734. Seine Hände an fremden Schnitt legen. — So
sagst du? Eine solche Zunge hast du vom Teufel bekom=
men; hilfst du nicht dem Esel, der in die Grube fällt?

2735. Durch die Finger sehen. — Das Unheil was da=
durch geschieht, wird durch Beispiele belegt und geschildert,
z. B. durch die große Nachsicht der Ältern mit den Thor=
heiten ihrer Kinder. Kommt eine Klage, daß der Sohn
eine muthwillige That begangen, so heißt es:

2736. Man muß der Jugend etwas übersehen. — Die
Jugend ist ein Faß voll Most, wenn man demselben nicht
Luft läßt, bringt er nur Schaden.

2737. Weiberkuß ist ein grober Schuß. — (Stäts trifft
er das Herz.) Ein Venuskind (einen von der Liebe verblen=
deten Menschen) vom Bösen abmahnen, ist so viel als:

342

2738. Einen Mohren waschen, — ist so viel als
2739. Auf Sand bauen, — so viel als
2740. In das Wasser schreiben.
2741. Ein Maul aufreißen wie eine Fuhrmannstasche. — (Von denen, die sich sehr verwundern.) Jene Frau, welche 12 Jahr den Blutgang gehabt, hat ihr Hab' und Gut den Ärzten und Medicis angehängt, deren dazumal auch schon eine große Anzahl gewesen, zumal das Sprichwort lautet:

2742. Fingit se Medicum quivis Idiota profanus: Iudaeus, Monachus, Histrio, Tonsor, anus. (Jeder gemeine Dummkopf gibt sich für einen Doktor aus: Jude, Mönch, Schauspieler, Barbier, altes Weib.)

2743. Zwei Dinge sind gemein: Lügen und Brotessen. — Gehe nach Hof, dort fliegen in der Antichambera die Lügen herum, daß man sie mit Händen kann fangen; gehe zu den Gerichten, dort wirst du auf der Stiege schon über eine Lüge stolpern; gehe in den Kaufmannsladen, dort wirst du erfahren, daß man daselbst die Lügen mit Ellen ausmesse; gehe zu einem Handwerker, da mußt du dich verwundern, daß die Lügen wie die Regenwürmer herumkriechen; gehe auf den Markt, da wirst du finden, daß die Weiber ganze Butten voll Lügen feil haben; gehe in die Spitäler, da wirst du schon von Weitem schmecken, daß unter den alten Weibern eine alte Mutheten: es ist verstunken und durchlogen; gehe unter die Bettler, dort raufen die Läuse und Lügen mit einander, daß es Fetzen giebt. Betrachte die ganze Welt, so wirst du finden, daß die ganze Welt mit Lügen überfüllt ist.

2744. Auf eine Frage gehört eine Antwort.
2745. Auf ein Warum gehört ein Darum.
2746. Wer sucht, findet, — Nur verlorne Zeit findet Niemand wieder. — Ist das Kleid zerrissen, kann man

folches wiederum verbeſſern; iſt das Haus baufällig, kann man ſolches wiederum erheben und erneuern, haſt du Geld und Gut verloren, kannſt du ſolches wiederum erwerben. Aber iſt die Zeit verloren, haſt du Alles verloren.

2747. Das Waſſer iſt zollfrei.

2748. Das Waſſer ſchreibet Niemand an.

2749. Beim Röhrkaſten zahlt man keine Zech. — Darum trinkt man das Waſſer ohne Sorgen. (Zur Empfehlung des Waſſertrinkens und zur Abrathung vom Weintrinken.)

2750. So gewiß, als die Schnekke den Haſen einholt

2751. Wenn die Wetzſteine ſchwimmen werden.

2752. Es liegt nicht an der Größe, ſonſt ſänge ein Rabe beſſer als eine Nachtigall.

2753. Die Saiten zu hoch ſtimmen. — Wie David that, als er das Volk zählen ließ.

2754. Hohe Felſen trifft der Donner bald. — (Empfehlung der Niedrigkeit oder der Demuth.)

2755. Hohe Singer werden bald heiſer. — Nebukabnezar wollte zu hoch hinaus und mußte auf der Erde kriechen.

2756. Hohe Bäume werden bald vom Winde zerbrochen. — Hamann wollte, daß ſich alle Knie vor ihm beugen ſollten, endlich gelang ihm der Wunſch hoch angeſehen zu werden. Er wurde gehängt.

2757. Wenn der Burbaum zu hoch wächſt, ſtutzt ihn der Gärtner. — So ſtutzt Gott den Menſchen, wenn er in ſeinen Gedanken zu hoch wächſt.

2758. Der Reiher fängt keine Fiſche, als die oben ſchwimmen. — So Gott den Menſchen, der nach Höhe trachtet.

2759. Es ſind nicht Alle Jäger, die in das Horn blaſen.

2760. Es iſt nicht ein Jeder ein Doktor, der einen lateiniſchen Hut auf dem Kopfe hat.

2761. Es ist nicht Jeder ein Musikant, der eine Geige auf dem Rükken trägt.

2762. Nicht Jeder ist ein Soldat, der einen Säbel in der Hand hat. — Ein Schmeichler will angesehen sein für einen Mann, der er nicht ist. Er ist Alles, dem Schein nach, in der Sache nichts, oder doch nur halb und halb ein lauteres Lügengemähl, daraus niemand kommen kann. Wer ihn nicht kennt, schwört, er hätte alle Wissenschaften aus einem Löffel gefressen, also meisterlich schwätzt er von allen Dingen eins daher. Er bläst einem in das Horn, wie mans haben will, weiß sich nach eines jeden Humor zu schikken; er ist ein Soldat, aber nur hinter dem Ofen; ein trefflicher Harfenist, der die Saiten bald hoch, bald niedrig stimmt, und einem Jeden das Placebo singt.

2763. Einem Schmeichler sind alle Schuhe recht, und kein Kleid ist ihm zu schlecht.

2764. Er schikkt sich in alle Sättel. — Er trägt bald einen grauen Bart, wie ein Methusalem, und lobt das Alter; bald einen jungen Bart, und schändet die Jugend; bald ist er groß wie ein Goliath, und verachtet die Demüthigen; bald ist er klein wie ein David, und erhöhet die Hoffärtigen; bald ist er schön wie ein Absalon, und tadelt die Ungestalteten; bald ist er schwarz wie Moses, und rühmet die Schönheit; bald ist er ein Pfaffe, und verwirft den weltlichen Stand; bald ist er ein Affe, und liebkoset allerhand Gebärden; bald ist er ein Bauer, bald ist er ein Hauer, bald ein Kaufer, bald ein Saufer.

2765. Von schwarzen Raben kommen keine weißen Schwäne.

2766. Von Dornhekken kommen keine Weintrauben.

2767. Wölfe werfen keine Schafe.

——— — — ———

XI. Huy und Pfuy der Welt. Huy, ober Erfrischung zu allen schönen Tugenben. Pfuy, ober Abschrekkung von allen schänblichen Lastern 2c.

2768. Die höchsten Berge sind mit Schnee bedekkt. — Wer in einem hohen Amte stehet, wird meistens vor der Zeit weiße Haare auf dem Kopfe bekommen, wegen allzu= häusiger Sorgen.

2769. Das Gelb ist gut, wenn es auch aus einer krätzi= gen Hand kommt.

2770. Ein bukkliger Doktor kann auch gute Medicin verschreiben. — Ambrosius sagt, daß Gott gar oft aus Priestern und Predigern rede, obschon selbe gleich dem Dornbusch schlecht sind und voller Untugenden. Das Wild= pret, welches Esau mehremal hat nach Haus gebracht, war sehr gut, obschon er ein schlimmer Bösewicht gewesen.

2771. Kein Feuer ohne Rauch. — (Die Tugend ist niemals ohne Neib.)

2772. Jeder kehr vor seiner Thür.

2775. Kein Haus ohne Winkel.

2774. Kein Buch ohne Eselsohren.— Sehr viel Men= schen sind also beschaffen, daß sie einen Splitter in des Nächsten Auge wahrnehmen, entgegen in ihrem Auge einen Balken nicht merken.

2775. Wer die Dummheit will begnaben, zieht sich selbst auf Schimpf und Schaden.

2776. Er lebt wie im Himmel, wo man weder ißt noch trinkt.

2777. Der Weinstokk trägt vier Trauben; die erste

zur Gesundheit, die zweite zur Trunkenheit, die dritte zur
Krankheit, die vierte zur Armuth.

2778. Auf Saufedern liegen müssen. — (Auf Stroh;
von denen die in große Armuth gerathen sind.)

2779. Der Zeiger steht bei ihnen stäts auf eins. —
(Von denen, die einerlei Sinnes sind, zunächst von einigen
Eheleuten.)

2780. Wo sich ein Auge hinkehrt, da soll sich auch das
Andere hinwenden. — (So sollen die Eheleute sein.)

2781. Wo die Orgel verstimmt ist, da zieht der Teu=
fel den Blasebalg. — (Besonders gilt dies von der Ehe=
standsorgel.)

2782. Viel Köpfe, viel Sinn. — Jener, bei dem das
obere Zimmer leer gestanden, hörte in einer Gesellschaft
das Sprichwort: Wie viel Köpfe, so viel Sinn.
Wollte demnach solches versuchen, und nahm einen großen
Sack voll Kraut=Köpfe mit sich, welche er in seines Va=
ters Garten ausgeschnitten, und stieg damit auf einen ho=
hen Berg, warf selbe herunter in das hart angelegne Dorf.
Weil nun einer hier, der andere dort hinausgefallen, un=
ter denen einer dem Wirthshaus zugelaufen. Ho, ho! dieser
hat meinen Sinn, das Sprichwort muß nicht wahr sein.

2783. Ein Pfund Gunst gilt mehr als ein Zentner
Kunst. — Daher ist es gekommen, daß gar oft Esel
über Gelehrte herrschen. Daß man die Knöpfe meist zu
höchst auf ein Gebäude setzt, geht noch hin, und dient
etwa zur Zierde, aber wenn grobe und ungeschikte Köpfe
zu hohen Ämter erhoben werden, da ist es dem gemeinen
Wesen allezeit schädlich. Der leere Brunneneimer steigt in
die Höhe, der angefüllte bleibt in der Niedere; mancher
Gesell, der ganz leer im Kopf, erhält eine Dignität, der
Weise bleibt hinter der Thür.

2784. Eine Mühle geht, so lange sie Wasser hat. — (Von Advokaten, die den Prozeß so lange führen, als etwas dabei zu gewinnen ist.) Wer sie dem Schwamm vergleicht, thut gar nicht unrecht, denn dessen Natur ist nur saugen und an sich ziehen. Wer ohne Schmieren zu ihnen kommt, richtet eben so viel aus, als die fünf thörichten Jungfrauen bei der Himmelsthür.

2785. Wenn der Dativ vorgeht, so hat sich der Akkusativ nicht zu fürchten.

2786. Wenn man mit Gelde anklopft, so springt die Thür von selbst auf — (Von bestechlichen Richtern zunächst: wer bei ihnen Denari wirft, der hat schon ein gewonnenes Spiel.

2787. Ein Lügner, der nicht denkt der Wort, komm; mit der Lüge nicht leicht fort.

2788. Wie gewonnen, so zerronnen. — Falsches Maß, kurze Ellen, geringes Gewicht, allerlei List und Betrug, werden niemals reich machen; ja ein ungerechtes Gut frißt und verzehret auch das gerechte hinweg, gleich wie man saget von des Adlers Federn, welche auch andere Federn, so sie vermischt werden, aufzehren und vernichten.

2789. Er kratzt öfter hinter den Ohren, als ein Hund m Heumonat. — (Hat viel Kummer und Sorge.)

2790. Wer dich einmal hinter das Licht geführt, dem traue nimmer mehr.

2791. Der Hund kommt nicht mehr in die Küche, wo man ihn einmal verbrüht hat. — Aber wir Menschen, die uns Gott mit dem Licht des Verstandes bereichert, lassen uns oft vom Teufel bethören.

2792. Man muß die Metten singen, wie der Festtag will. — (Richte dich nach Zeit und Umständen.)

2793. Ein Edelstein, den ein Bauer an der Hand hat,

ift fo viel werth, als wenn ihn ein Goldschmied trüge. — Also das Gebet, fo da kommt aus dem Munde eines Ungelehr: ten, hat eben den Preis als dasjenige, fo kommt von Ei: nem, der es verfteht.

2794. Es liegt nicht an der Größe, fonft wär ein Mühlftein mehr werth als ein Edelftein.

2795. Beffer guter Wein aus fchlechtem Glafe, als faurer aus einem goldenen Becher. — Verachte einen Men: fchen nicht nach feinem äußerlichen Anfehn, denn die Biene ift klein unter den fliegenden Thieren, und ihre Frucht hat den Vorzug in der Süßigkeit. Unverftändig handeln alle diejenigen, welche den Menfchen beurtheilen nach feiner äußerlichen Geftalt, der gar oft in einer fchönen Natur: und Leibesgröße ein ungeformtes Gemüth verborgen, hin: gegen in einer kleinen Perfon eine große Tapferkeit und Wiffenfchaft gar oft gefunden wird. Wenn es an der Größe gelegen wäre, fo müßte ein Mühlftein mehr gelten, als ein Edelftein, fo müßte ein Rabe weit lieblicher fingen, als eine Nachtigall. Wenn es an der Schönheit gelegen wäre, fo nützte eine Pfau weit mehr, als ein Kameel. Afop neben andern Ungeftalten hatte auch einen großen Buckel, unterdeffen hatte er einen weltkundigen Verftand. Die Rahel ift über alle Maßen fchön gewefen, die Lea triefäu: gig und ungeftaltet, diefe aber war fruchtbar und jene nicht. Es hat mancher ein wildes Larvengeficht, dabei aber voller Witz und guter Gebärden. Es fchmeckt beffer ein herrlicher Wein aus einem Glas, als ein faurer Plempel aus einem koftbaren Pokal. Bei Betrachtung einer Blume kann der Menfch ein gebrechliches Sinnbild nehmen feines ge: brechlichen Lebens, bei dem es heißet:

2796. Heut roth, morgen todt.

2797. Heute eine Zier, morgen eine Schmier.

2798. Heute Schmaus, morgen Graus.

2799. Heute Truß, morgen Schmuß.

2800. Heute gallant, morgen ein Schatten an der Wand.

2801. Heute beim Stabe, und morgen im Grabe.

2802. Heute noch hui, morgen schon pfui.

2803. Ein Altsänger wird eher heiser, als ein Bassist. — Das Steigen ist schon Vielen ein Untergang gewesen, weil es meist aus Ehrsucht geschieht.

2804. Eis, Glükk und Treu bricht, eh mans denkt, entzwei. — Zeigt dir das Glükk den Weg, und du fährst schnell dabei, denk nur, daß es von Glas und nicht von Eisen sei.

2805. Dummheit trägt die Hörner hoch, darum gehört sie unter das Joch. — Die Güte eines Pferdes erkennt man meistentheils aus dem Kopf, das Alter aber aus den Zähnen, daher das Sprichwort kommt:

2806. Einem geschenkten Gaul sieht man nicht ins Maul.

2807. Das große Messer brauchen. — (Von einem Aufschneider. Unverschämt Lügen reden.)

2808. Der Neidische ist eine Uhr mit einer stäten Unruhe.

2809. Der Neidische ist eine Fledermaus, die das Licht nicht sehen kann. — Das hat der Neidige. Eines Andern Glükk ist ihm ein Strikk, der ihn würget; eines Andern Würde ist ihm eine Bürde, die ihn drükkt; eines Andern Ehr ist ihm ein Beschwer, die ihn beißet. Der Neidige ist eine Uhr in stäter Unruhe; der Neidige ist eine Fledermaus, welcher das Licht zuwider ist. Ein solcher ist gewesen der Satan, welcher dem Adam seinen glükkseligen Stand beneidete. Eines Andern Witz ist ihm eine Siß, die ihn verwundet; eines Andern Gut ist ihm eine Gluth, die ihn brennet; der Neidige ist ein Märtyrer des Teufels; der Neidige ist ein Hund, der ihn beißt.

2810. Sie hält sich für Malvasier, und andere nur für saures Bier.

2811. Sie hält sich für polirt und Andre nur für geschmiert.

2812. Zu einer gesperrten Hausthür steigen keine Diebe ein. — (Stillschweigen ist eine schöne und löbliche Kunst.)

2813. Schweigen und sein bedacht hat Niemand Schaden gebracht.

2814. Das Maul ist wie ein Gaul, beide haben einen Zaum von nöthen.

2815. Fässer die hell klingen, sind leer. — Wenn der Mensch durch vieles Plaudern immerzu schöpert, so ist es ein Zeichen, daß wenig Tugend in ihm und an ihm. Der Abbruch der Speisen ist dem Satan ein Abbruch, denn

2816. Viel Essen macht vermessen.

2817. Viel Trinken macht hinken und sinken.

2818. Wo man den Löffel allzustark braucht, da bleibt auch das Löffeln nicht aus.

2819. Wo man den Leib kasteit, wird er der Keuschheit geweiht. — Wo das Maul nicht viel schmutzig, da ist gemeiniglich das Gewissen sauber, wo die Zähne nicht stark ns Essen beißen, der hat in jener Welt nicht das Zähneklappern zu fürchten, denn Fasten und Abbruch ist eine Mutter aller Tugenden. Weil vor diesem die heiligen Einsiedler mit lauter Kräutern sich erhielten; also hat sich wenig Unkraut unter ihnen gefunden, der hat sich mit Fischen begnügt, dieser wird selten mit faulen Fischen umgehen.

2820. Faules Holz brennt nicht gern. — Faule Leut

sind dem Satan am allerangenehmsten, und indem Fall ist
er ein weit größerer Künstler, als ein Bildhauer, denn
dieser kann aus faulen Holz nichts schnitzen, jener aber aus
faulen Leúten Alles. Faules Holz brennt nicht gern, sagt
der Koch, aber faule Leúte haben das Widerspiel. Das
Faulenzen das David hat gemacht, daß er ist vermessen
worden, indem er einen Ehebruch gethan.

2821. Jugend und Tugend sind selten beisammen. —
Frel, frisch, frech, fröhlich und freündlich ist die Jugend,
weshalb Jugend und Tugend selten beisammen ist. Jeder
Jugend ist das Blut voller Muth. In der Jugend laûft
und rauft man; man sieht nichts als Lust und Gunst.
Die Augen Alles sehen, die Ohren Alles hören, die Nasen
Alles riechen, die Zungen Alles kosten, die Hände Alles
betasten. In der Jugend ist man ein Hafen beim Feüer
voller Hitze; sie ist wie ein Aal in der Hand, voller Schlüpf-
rigkeit; sie ist wie der Vogel in der Luft, voller Freiheit;
sie ist wie ein Schiff im Meere, voller Ungestüme; sie ist
wie ein Krebs im Wasser hinter sich, für sich; sie ist wie
ein Pferd ohne Zaum, voller Muthwillen; sie ist wie eine
Fakkel beim Strohdach, voller Gefahr.

2822. Jemanden den Strohsakk vor die Thür werfen.—
(Ihm die Herberge aufkündigen.)

2823. Was hilft ein Schwan auf dem Kopf und ein
Rab' in dem Herzen. — Was hilft es, lange gelebt und
nicht löblich. Ein Alter soll sein wie ein Feigenbaum, denn
je älter dieser wird, jemehr trägt er Früchte; wie eine
Brennessel, denn je älter diese wird, je weniger Hitze hat
sie. Schändlich ist es, wenn ein Alter beschaffen ist, wie
ein Berg Ätna, welcher zwar mit Schnee bedekkt, aber
inwendig voller Feüer. Die Alten sollen vielmehr den Jungen mit einem guten Wandel vorgehen. Wie ungereimt

stehet es, wenn ein Alter, dem die Zähne schon ausgefallen, will noch am Löffelkraut nagen. So ist auch nicht Alles an weißen Haaren gelegen, denn ein großer Unterschied ist zwischen weiß und weis. Gott giebt zuweilen auch jungen Leúten einen alten Verstand, und vollkommene Tugenden.

2824. In alte Haúser setzt man keine neúen Fenster ein. — (Die Kunst der Ärzte ist nicht im Stande alten Leúten das Augenlicht der Jugend wieder zu geben.)

2825. Ein Bettlerrock hat nicht so viel Laúse, ein Haus nicht so viel Maúse als Krankheiten das menschliche Gehaúse.

2826. Der Mensch hat so viel Weh, wie viel Fische der Bodensee. — Von Kopf bis auf die Fußsohlen ist kein Gliedmaß, welches nicht gewissen Krankheiten unterworfen ist.

2827. Als Adam hakft und Eva spann, wer war damals ein Edelmann. — Außer den Mitteln und Reichthümern sind diejenigen armen Leúte, die von den Reichen Almosen bedürfen, so gut als dieselben, von denen sie es begehren. Merkt es wohl, von dem Lehmgestätten, aus dem Gott den Adam formirt, sind auch die Edelleute, und als Adam akkerte und Eva spann, wer war damals ein Edelmann. Es ist der arme Mann sowohl zu Gottes Ebenbilde erschaffen, als der Edelmann, ist auch dieser den Mühseligkeiten unterworfen als der Arme.

2828. Nach der Fastnacht Fleisch und Wein, bricht die Fastenmarter ein.

XII. Geiſtlicher Kramladen, voller apoſtoliſchen Wahren und Wahrheiten ꝛc. Erſter Theil.

2829. Soldaten ſind voll ſchlimmer Thaten.

2830. Von außen eine ſchöne Braut, und ein Schelm ſtekkt in der Haut.

2831. Menſchengunſt, und Glükk im Spiel, iſt wie das Wetter im April.

2832. Wenn wir hätten einen Glauben, Gott und den gemeinen Nuß vor Augen, einen guten Frieden und rechtes Gericht, eine Elle, Maß und redlich Gewicht, eine gewiſſe Bezahlung mit baarem Geld, ſo ſtünd der Krebit wohl in der Welt. Aber eben darum iſt der Krebit hin in der Welt, weil ſo gar keine Bezahlung.

2833. Sein Gras iſt zu Heü geworden.

2834. Sein Wein iſt zu Eſſig geworden. — (Von getäuſchter Hoffnung.)

2835. Der Demant fragt nach keinen Streichen.

2836. Den Tiſchler kennt man an den Händen,
die Pferde an den Zähnen,
die Saufer kennt man aus der Naſen,
den Wind erkennt man am Blaſen,
die Fuhrleüte erkennt man aus dem Schnalzen,
die Kuchel kennt man aus dem Schmalzen,
Die Glokke erkennt man am Klange,
und den Vogel am Geſange.

Geiſtlicher Kramladen. Zweiter Theil.

2837. In der erſten Thürſchwelle ſtolpern.

2838. Gleich anfangs die Suppe verſchütten.

23

2839. Wer gut zu suchen weiß, mag bald finden.

2840. Wer sucht der findet. — Ist längst in ein allge=
meines Sprichwort gezogen worden, doch konnte dieses nicht
bekräftigen Thasus, jener bei den Poeten gepriesene Schiff=
mann, als welcher durch viel Insel und Länder seiner Lieb=
sten von dem Jupiter entführten Schwester Europa nach=
geeilet, diese demnach nicht gefunden. Ingleichen Pirithous
Theseus mit andern, welche Proserpinam, jene Königin der
Verstorbnen einzuholen sich in weit entlegne Örter begeben,
diese denn noch nicht gefunden. Aber zu geschweigen der
verblendeten Heidenschaft; wer suchet, der findet;
dies konnte nicht bejaen die geistliche Braut, die ganz un=
verdrossen viel Gassen und Straßen durchgangen, der Mei=
nung ihren Geliebsten anzutreffen, doch vergebens. Wer
suchet der findet; konnte nicht sprechen Saul, der em=
sig und fleißig gesucht den David, doch vergebens. Wer
suchet der findet, konnten mit einem Worte nicht bestäti=
gen jene boshaften Juden, welche Paulum und Silam gesucht,
doch vergebens. Noch Samuel, welcher mit gewissen Ge=
schlechter gesucht den Saul, doch vergebens. Noch jene drei
Frauen, welche den in den Grab liegenden Leib Christi ge=
sucht, doch vergebens.

2841. Man sieht nicht Jedem an, was aus ihm wer=
den kann.

2842. Wenn ein Zwerg auf den Schultern eines Rie=
sen steht, so sieht er dem Träger über den Kopf. — (Von
Kleinen, die auf Verdiensten großer Männer stehen, und
sich über sie erheben.)

2843. Ein großer Vogel braucht ein großes Nest. —
Den heil. Kajetan ist wegen seiner Tugend, Unternehmun=
gen einen großen Vogel vergleichbar.

2844. Bei St. Catharein kommt man in den Himmel

hinein. — (Von dem Segen der Verehrung der heil. Ka=
tharina, der aleranbrinischen jungfräulichen Märtyrin.)

2845. Jeder hat einmal wider den Verstand gehandelt. —
Unter dem jungen Angesicht des heil. Dominikus hatte schon
eingewurzt ein altbetagter Verstand. Seine Wohnung war
mehrentheils in der Kirche, allwo er mit Singen und Be=
ten dem allmächtigen Gott, wie auch den Priestern zum
Altar mit höchster Anbacht dienete, und niemal etwas an
sich verspüren ließ, so zu einem Unverstand, Mißhandlung,
oder Leichtfertigkeit konnte ausgedeutet werden. An ihm
fehlte jenes poetische Sprichwort: Semel insani fuimus
omnes.

2846. Die Gnade des heil. Geistes kennt keinen Auf=
schub. — Was aber Dominikus für ein tugendvolle Le=
bensordnung bei ihm selbst, was für eine unaussprechliche
Liebe gegen den Höchsten, was für eine Demuth gegen
Gott gehalten, und wie groß die klösterliche Vollkommen=
heit an ihm zu ersehen wäre, ist ohnschwer aus dem zu
erwägen, daß er gleich nach seinem Noviliat oder Probir=
Jahr ist wider seinen Willen Supprior des Oromensisischen
regulirten Stifts worden. So dann an Dominiko um so
viel weniger in Verwunderung zu ziehen, allbieweilen aus
dem heil. Ambrosius ein bekanntes Sprichwort: Nesci
tarda molimina Spiritus Sancti gratia.

2847. Der Apfel fällt nicht weit vom Stamme, — be=
theuert das alte Adagium. Man erfährt es wie das Principium, also der Effect, wie die erste Causa, also das
Verursachte, wie das Generans, also die Geburt, qualis
Pater, talis Filius. Ist das Principium gut, folgt ein
guter Effect, ist die erste Causa ohne Mangel, wird auch
keinem Mangel in sich haben das Verursachte, das Contrarium ist zu bemerken aus dem Contrario. Contrarium

23 *

eadem est ratio ſagt der Philoſoph; dahero iſt das **Prin-cip böſe,** ſo muß auch ein übler **Effect** folgen, iſt das **Generans** übel beſtellt, ſo wird auch übel beſtellt ſein die Geburt.

Geiſtlicher Kramladen. Dritter Theil.

2848. Der gute Wein vom Rhein iſt aller Mahlzeit Ehr und Schein.

2849. Freundlich vom Mund, und falſch vom Herzen pflegt die Welt zu ſcherzen.

2850. Wenns zum Auskehren kommt.

2851. Jemanden anſehen wie ein hungriger Spitalbru-der eine leere Quatemberſuppe.

2852. Wie lang das Faß nicht leer, nicht hohl;
  wie lang die Weinkrüg alle voll;
  wie lang der Bratſpieß ſich umkehrt,
  wie lang das Eſſen und Trinken währt,
  wie lang der Braten liegt in der Schüſſel,
  wie lang die Küche ſchwitzt gute Biſſel,
  wie lang der Tiſch feiſt und bedeckt,
  wir lang ein Kreuzer im Beutel ſteckt,
  wie lang der Saufaus, Friſſ auf lockt,
  wie lang das Maul gute Sach einbrockt,
  wie lang der Tragauf Zeht nicht geht;
  ſo lang der Welt ihre Freundſchaft beſteht.

2853. Hat die Küche nicht, und iſt der Keller trukken ſo wenden die Freunde alle den Rukken.

2854. Wer einem Diebe trauet, der wird betrogen.

2855. Wer der Untreu dient, wird mit Untreu belohnt. — Es iſt ein uraltes, gemeines, feines Sprichwort:

2756. Niemand ist so glükklich, daß ihm nicht Etwas fehle. — Denn Abalwaldus war bemüthig, aber nicht keusch; Ariovaldus keusch, aber nicht bemüthig; Grimoaldus zornig, aber nüchtern; Garibaldus versoffen, aber ganz sanftmüthig*); Cicero war ein Wohlredner, aber kein Poet; Virgilius ein Poet, aber kein Wohlredner; Crassus war reich, aber nicht verständig; Solon war verständig, aber nicht reich; Alexander war mildreich; Darius ehrgeizig; Trojanus liebreich; Adrianus feindselig; Gordianus hoffärtig; Gratianus gnadenreich. Ja, was brauchts viel, die Trauben Engaddi waren nicht einer Größe; die Lämmer Jakobs nicht einer Farbe; die Cedern Libanons nicht einer Höh; und wer kann sagen, daß ein Baum auf der Welt ist, der alle Früchte trägt, bleibt also festgestellt das allgemeine Sprichwort: Nihil ex omni parte beatum. Gott ist der einzige Universal=Monarch, an dessen Fiat und Placet alles gelegen, also, daß durchaus wahr das gemeine Sprichwort:

2757. Astra regent homines, sed regit astra Deus, (Die Sterne regieren die Menschen, aber Gott regiert die Sterne.)

2758. An die Löwenhaut einen Fuchsbalg nähen.

2859. Wasser mit Wein vermischen.

2860. Mäusedrekk für Pfeffer verkaufen.

2861. Wenn die Löwenhaut nicht klekken kann, so setzt Fuchsschwanz hinten dran.

2862. Gott läßt sinken, aber nicht ertrinken. — In allen Finsternissen ist der Tag zu erwarten, und allemal gewiß nach der Deutschen gebundenen Art zu reden:

---

*) Sanftmuth aus Besoffenheit hat auch noch keinen hohen Werth.

2863. Noch so schön die Sonne scheint, wenn sie sich hat ausgeweint. — Unstreitig verbleibt die größte Schönheit, unanbisputirlich die meiste Nutzbarkeit, unangehalten in einigem Zweifel die höchste Ehr, denn von der sittlichen Philosophi Ethica über das menschliche Leben verfaßte Epigraphe:

2864. Finis coronat opus. (Das Ende bekränzt das Werk.) — Keine Nation ist also dumm in der Welt, kein Geschlecht so blöde und roh in den Sitten, keine Barbarei also verwilbert an Gebärden, welche nicht unterschreibt jenen Sentenz.

2865. Alles wohl bedacht, und wohl das End betracht. — Kein Volk unter der Sonne also verbunkelt in dem Hirn, also unpäßlich in dem Verstand, das nicht beipflicht dem werthesten Ausspruch Poblii.

2866. Der Ausgang der Sachen muß die Probe machen.

2867. Häßlich End das Leben schändt.

2868. Der Wein gebärt den Essig, das Feuer den Rauch, die Ehre den Hochmuth.

2869. Am Ende bissig wie eine Natter. — (Das ehrliche)

2870. Versprechen macht halten.

2871. Ein Wort — ein Wort, ein Mann — ein Mann. — Sei es auch, daß hierin unentbehrlicher Weise geschwächt, oder gekränkt würde das proprium interesse.

2872. Alles was zu viel, verdirbt das ganze Spiel.

2873. Alles wohl besehn, so wird kein Fehler geschehn.

2874. Den Armen helfen in der Qual, ist das beßte Kapital.

2875. Der schlechteste Wurm an der Angel lockt oft den beßten Fisch.

XIII. Besonders meublirte und gezierte Todten= kapelle, oder allgemeiner Todtenspiegel ꝛc.

2876. Den Wein mit Öl vermengen. — Die Wahr= heit grade heraussagen. Es ist gewiß*), daß es ohne Eva's Apfelbiß nicht so viel Übels in der Welt, selbst nicht so viel Zähneklappern in der Hölle sein würde. Allein

2877. Zu geschehenen Sachen soll man das Beßte re= den. — Der muß man die angeborne böse Lust als eine häßliche Krankheit ansehen, damit man nicht

2878. Das Maul immer aufs Neue verbrenne.

2879. Wodurch man sündigt, dadurch wird man ge= straft. — Beißt du z. B. viel in den süßen Apfel der Wol= lust, so wird dich der Unlust, der saure Apfelsaft der Sünde wieder beißen, daß dir die Zähne davon aufstehen, und die Augen übergehen werden.

2880. Adams Apfelbiß bringt uns den Tod gewiß.

2882. Füchse und Schimmel sind ihm lieber als der Himmel.

2883. Jemehr Klauben, desto weniger Glauben. — Die übertriebene Sorge für den Erwerb irdischer Güter hat einen nachtheiligen Einfluß auf das religiöse Leben.

2884. Er versteht die Maultrommel zu spielen. — (Ist ein großer Schwätzer.)

2885. Schweigen ist eine größere Kunst als Reden. — Obgleich Schweigen eine größe Kunst ist, als Reden, so ist doch die Beredsamkeit nicht genug zu loben, und mit dem auserlesensten Worten nicht genug zu preisen. Was manche zierliche kluge Rede für Gewicht und Nachdruck so vielen mißlichen Sachen gegeben, ist mit Demosthemo und Cice= ronis Zungen nicht auszusprechen. Was ist wohl nöthi=

---

*) Nicht so ganz.

gers, fowohl in geiftlichen als politifch=weltlichen Stånden, auch wie im Krieg felbft, und nüßlicher als die Kunft, wohlbedächtig und nachdrükklich zu reden, fo auf der Kanzel und dem Catheder, vor kaifer= und könige Thronen, bei allen Audienzen und Affemblcen u. f. w. beliebet und belobt ift.

2886. Auch den gelehrten Kopf nimmt der Tod beim Schopf.

2887. Er taugt weder zum Sieden noch zum Braten.

2888. Er taugt weder zum Reiten noch zum Ziehen. — (Von Ungefchikkten, Ungebildeten und Ungelehrten.)

2889. Er fchikkt fich, wie ein Schoßhund zum Hafenheßen.

2890. Er ftellt fich, wie ein Elephante zum Tanzen.

2891. Ein kleiner (armer) Mantel verhüllt einen großen Verftand. — (Oft bekleidet der einfachfte Rokk den gefcheidteften Mann.)

2892. Unter der größten Perükke ift oft der leerfte Kopf.

2893. Er hört das Gras in den elififchen Feldern wachfen

2894. Er hört die fchwindfüchtigen Flöhe im Serail zu Konftantinopel bis Paris huften.

2895. Er hört die Fifche im Waffer fingen. — (Von thörichter Einbildung, von Überklugen.)

2896. Wer fich in Gefahr gibt, der kommt darin um. — Auf der See wird dies Sprichwort oft erfüllt. Das müffen verwegene Waghälfe gewefen fein, die fich zuerft fo tief ins Waffer gewaget, und fowohl Sommer und Winter, als Herbft und Frühling auf der ungetreuen See, in fo manchen Sturm und Ungeftüm, zwifchen Wind und Wellen, Klippen und Sandbänken, mitten zwifchen Tod und Leben herumvagiren, und fich immerzu mit dem Tod herumbalgen und plagen müffen, bis fie endlich fich zu Tode fchwimmen, und erfaufen müffen. Wiewohl fich auf der Erde vielmehr durch Wein, Bier, Brantwein und dergleichen Wassergelegger zu tode saufen, als auf der See ertrinken und versinken.

2897. Verschwitzen wie eine Judenseel.*)

2898. Leben wie die Katze zur Zeit der Vogelweide.

2899. Fortschleichen wie die Katze aus der Speise= kammer.

2900. In solchen Weihern fängt man solche Fische.

2901. Es ist fürwahr eine arge List, daß oft der Fisch den Fischer frißt. — (Statt umgekehrt, unerwarteter und ganz entgegengesetzter Ausgang einer Sache.)

2902. Keine Kunst hat beim Tode Gunst. — (Nichts kann vor ihm schützen.)

2903. Heute Monarch, morgen im Sarg.

2904. Mars hin, Mars her, Mors gilt noch mehr. — (Von der Gewalt des Todes.)

2905. Der Topf geht so lange zum Ofen, bis er bricht. — (Wenn ein Mensch noch so lange lebt, dem Tode entgeht er nicht.)

2906. Glück und Schalen, brechen allzumalen. — Und ein sterblicher Erdenkloß, ob er zu einem schönen Porzel= lan oder gemeinem Topf vom Glück geschmiert oder ge= ziert worden kann, leichtlich zerbrochen werden; denn dem Tode gilt Einer so viel als der Andere, welcher sagt: der Adel ist mir ein Porzellangeschirr.

2907. Ehe sich der Spieler versieht, zerspringt die Saite. — (Vom plötzlichen Tode.)

2908. Die besten Schützen verfehlen oft das Schwarze. — Aber der Tod nie, er schießt auf ein Nägelein und trifft das Herz ungezielt.

—*) Dem Christenthum, wie es sich im geläuterten Prote= stantismus findet, sind solche Ansichten fremd.

2909. Weit davon ist gut vorm Schuß. — Jemehr sich einer hinter dem Ofen versteckt, ober entfernt, je eher ihn der Tob erlauscht, und gilt hier das Sprichwort nicht: Weit davon ꝛc.; sondern sein Pfeil ist gut.

2910. Jemanden auf die Haube greifen. — (Streng mit ihm verfahren.)

2911. Helden zeugen Helden. — Dies ist zwar oft wahr, aber auch oft nicht; allein unfehlbar wahr ist: **Mortales generantur mortalibus.**

2912. Adler ziehen keine Tauben.

2913. Von Löwen kommen keine Hasen. — Inzwischen trifft es bei einem Menschen nicht allezeit ein, daß der Sohn eines Heldenmüthigen, weisen, klugen Vaters, nebst Namen und Wappen auch dessen Qualitäten ererbet.

2914. Es sind nicht alle gleich, die mit dem Kaiser reiten. — Einer kann seinen Adel verherrlichen mit dem Degen, ein Anderer mit der Feder, Mancher in Beiden.

2915. Der größte Titel ist vor den Tod kein Mittel.

2916. Edelmann, Bettelmann, Stockfisch. — (Von denen, die vom Glück begünstigt, schnell gestiegen, aber zuletzt wieder in einen nochniedrigern Stand zurück sanken, oder auch erst ihre Kinder.)

2917. Er schreibt sich vom Nimmwegen. — (Ist diebisch.)

2918. Glatte Gesichter und schöne Gestalten kommen nicht stäts zu Falten. — (Nicht Jeder der schön und gesund aussieht, wird alt.)

2919. Wenn alle Narren Narrenkleider tragen müssten, würden viel neue Moden unterbleiben.

2920. Jedem Lappen gefällt seine Kappen; ich für mich, Jeder bleib auch Narr für sich.

2921. Ein blinder Mann, ein armer Mann. — Doch

565

haben die Blinden in vielen Stükken einen groffen Vortheil, vor allen fehenden Menfchen, fowohl im Leben als auch im Sterben. Im Leben darf er nicht forgen, daff er etwas fehen muff, woran er fich ärgern könnte; die Leichtfertigfeit, üppigfeit, hoffart und taufend andere Eitelfeiten der Welt. Er darf nicht forgen, daff ihm die Sonne oder ein Licht blende u. f. w. Er kann alle Brillen erfparen, welches fonderlich in Spanien gar **profitable** für einen Blinden fein mag, da die größten herren die größten Brillen tragen, und was Großes dafür bezahlen müffen. Es ift felten ein Schade, es ift ein Nuten dabei.

2922. Lat lopen (laufen) fagt der holländer, fie werden doch dem Tod nicht entlopen.

2925. Ende gut — Alles gut. — Ende böfe, Alles böfe. Wehe dem, der zuletzt mit dem Pferde ftürzt. Reiter und Pferd find verloren.

2924. Wer ftirbt, eh er ftirbt, der ftirbt nicht wenn er ftirbt. — Wie jenes Sterben ein unfeliges Sterben ift, wenn eine menfchliche Seele Gott und feiner Gnade abftirbt, fo ift hergegen diefes Sterben, wenn eine Menfchenfeel den Sünden und Eitelfeiten der Welt, der Wolluft, dem Ehr= und Geldgeiz, der hoffart, Zorn und Eigenfinn abftirbt, ein gottgefälliges, rühmliches und feliges Sterben. Denn wer ftirbt u. f. w.

2925. Es gehört mehr dazu als ein Paar Schuh. — Auch zur Kunft zu fterben mehr als ein geiftlicher Rokf, mehr als eine Kapuzinerfutte.

2926. Den Flekk neben das Loch fetzen. — Die zeitliche Glükfeligfeit für die ewige erwählen, ift eben das.

2927. Als Adam hakft und Eva fpann, wer war damals ein Edelmann. — Ob fie einen flaren oder groben Faden gefponnen, ift fchwer zu errathen, fo ift nicht wiff=

enb, wer fie fpinnen gelehrt, unb ob fie es bem Spinnen=
ober. Seibenwürmiern abgefpillt habe. Ich habe zwar in
keiner Kunfttammer, auch unter keinem Heiligthum berglei=
chen Gefpinnft ober Rarität angetroffen.

2928. Der Pfau prangt nur mit feinem eigenen
Schwanz. — Aber manches in fich unb viel anbere ver=
liebte unb verfchoffene Frauenzimmer pranget mit viel frem=
ben Schwänzen, fowohl auf bem Haupt, als fonft an ihren
langen, weit nachfchleifenben, unb weit fich ausbreitenben
Pfauenfebern.

2929. Er ift nicht recht zu Haufe. — Es ift zwar ein
altes unb bekanntes Sprichwort: Wenn man von einem
Menfchen, ber in fich felbft vergehet, ober auf beütfch nicht
gar zu regulirt in feinem Verftanb unb Hirnhaüfel ift,
fagt: Er ift nicht recht zu Haufe. Allein man muff
bies Sprichwort über alle Menfchen ausbehnen. Es ift
leiber hier kein Menfch recht zu Haufe. Wir haben hier
keine bleibenbe Stätte, unfer Leben ift eine Wallfahrt, eine
Pilgerfchaft. Unfere Heimath unb Vaterlanb ift im Himmel.

XIV. **Abrahamifche Lauberhütt,** ein
Tifch mit Speifen in ber Mitt, welche hätte nicht
kreres Laub unb Blatt, fonbern viel herrliche
Früchte hat 2c.

2930. Alles geht auf eitle Ehr, als wenn kein Höll
noch Himmel wär. —(Von übertriebener Sorge für irbifche
Güter unb Freüben.) Man fchinb't unb fchabt, man arbeit't
unb grabt, man praſſt unb turnirt, man prahlt unb ftol=
zirt, aber an Gott benken wenige.

2931. Der schönste Weizen hat sein Unkraut. — (Es ist Niemand ohne Fehler.)

2932. Ein Degen ist in der Scheide so hart wie auffen. — Was hart und steif ist, das bleibt also, man sieg es, wohin man wolle. (Von der Denkungsart der Menschen.)

2933. Er glaubt, der Stephansthurm will eine Menuette mit ihm tanzen. — (Von einem Betrunkenen.) Es ist keine Ehr' und Hohheit die bestehet, sondern

2934. Heut reich, morgen eine Leich. — Es ist keine Wollust und Ergetzlichkeit die steht, sondern

2935. Heut juchhe, morgen Auweh. — Es ist keine Schönheit die da steht, sondern

2936 Heut roth, morgen todt. — Es ist keine Gesundheit in der Welt, die da steht, sondern

2937. Heut frisch und munter, morgen ins Grab hinunter. — Alles geht, die Zeit geht, das Alter geht, das Glück geht; darum auch der Mensch nach seinem Ziel Denn wenn ein Reisender an den Ort denkt, wo er hingehört; wann ein Schiffsmann allemal denket an das Gestad, wo er anlanden will; wann ein Vertriebner denkt an das Vaterland. wohin er zu kommen hofft; wann ein Vöglein in einem Käfig oder Häusel, sollt es auch von Silber sein, alleweil pikt und nach der Freiheit umschaut; wann ein Schütz alleweil tracht nach dem Ziel; wann ein Element nur geht nach dem Centrum; warum sollen Menschen nicht trachten nach der Glori, welches sein bester Ort, sein Gestatt, sein Vaterland, seine Freiheit, sein Centrum.

2938. Nichts umsonst. — Wer will ein Student werden, muß sich zuvor desponiren lassen; wer will ein Gestell werden, muß sich vorher hobeln lassen; wer will ein Geistlicher werden, muß vorher das Novitiat ausstehen; wer will einen Lohn bekommen, muß vorher dienen und

arbeiten; der will einen Sieg erhalten, muß vorher streiten, und der will die Glori erwerben, muß vorher leiden.

2939. Das Gewicht gilt mehr als das Gesicht. —
(Von denen, die beim Heirathen mehr auf Geld als auf
Schönheit sehen.)

2940. Goldner Beutel erhält das Lob, und singet
aller Orten ob. — Will die Jungfrau Sabina haben einen wackern Kerl, muß sie haben Gold, Kleinod und Perl';
will die Junfrau Sandel einen tapfern Offizier; will
die Jungfrau Senerl haben, daß ihro Gnaden sei, so thun
die Batzen das Beste dabei. Das Geld richt alles aus in
der Welt, sonst gilt die Jungfrau Klärl kein Härl, die
Kathrinel kein Quebrindel; Barbel keinen Heller, wann sie
nicht Thaler im Kasten hat. Adel und Tugend gilt nichts,
und kommt die Erste die Beste zur Heurath, wann sie nur
Geld hat. Goldgelbe Haare und ein silberner Beutel kommen nicht an; aber bleierne Haare und ein goldgelber
Beutel erhalten das Lob.

2941. Tugend ist über Jugend. — Das sollen die bedenken, welche sich verheirathen wollen, und einer jungen
Person ohne Tugend, eine ältere mit Tugend vorziehen.

2942. Man muß keine Propheten fragen, die Zöpf'
und lange Röcke tragen.

2943. Dem Gold ist Jedermann hold. — Um das Gold
wachen die Augen, es redet die Zungen, es wässern die
Zähne, traget der Rücken, arbeiten die Hände, gehen die
Füße, beweget der Leib, tracht der Verstand, denkt das
Gedächtniß, der ganze Mensch bemühet sich. Es ist nämlich das Gold das Ziel, wohin alle Gedanken zielen; Gold
ist die Speise, nachdem ein jedweder hungert; Gold ist eine
Frucht, nach welcher alle Hände langen; Gold ist Gott,
und Gott ist Gold, welchen alle anbeten. Nichts ist in

der Welt, in denen Weltmenschen, in den Welt=Menschen wandeln, in der Weltmenschen Wunsch als das Gold. O Gold dir ist Jedermann hold. Gold dir ist der Papst hold, dir ist der König hold, dir ist der Kaiser hold, dir ist der Edelmann hold, dir ist die Klerisei hold, dir ist der Bauer hold, dir ist der Bettler hold, die ganze Welt ist dir hold, Dahero sagt man du goldner Schatz, du goldner Engel, du goldnes Herz, du goldnes Kind, du goldner Mann, du goldnes Weib, du goldne Närrin.

2944. Einen Oftreicher vom Saufen,
einen Reúter vom Raufen,
einen Juden vom Betriegen,
einen Böhmen vom Lügen,
einen Graner vom Klauben,
einen Polakken vom Rauben,
einen Wälschen von der Buhlerei,
einen Franzosen von der Untreú,
einen Spanier von Stolzheit,
einen Franken von Grobheit,
einen Schlesier vom Schreien,
einen Sachsen von Schelmereien,
einen Baiern von Kaudern,
einen Schwaben vom Plaudern (zu bekehren,)
den laß ich sein einen Biedermann,
der solche Leúte bekehren kann.

Ein durch viel und langwierige Sünden ganz erhartetes Herz ist wegen angezogener Gewohnheit hart zu bekehren. Gewohnte Sünder zu bekehren ist mehr als eine Welt erschaffen. Johannes könnte ein Lamm genennet werden mit der Beischrift:

2945. Gleich und gleich gesellt sich gern.

2946. Einem Abvokaten traúmt sein Lebelang von Hader und Zank.

2947. Durch Preſſen und Winden hin und her bleibt oft kein Kreuzer übrig mehr. — Es ſind nur garzuviel ungerechte Advokaten anzutreffen, welche gleich ſein zwei Wäſcherinnen, die ihre Wäſche auswinden, eine drehet hin, die andere drehet her, bis ſie alle Feuchtigkeit zugleich herauspreſſen; ſobann werfen ſie den Fetzen anf die Seite. Alſo machen es die gewiſſenloſen und geldbegierigen Advo= katen, indem ſie dem Kläger und dem Beklagten ſo lange ihre Beutel auspreſſen, bis nichts mehr darin iſt.

2948. Bei verwirrten Sachen iſt am beſten Geld zu machen.

2949. Das Kameel rührt das Waſſer erſt auf, ehe es trinkt. — (Von unredlichen Advokaten.)

2950. Was bu nicht willſt, das mah dir thu, das thue Andern auch nicht. — Du willſt nicht, daſſ man dir durch Prozeſſe unnöthige Koſten mache und deinen Wohl= ſtand verderbe; mache auch du bei andern nicht aus Müt= ken Elephanten.

2951. Rechten, Spielen, prächtig Bauen,
    Bürge werden, viel vertrauen,
    über ſeinen Stand ſich zieren,
    Gäſte halten, banketiren,
    viel der Hunde, und viel der Roſſen,
    übrig große Hausgenoſſen,
    gleichfalls Löffeln, Buhlen, Naſchen,
    macht leere Küchel und leere Taſchen.
Wer eine Wittwe verletzt, der wird

2952. Sich Läuſe in den Pelz ſetzen.

2953. Greift er zum Degen, ſo nimmt ſie die Zangen, ſchlägt er in die Augen, ſo kratzt ſie die Wangen. — (Von ſtreitſüchtigen Eheleuten.)

2954. Man und Weib ſind ein Leib. — Der Mann

369

muß sein Weib lieben wie seinen eigenen Leib. Seinem eigenen Leib thut ein Jeglicher gern etwas Gutes an, also soll es auch der Mann thun, weil Weib und Mann ein Leib sind. — Simson war ein mächtiger und prächtiger

2955. Hahn im Korbe. — In den Haaren war seine Stärke verborgen, so daß sich Keiner so kühn und beherzt unterfangen, daß er gesagt hätte:

2956. Ich scheere mich kein Haar um ihn.

2957. Ein Roß um eine Pfeife geben.

2958. Ein Haus um einen Schmaus geben.

2959. Das Majorat um ein Linsenkoch geben. — Das ist närrisch; ebenso ist der Sünder ein Narr, welcher das Ewige um das Zeitliche gibt.

2960. Je höher der Thurm desto spitzer. — Also der Mensch; je höher er steigt, desto spitzpfindiger (d. h. hier weiser, gelehrter ꝛc.) soll er werden.

2961. Auf solchem Eise nicht glitschen ist viel.

2962. Von solchem Magnet nicht gezogen werden ist viel.

2963. Bei einem solchen Feuer nicht brennen, ist viel. — Von Denen, welche sich nicht verführen ließen, wo es sehr schwer war zu widerstehen. Zu Babylon im Feuer sein und nicht brennen, ist ein Mirakel. Bei der Bäberi sein und nicht brennen ist auch ein Mirakel. (Abrah. erzählt von einem Heiligen, der, um eine weibliche Versuchung abzuwehren, ein halb abgebranntes Scheit aus dem Kamin genommen (recht, bemerkt Abrah., so wird die Unschuld nicht scheitern) den freundlichen Feind hinaus gejagt, die auf den Rükken geschlagen, welche sein heiliges Vorhaben wollte zurükktreiben. Hierbei ruft nun Abraham aus:)

24

2964. Auf einen solchen Herb gehört eine solche Gluht.

2965. Auf einen solchen Kopf gehört ein solcher Hut.

2966. Für solches Geld gehört ein solcher Säkkel.

2967. Auf eine solche Festung gehört eine solche Schanz.

2968. Zu solchem Thurme gehören solche Glokken.

2969. Einem selchen Spiegel gehört ein solcher Rahm.

2970. Solchem Garten, solche Mauer.

2971. Auf solche Kirmeß gehört ein solcher Tanz.

2972. Einem solchem Pferde gehört eine solche Striegel und einer solchen Dirne gehören solche Prügel. Es muß der wohl ein Narr sein, der sich übernimmt; daher heißt es:

2973. Stultus und Stolz wachsen auf einem Holz.

2974. Je mehr Früchte der Baum trägt, besto mehr hängt er die Äste. Je gelehrter und verständiger, besto demüthiger.

2975. Er ist höflich wie ein Kameel. — Dies kniet nieder, wenn man ihm eine Last auflegen will; so bükken sich viele Menschen, um Ämter und Würden zu erlangen.

2976. Er ist wie die Donau, erst rheinisch dann schweinisch. Denn die Donau kommt aus den Rheingegenden und nimmt zuletzt die Sau auf. Ihr ähnlich viele Menschen, erst gut, dann schlecht; aber

2977. Es sind wohl große Narren, die eine Weile gut sind und nicht verharren. — Sie kommen mir vor wie die Statue des Nebukadnezar. Dieses Bildniß Haupt war von Gold, die Brust von Silber, der Bauch und Leib von Erz, die Schenkel von Eisen, die Füße von Erde, von Anfang gut, nachher alleweil schlechter. Pfui, solche Lappen sind wie ein gewisses Volk Pardi. In demselben Lande sind die jungen Leute schneeweiß wie die Turteltauben in Hornung, wann sie aber alt werden, so werden

fie fchwarz; alfo auch etliche, biemeil fie heilig leben, heilig fein, doch mit der Zeit heillos werden, die find Narren.

2978. Sein Brotkorb hat ftäts die Schwindfucht.

2979. In feinem Kalender ift immer Quatember.

2980. Aus fetter Erde wächft nur Unkraut.

2981. Wenn eine Saite fett ift, fo gibt fie keinen
Ton. Alfo ift auch ein feifter Leib nicht tauglich zum
Gebet.

2982. Wenn man den Efel überfüttert, fo fängt er
an zu gumpen. Es ift gut, feinem Leibe einen Stiefva-
ter abgeben. Feifte Wampen, die alleweil fchlampen taugen nichts für die enge Pforte in den Himmel.

2983. Gleich und gleich gefellt fich gern, habs wohl
vermerkt, wie ich das erftemal die Bibel gelefen, worin
zu fehen, da Gott der Herr die Welt erfchaffen und die
Gefchöpfe der Welt, fo fchwebte der heil. Geift über dem
klaren Waffer.

2984. Ein Roff um eine Pfeife geben das ift kindifch,
aber um einen Apfel den Himmel, die Glori des Himmels, die Gloria der Ewigkeit vertändeln, vertaufchen,
verfcherzen, das ift gar fpöttlich, einer Schlange mehr
glauben als Gott, das ift fträflich; einem Weibe mehr gehorchen als dem Allerhöchften, ein Obft höher fchätzen als
Gottes Gebot, dem Teufel mehr Gehör geben, als dem
Erfchaffer, pfui, das hat Adam gethan.

2985. Den guten Wein felber trinken und das Gelä-
ger (die Hefen) Gott geben. — Von denen, die der Welt
das Beffte, Gott aber das Schlechtefte geben, z. B. eine
buktlige Tochter ins Klofter fchikken eine fchöne und wohl-
geftaltete aber vor die Welt behalten*).

---

*) Was meiner Meinung nach ganz in der Ordnung ift.
D. H.

24*

2986. Mit guten Tagen verdient man den Himmel nicht.

2987. Leiden müssen sein, sonst geht man nicht in den Himmel ein.

2988. Man kommt nicht mit Stiefel und Sporn in den Himmel. Alle müssen sich hinein kämpfen.

2989. Was ist die Krähe gegen den Paradiesvogel.

2990. Was ist die Eule gegen die Nachtigall. — Höher ist noch der Himmel mit seiner Herrlichkeit über alle irdischen Freuden.

2991. Schamhaftiges Blut ist der Jungfrauen Heirathsgut.

2992. Honig auf den Lippen, Gall im Sinn.

2993. Rosen auf den Wangen, Dörner im Gemüth.

2994. Was du thust, das thue bescheid, daß es dich nicht reut in der Zeit. — Der Tyrann Dyonysius sahe einen Philosophen unter den Kaufleuten sitzen und fragte ihn, was er zu verkaufen habe. Der Philosoph antwortete: die Weisheit. Wie theuer, fragte Dionysius. Um 400 Gulden war die Antwort des Weisen. Gib sie mir her, versetzte der Tyrann, worauf er einen Zettel erhielt des Inhalts: Was du thust ꝛc. Diese Sentenz bliebe nachmals sein Symbloum, oder Denkspruch, und ließ solchen in ein Kabinet an die Wand schreiben. Einsmals kam ein Barbier, willens dem Dionysio mit dem Schermesser die Gurgel abzuschneiden; als er aber den Spruch ansah und betrachtete, bedachte er sich alsbald anders, und stellte seinen bösen Vorsatz ein. Jonas bekam von Gott den Befehl, nach Ninive zu gehen, um dort Buße zu predigen. Er dachte aber bei sich selbst: das laß ich wohl bleiben, die Niniviter würden mich sauber empfangen, wenn ich

ihnen eine solche Zeitung würde ankündigen und die Wahrheit sagen; es ist schon ein gemeines Ding:

2995. Wer die Wahrheit geigt, dem schlägt man den
Fidelbogen ums Maul.

2996. Wer die Wahrheit malt, dem reibt man die
Farbe auf den Buttel.

2997. Wer die Wahrheit schreibt, dem schneidet man
die Hände sammt der Feder weg.

2998. Wer die Wahrheit singt, dem schlägt man den
Takt mit ungebrannter Asche. — Die Wahrheit ist gar
zu unangenehm. Man braucht sie selten, und wenn man
sie braucht, so wird sie hart belohnt. Jonas sah, daß die
Stadt nicht unterging und wandte sich ganz traurig und
melancholisch zu Gott: „Ist das mein Dank, wegen so
viel ausgestandener Mühe und Arbeit, daß ich jetzt muß
für einen verlogenen Mann gelten, hast mir so ernsthaft
geboten, den Niniviten den Untergang zu predigen und
jetzt wird nichts draus. Ich

2999. Bestehe wie Butter an der Sonne. Heißt das:

3000. Ein Mann, ein Mann, ein Wort, ein Wort.

3001. Aus stechenden Dörnern kommen die schönsten
Rosen.

3002. Es reimt sich wie Fastnacht und Karfreitag. —
(Von Dingen die gar nicht zusammen passen.)

3003. Wer mit einem bösen Weibe muß ziehen den
Pflug, der hat in seinem Hause Übels genug. — Petrus
wollte mit Jesu in den Tod gehen, aber er versprach mehr
als er hielt, er hatte ein größer Maul als Herz, es war:

3004. Viel Geschrei, wenig Ei. — Er versprach
Christo, dem Herrn, beständig zu verharren, mit ihm bis
in den Tod zu gehen, aber dieses Vorhaben hatte eine
Beständigkeit, wie

5005. Rosenblätter und Aprilen = Wetter.

3006. Gras und Glas währt keines lang.

5007. Jemandem eine Wäsche zurichten.

5008. Auswendig hui, inwendig Pfui. — (Von der Welt und ihren Freuden).

5009. Märzschnee soll den Alten auskuriren die Falten. — Gott speißt die Menschen, aber

5010. Er brät ihnen keine Wurst. — Man macht Keinem etwas Besonders. Christus selbst hat müssen Kreuz und Leiden ausstehen; und Gott soll dir, o Mensch, eine besondere Wurst braten? Die Prophetenkinder haben Kraut gesammelt und Kaloquinten darunter gefunden, desswegen

5011. Krumme Mäuler gemacht.

5012. Bei ihm ist alle Tage Kreuzeserfindung.

5013. Ihm sind alle Wege Kreuzwege.

5014. Jeder Gang ist ihm ein Kreuzgang. — (Muß viel leiden.)

5015. Wer nicht gern beten kann, wag sich nur aufs Meer hinan. — Auf dem Meere sind zwar die größten Gefahren, aber Maria will auch zugleich die beständigste und größeste Hilfe leisten.

5016. Ein guter Freund ist ein seltsames Wildprät.

5017. Welsche Leut, falsche Leut.

5018. Trau keinem Juden auf seinen Eid
und keinem Wolf auf grüner Haid
und keinem Freund auf sein Gewissen,
sonst wirst du von allen dreien gebissen.

5019. Der heil. Abt Gallus ist den Schweizern gewogen.

Der Hahn hat gekräht, wie Petrus hat gelogen
und Alle wissen, daß die Franzosen sein betrogen.

(Wortspiel nachdem Wort Gallus, das 1. einen Abt, 2. einen

Hahn und 3, einen Franzosen bedeutet. Zur Zeit Noah war die Welt in Sünden vertieft und es hat wohl geheißen:

3020. Acker und Pflug, Wein und Krug,
Durstiger Bruder, Zecher und Luder,
Rettig und Rüben, Huren und Büben.
Hühner und Hahnen waren alle Gespanen.

3021. Wenn Bachus die Thür aufthut, so tritt Venus hinein, — So Jemand aus seines Herren Gnade fällt, sagt man im Sprichwort:

3022. Er hat ausgefressen. — Von Adam kann ich billig sagen: Er habe ausgefressen die Gnade sammt den Äpfeln. Ein wohlzutreffendes Sprichwort ist dieses:

3023. Freund in der Noth, Freund im Tod, Freund hinterm Rükken sind drei starke Brükken. — Wenig Freund giebt es in der Noth, dazumal gehen etliche 70 auf ein Loth. Was ist das graue Alter anders als die Noth selbst! Ich will sagen daß es sei ein Spital der Krankheit, ein Kerker vieler Trübsalen, wegen abnehmenden Leibeskräften. Sage mir einer, ob nicht ein solches Alter ein groß Elend und Noth sei! Ja freilich. So braucht er darin einen Freund, der ihn tröstet, einen guten Freund, der auf ihn acht giebt, einen guten Freund, der ihn erquickt, der ihm in allen hilft.

3024. Trischakk macht vielen einen leeren Sakk. — Spiel führt in Armuth.

3025. Er ist bis auf die letzte Ziffer gekommen. — Die Null, sein Vermögen ist hin.

3026. Gute Bissel in der Schüssel machen bald kalte Herberge.

3027. Wie der Garten einen Zaun, wie das Pferd einen Zaum, wie der Kasten einen Riegel, wie das Roß eine Striegel, wie das Schiff einen Regierer, so die Jugend einen Führer. Denn

3028. Jugend hat nicht Tugend.

3029. Ein Faß mit Most muß gähren.

3030. Einen Bogen muß man nicht allezeit spannen.

3031. Ein junges Kalb muß man lassen gumpen. — (Die Jugend muß Freiheit haben, ihre Kräfte zu entwikkeln.)

3032. Der Himmel ist nicht immer heiter. — Zuweilen schaut er auch gar sauer und finster aus.

3033. Die Biene macht wohl Honig, aber sie hat auch Stacheln. — Christus war sanft, aber auch ernst und zornig.

3034. Die großen Fische fressen die kleinen. — Wer die Welt nennt ein Meer, der nennt sie recht. Das Meer ist voller Klippen und Sandbänke, also die Welt; darin stößt Mancher an harte Felsen, daß sein Glükk völlig scheitert. In dem Meere fressen die großen Fische die kleinen, so in der Welt, Einer ist dem Andern nachstellig und aufsäßig. Wer die Welt nennt eine Komödie, der nennt sie recht. Denn auf diesem Schauplaz regiert einer bald als König, bald als Bauer, in der Welt wird man bald erhoben, bald unterdrükkt, es heißt:

3035. Heute Herr, morgen wieder leer.

3036. Heute Edler, morgen Bettler.

3037. Der (alte) Hafen scheppert (schellt). — Hat einen Sprung; die Sache hat einen Fehler, die Freundschaft hat einem Bruch.

3038. Heute Freund, morgen Feind.

3039. Heut thut er sich biegen und bükken, morgen wünscht er den Teufel auf den Rükken.

5040. Heut ift er ein Patron, morgen schaut er dich nicht mehr an.

5041. Heut küsst er dich und will dich fressen vor Lieb, kehr um die Hand, so heißt er dich Schelm und Dieb. — Alle Freundschaft der Welt ist unbeständig, forderst die am besten glänzt, sie ist gleich einem Firniß, der oft einem faulen Holz einen Glanz anstreichet, das doch inwendig voller Würm ist. So lange die Reichen zu traktiren haben, so lang sein die Schmarotzer und sie geben sich vor die größten und besten Freunde aus, wann aber die Tasel abnimmt, der Beutel leer wird, und der Stammbaum sammt dem Gut und Muth zerfallen; da fliegen auch die Vögel, die Erzvögel, die Speisevögel hinweg; da sieht man alsbald die unbeständige Freundschaft deren Menschen.

5042. Das Erste das Beste. — Als unser Erlöser das Abendmahl eingesetzt, hat es geheißen: das Letzte das Beste. Schaut den Judas an, der wird der rechte sein, man kennt es an der Büberei, die er am Bart trug.

5043. Ein rother Bart ist selten guter Art. — Nebst diesem ist er Säkkelmeister, der Kerl hat den Beutel und

5044. Es ist selten ein Ämtel, das nicht henkenswerth.

5045. Ein Schmeichler und ein Schelm sehen einander so gleich, wie ein Ei dem andern. — Wenn er dich schon lobt ins Gesicht, es geht ihm nicht von Herzen.

5046. Sein Herz und seine Zunge sind weiter aus einander als Schaffhausen und Kitzbüchel.

5047. Seine Worte und Gedanken sind so nahe wie Freiburg und Neuburg.

5048. Seine Zunge ist allezeit von Glattau, aber die Werke sind von Laufen.

5049. Wenn er verspricht, so ist er Herr von Sonnenfeld, bei der That ist er von Trübs-Winkel. — Er lobt dich wohl, aber er liebt dich nicht, sondern nur das Deinige: er kitzelt dich durch seine Schmeichelei, damit er sein erwünschtes Vorhaben erlange. Schmeichler, Schmarotzer, Schwätzer, Schelm, sag es noch einmal, die fangen alle von Sch. an. Die Schmeichlerei ist eine Sünde, weil man einen lobt deswegen, damit man von seinen Nebenmenschen aus pur lautern Eigennutz, etwas fischen und erwischen möge. Die Schmeichler sind, wie der Herr ist, dem sie schmeicheln. Der Schmeichler und sein Herr sind

3050. über einen Leisten geschlagen. — Ist der Herr geneigt zum Buhlen, so wird der Schmeichler

3051. Nichts anders reden, als von Löffelholz.

3052. Der lateinische Freitag wird ihm allzeit auf der Zunge liegen, und

3053. Eine Kupplerin reicht der andern die Thür. — Sagt der Herr, es sei keine große Sünde das sechste Gebot zu übertreten, so versetzt der Schmeichler: das sind lauter Pfaffengedicht:

3054. Der Himmel ist nicht für die Gänse erbaut.

3055. Man malt den Teufel schwärzer als er ist.

3056. Wenn der Herr schläfert, so gähnt der Schmeichler.

3057. Redet der Herr vom Stehlen, so spricht der Schmeichler vom Klauben.

3058. Wenn der Herr friert, so zittert der Schmeichler, wenn es auch mitten in den Hundstagen wäre. — Nirgends wird der Schmeichler mehr bestraft, als wenn der Herr stirbt. So lange die Herrschaft lebt die sie schmeicheln, da zuckt ein jedweder den Hut vor ihnen, sobald aber der Tod einen Strich dadurch macht, da werden sammt denen Excelenzen die Reverenzen vergessen; kein einziger Kuchel=Jung zuckt mehr vor dem Beamten einen Hut. Man schauet den Schmeichler über die Achsel und sagt:

3059. Das Kind.ist gestorben die Gevatterschaft ist aus.

3060. Schmeichler und Ehrabschneider sind nahe Ver= wandte. — Siehest du deinen Nächsten mißhandeln, so er= mahne ihn, hilf ihm, predige ihm, du bist unter einer Sünde verpflicht, solchen zu predigen. Da heißt es nicht:

3061. Was mich nicht brennt, das blas ich nicht.

3062. Das Pölsterlein flikken. — Von Predigern, welche Schmeichelreden der strengen Wahrheit vorziehen, sich einzig und allein auf die Zierlichkeit der deütschen Sprache verlegen, damit sie ihren Zuhörern die Ohren kitzeln, un= terdessen das Gehör von der Wahrheit abwenden, um ihre aufgeblasene Weisheit und aus bündig Gedächtniß zu er= zeigen. Die Schmeichler sind wie die Bienen, die in dem Munde Honig tragen, hinterwärts aber einen scharfen Stachel haben.

3063. Vorn süß, hinten Spieß. — Vorn hui, hinten pfui, bald kalt, bald warm, an Worten reich, an Werken arm. Die Schmeichler sind wie die Büchsen in der Apo= theken, die auswendig einen schönen Titel führen, zum Exempel: Theriaka veneta venetianischer Metridrat, ist jedoch öfter ein Assa fötila. oder stinkendes Teufelskoth darinnen. Sie sind wie die Meerfräulein, die so lang an= nehmlich singen, bis sie einen um das Seinige betrogen. Die Schmeichler sind wie der Wintergrün, der einen Baum zwar umfangt, umhalset, umarmet, aber ihm Saft und Kraft benimmt.

3064. Im Angesicht heißts: Gehorsamer Diener Herr Bruder, in Abwesenheit: Du Bösewicht, Schelm und Luder.

3065. Vorn sich bükken und die Feigen zeigen hinter dem Rükken.

3066. Er singt und sagt von nichts als Treü, aber es ist lauter Gleißnerei. — Die Schmeichler widerstehen

den Guten zwar nicht ins Angeficht; aber fobald fie den
Rükken kehren, find fie ihnen fchäblich. Sie loben in Ge-
genwart und erheben ihren Nächften bis in den dritten
Himmel hinauf; fobald man aber von ihnen entweicht fo
verachten und verfchmeißen fie einen mit taufend Schmach
und Scheltworten. Um jemehr dergleichen Gefellen lächeln,
fchmüßeln und fchmeicheln, defto fchäblicher find ihre Nach-
ftellungen. Sie beweinen manchen fein Unglükk mit naffen
Augen, inwendig aber hüpft das Herz vor Freuden auf,
fie küffen und lekken die Hände, die fie lieber wollten ab-
gehakter fehen. Ins Angeficht heißt: Gehorfamer Diener.

3067. Er ift bekannt wie das böfe Geld. — Du,
Menfch, trägft Gottes Gepräge; verfälfche die Münze nicht.
Das fchlimme Geld pflegt man in den Kaufmannsgewöl-
bern anzufchlagen, damit andere ehrliche Leute nicht betrogen werden. Gott kannft du niemals betrügen, weil er
ein Erschaffer der Nieren und des Herzens ift. Die Heuchler und Schmeichler find vor Gottes Angeficht ein Greuel,
derowegen lebe alfo mein Chrift, damit du nicht als ein
böfer Pfennig mögft verworfen werden, fondern als ein
theuer und bewehrte Münze, in die himmlifche Schaßkam-
mer mögeft überfeßt werden. Es gefchieht gar oft, daß
fich Jemand auf einen großen Patron verläfft, auf diefen
bauet er Alles und fürchtet Niemand. Er läfft bellen,
Keiner kahn ihn beiffen; er läfft zielen, Keiner kann ihn
treffen. Kein Schloffer darf ihn

3068. Einen Riegel fchießen. Kein Baber darf ihm
3069. Den Kopf wafchen. Kein Holzhakker darf ihm
3070. Einen Prügel unter die Füße werfen. Kein
Kalendermacher darf ihm
3071. Die Planeten lefen. Kein Huter darf ihm
3072. Einen Filz geben. Kein Koch darf ihm

3073. Die Suppe verfalzen. Kein Geiger darf ihm
3074. Den Kehraus machen. — Denn er stehet ganz
sicher hinter dieser Schußmauer, seinem Patron.
3075. Noth lehrt beten, oder
3076. In Angst und Noth schreit man zu Gott.
3077. Mein Bukkel ist kein Nußbaum. — Er ist nicht
an die Prügel gewöhnt.
3078. Jemandem ein Trinkgeld geben mit Tölpeltha=
lern. (Prügel).
3079. Wenn der Wind nicht in die Pfeifen bläfet, ge=
ben sie keinen Ton. — So geht es mit dem Menschen;
Niemand läfft gegen Gott seine Stimme hören, wenn er
uns nicht die Blasebälge zu einem ungeheuern Sturmwind
aufziehet, da fangen wir an zu pfeifen und zu schreien.
3080. Versteckt in Nöthen, lernt andächtig beten.
3081. W.nn die Gewichte fehlen, geht die Uhr nicht.
— So der Mensch, wenn ihm Gott nicht etwas Schwe=
res zuschikkt, so geht er nicht nach den Minuten des gött=
lichen Willens.
3082. Ein Waffer, das steht, wird faul. — So der
Mensch; wenn ihn Gott nicht durch Trübsale bewegt, ver=
fault er im Wohlstand.
3083. Wenn der Weinstokk nicht beschnitten wird, trägt
er keine gute Trauben. — So der Mensch; wenn ihm
nicht Gott eins oder das andere, was er zeitlich liebt, hin=
wegnähme, würde er selten gute Früchte bringen. Wie
kommt es, daß der Hund in der Arche Noä der Katze
nicht einen oder den andern Zwikk angehängt; denn es ist
ja nur allzuwahr.
3084. Der Hund von Katzen die Katze von Raten,
    der Fuchs von Stehlen, der Teufel von Seelen,
    der Wolf vom Faffen wird nimmer laffen.

Abrahamiſches Lauberhütt ꝛc. Zweiter Theil.

Im Frühlinge ſchreib in deinen Kalender:
3085. Heút in Pracht, morgen veracht't.
3086. Er lieſt in keinem Buche lieber, als in Puffen=
dorf. — (Iſt ein Freúnd des Zuſchlagens.)
3087. Er búkkt ſich tiefer im Tanz als in der Kirche
vor der Monſtranz. — (Von Weltmenſchen). Alle Aus=
ſchweifungen, Irrungen und Verwirrungen, kommen aus
der úbeln Gewohnheit der Jugend; denn
3088. Wer jung wie ein Rabe ſchreit, wird alt nicht
wie eine Nachtigall ſingen. — Die Kinder arten den Spie=
geln nach, welche alles vorſtellen, was vor ihm geſchieht.
Gehen nun die Eltern meiſterlos mit den Kindern um,
werden auch die Kinder bald Meiſter ſpielen. Siehet das
Kind, daſſ die Eltern fromm, gottesfúrchtige Leúte ſein,
ſo wird das Kind gottesfúrchtig; wann ihnen aber ſchier
nichts anders in die Augen und Ohren fallen, als: rau=
fen, ſaufen, buhlen, ſpielen, praſſen, lachen, herzen,
ſcherzen, fluchen, ſchelten, ſchwören, ſo wird es heißen:
3089. Wie die Alten ſungen, ſo zwitſchern auch die
Jungen. — Um den Verfall alter guter Sitten zu ent=
ſchuldigen, ſagt man:
3090. Man muſſ ſich nach der Welt richten, die Welt
richtet ſich nicht nach uns. — Damit wir nicht etwa möch=
ten genannt werden:
3091. Leúte von der alten Welt. — Denn
3092. Wer bei den Wölfen iſt, muſſ mit heúlen. —
Dies ſagſt du, o Weltling, du ſchlauer und lauer Chriſt;
aber Paulus ſpricht: Richtet euch nicht nach Art der Welt.

3093. Große Mahlzeiten enden mit kalter Küche. — Wenn man den Weltkindern sagt, sie würden sich durch den großen Aufwand an den Bettelstab bringen, so antworten sie:

3094. Wo nichts ist, da hat der Kaiser das Recht verloren. — Sie verspotten alles was aufrichtige und gewissenhafte Männer sagen. Die Pfaffen, sagen sie, haben gut reden.

3095. Die Hölle ist nicht so heiß, wie sie sagen und

3096. Der Teufel ist nicht so schwarz, wie sie ihn malen. — Laß Pfaffen Pfaffen sein, ein Welt-Kind ist zu weit andern Sachen geboren, als zu dem Rosenkranz, man muß machen, was die andern thun, wie es die Gewohnheit erfordert.

3097. Die Gewohnheit ist ein eisern Pfaidt.

3098. Spott und Hohn ist der Welt Lohn.

3099. Gott bezahlt mit gleicher Münze. — Gott hält sich gegen den Menschen, wie der Mensch gegen Gott. Wie du mein menschliche Cither gestimmt hast gegen Gott, ein gleiche Stimme von Gott vernimm. Merks Pharao ewig, aber nimmermehr zu beinem Nutzen, merks, das Gott thut einmessen, wie wir gemessen. Wie du gegen Gott, so Gott gegen Dir. Was beklagst du dich, daß dein Haus mit dem göttlichen Riegel, der göttlichen Benediction verschlossen, denkst du doch selten an Gott, dessentwegen denkt Gott auch selten an dich, und das ist die Ursache der Abwesenheit des Seegens. Was verwunderst du dich, daß beiner Kinder Zaum los, dir keinen Gehorsam leisten, und dich Vater oder Mutter verachten; gedenke zurück, wie du in beiner Jugend gegen beine Eltern gewesen bist, also zahlt bich Gott mit gleicher Münze. Was verwunderst du dich, daß du ohne Ursach in ein großes und böses Geschrei kommst,

sperre dich ein wenig ein in die Kanzelei deines Gedächt=
niß, suche daxInnen; du wirst finden, daß du zuweilen auf
den Nächsten, seine Ehr und guten Namen geschwärzt,
darum zahlt dich Gott jetzt also wieder darum aus. Gott
ist ein Spiegel, spricht mein heiliger Vater Augustinus,
ein unbeflächter allerklärster Spiegel; schaue ich zornig hin=
ein, so schauet er zornig heraus, mach ich ein krumm Maul,
so macht dieser wieder ein krumm Maul, zeig ich ein wei=
nendes Gesicht, so zeigt er auch ein weinend Gesicht, lache
ich, so lacht dieser auch, auf solche Weise Gott. Hero=
bias, was ist das nicht für eine saubere Prinzessinn gewe=
sen; aber

3100. Der Apfel fällt nicht weit vom Stamme.

3101. Der Fluß artet nach seinem Ursprung.

3102. Raben zeugen keine Schwalben.

3103. Aus sauern Weinbeeren kommt kein guter Most.
— So haben böse Eltern keine gute Kinder. Aus dieser
kupplerischen Ehe Herobis, die er hatte mit Philippi seines
Bruders Weib, konnte ja keine andere Blume hervorwach=
sen, als die Saublume Herobias. Ohne Augen und Licht
sind wir Menschen elende Leüte, und ist das allgemeine
Sprichwort nur allzuwahr:

3104. Ein blinder Mann, ein armer Mann.

3105. Sich nach jedem Winde drehen, wie eine Kirch=
thurmfahne.

3106. Ihre Köpfe stehen wie der kaiserliche Adler. —
Der eine nach Ost, der andere nach West; sie sind nie
einig.

3107. Er geht barfuß und sie hat keine Schuhe.

3108. Der Bauer muß tanzen, wie die Herrschaft
pfeift. Es lautet:

3109. Allbieweil geht's so zu der Pfleger nimmts Kalb und die Herrschaft die Kuh.

3110. Gut, Geld, die Hülle voll, macht den Reichen toll.

3111. Alle Tage voll, macht das Haus leer.

3112. Ein Mann, ein Mann, hat er gleich keinen guten Fetzen an. — Von heirathssüchtigen Jungfrauen und Weibern. „Ich muß," läßt sie Abraham sagen, „dieses Jahr noch einen Mann haben, sagt manche, es gehe wie es wolle, es schmekt mir kein Süppel, wenn ich nicht hab den Lippel; der Paul kommt mir alleweil ins Maul; in den Franz verschau ich mich ganz; ach, daß ich doch werde beglückt, mit dem lieben Benedikt. Dem Meister Berthold bin ich von Herzen hold, und gieb dem Herrn Mathies alle Tage ein Paradies.

3113. Wer nicht streit', verdient keine Beut.

3114. Er setzt wakker, bis er verspielt Wiesen und Akker.

3115. Geizige essen keinen Vogel lieber, als den Habich.

3116. Eine Mükke würde eher das Meer aussaufen.

3117. Eher wird ein Elephant fliegen.

3118. Ein Adler wird eher das Fliegen vergessen.

3119. Wer sich nicht hoch erhebt, ohne Gefahr und Sorgen lebt.

3120. Schmerz macht golden Herz.

3121. Erst gibt Gott Stein, danb reicht er Helfenbein. (Er gibt die Last, aber er hilft sie auch tragen.)

3122. Auf die Schmerzen gibt Gott das Scherzen.

3123. Nach dem Getümmel schikkt Gott den Himmel. — Auf der Hochzeit zu Kana in Gallilda hat sich der Speisemeister sehr verwundert, daß der gute Wein erst zuletzt gekommen. Sonst sagte er: giebt man vom Anfange an guten, hernach erst den schlechten Wein. Aber bei Gott

25

ist das Wiederspiel, jetzt in der Lebenszeit setzt Gott den Menschen einen sauern Wein, hernach in der Ewigkeit erst den süßen. Jetzt zwickt er den Menschen, nachmalens liebt er die Menschen. Jetzt thut er ihn verletzen, bald wiederum ergötzen. Jetzt giebt er ihnen die Dörner, nachmalens die Körner. Eher ist das Schwitzen als das Sitzen. Ehender ist der Spieß als das Süß. Ehender ist die Noth als das Brot. Ehender ist das Krachen als das Lachen. Ehender ist die Last als die Rast. Ehender ist das Leiden als die Freuden.

3124. Vagirende Klausner und Pilgram kommen im Himmel selten zusamm. Pilgrimme machen es wie der Fuchs in der Fabel, der ein Pilgramskleid anzog, alles Geflügelwerk zur Predigt einlud, das arglos kam und von ihm erwürgt ward. Dergleichen Fuchsart haben gar viel vagirende Klausner, Pilgram und Jakobsbrüder. Mancher Faulenzer, welcher nicht arbeiten mag, nimmt einen ledernen Fleck um *), hangt allerhand Pfennige und Muscheln daran; zur linken trägt er ein blechernes Futteral mit etlich falschen Paßpacten, zur rechten ein Kürbis, welcher allezeit mit Wein gefüllt, besser als die thörigten Jungfrauen ihre Lampen mit Öl, mithin lauft er alle Gassen und Straßen, sonderbar aber die Wirthshäuser durch, bittet um ein heiliges Almosen, denn er geht morgen ganz schnell zu St. Jakob nach Kompastel. Ein anderer sagt: daß er sein Gelübbd und Pflicht zu Maria Zell in Steiermark verrichte. Der dritte thut erweisen, daß er gar nach Jerusalem will reisen; aber, aber mancher solcher Bruder ist nichts als ein lauteres Luder, lauft alle Tage aus, und kommt niemals weiter als ins Wirthshaus. Die Pilgrams sind oft schlimme Sch===. Gott unser werthester Heiland

---

*) Oder geht ins Kloster.

und Erlöser, hat durch den Evangelisten Matthäus im 7.
Kapitel schon längst Jedermann gewarnt, man sollte sich
hüten, vor solchen falschen Propheten und Gleisnern, welche
gehen in Schafskleidern, inwendig aber sind sie reißende
Wölfe, daher kommt derjenige oft gar übel an, der sol=
chen Waldbrüdern trauet, denn sie sein Sch = = = in der
Haut.

3125. Ofen ist nicht weit von Pest. — Es weiß be=
reits ein Jeder, daß zwei Städte in Ungarn neben einan=
der, die nunmehr durch Gottes Hülf und Gnade in der
Christen Gewalt und Botmäßigkeit stehen, eine heißt Pest,
die andere heißt Ofen, neben einander, bei einander, Pest
und Ofen. So oft eine Pest oder giftige Contagion in
einem Lande grassirt, so oft ist Pest und Ofen beisammen.
Dann niemals ist man hitziger im Gebet, niemahlen in=
brünstiger in der Andacht als zur Pest=Zeit.

Wie kommt Maria auf die Hochzeit zu Kana, da doch
Niemand eingeladen, als Christus und seine Jünger?
Sollte sie nicht gedacht haben:?

3126. Ungeladene Gäste setzt man hinter die Thür. —
Ursach: sie sah voraus, (?) ihre Hülfe werde dort von nö=
then sein.

3127. Nach einer bittern Kost kommt süße Freud und
Most.

3128. Nach Leiden kommen Freuden — so sagt die
Glocke, denn kaum kam ich aus dem feurigen Ofen als
einer zeitlichen Höll, da muß ich durch einen engen und
strengen Eingang in eine beinige Herberg marschiren.
Man vergönnt mir aber nit viel Ruhe, sondern ich muß
bald die Raspeln und Feilen auf allen Seiten gedulden,
daß man mir fast die Haut über die Ohren abzieht, viel
Püff und Ohrfeigen muß ich ausstehen, den Thon und

25*

Klang, hierdurch eine Prob zu geben; so dann hängt man
mir einen Strikk um den Hals, als hätte ich mit dem
Achac den größten Diebstahl, der Stadt Jericho begangen;
endlich und endlich wurde ich in die Höhe promovirt zu
sonder Ehren, als zwar, daß der Himmel selbst und alle
dessen Ungewitter einen sondern Respekt gegen mich tragen.
Das heißt: **Nach Leiden kommen Freuden.**

3129. Es wächst kein Kraut in ihrem Garten als
Wermuth.

3130. Ein Akker ohne Traid, eine Wiese ohne Weid,
ein Keller ohne Wein, ein Heiliger ohne Schein,
ein Stokk ohne Reben, ein Mensch ohne Leben,
eine Mutter ohne Kind, von geringem Werthe sind.

3131. Nach Leiden kommen Freuden — sagt der Weinstokk; dann ich wurde gebunden, als hätt ich weiß nit
was für eine Uebelthat begangen. Man verfährt mit mir
also grausam, und muß dergestalten von dem Rebmesser
leiden, daß mir vor Schmerzen die häufigen Zähren her-
unterrinnen. Die grüne Liberey, mit welcher mich das
Erdreich bekleidet zerreißt man also, daß ich mich von
Herzen schämen muß. Aber nach **Leiden kommen
Freuden;** dann nach allen diesen gelange ich zu reicher
Fruchtbarkeit.

3132. Wer sucht, der findet. — Viele suchen; viele
finden, aber nicht alle mit Freuden, wie heut Maria in
dem Tempel zn Jerusalem. Du Welt-Narr, was suchest
du? Antwort: Ich such Blumen. Jetzt ist keine Zeit
Blumen zu suchen; aber ich weiß es wohl, du suchest ein
Kraut, dieses heißt Tausendgülden-Kraut.

3133. Die Frau nimmt Alles an, eine Fleischwage und
eine Tortenpfann, einen kupfernen Kessel, oder sammtenen
Sessel, auf die Tafel ein gut Bissel, oder ein Dutzend zin-

nerne Schüffel, gibt man ihr aber ein Dutzend Dukaten, wird der Gegentheil mit seinen Anbringen nicht viel schaden. — (Wer Beamte bestechen will, thut gut, die Geschenke der Frau deffelben zu übergeben: sie verfehlen ihre Wirkung nicht.)

3134. Augentrost ist beffer als Tausendgüldenkraut. — Christus ist der wahre Augentrost und mehr werth als alle irdischen Schätze, wer ihn findet, ist reich und überreich.

3135. Er riecht keine Blume lieber als Ehrenpreis. — (Von Ehrgeizigen.)

3136. Ein Buch mit guten Klausuren bekommt nicht bald Eselsohren. — (Weltverlassung bringt Nutzen, am sichersten das Kloster.)

3137. Ein Licht in der Laterne löscht der Wind nicht leicht.

3138. Eine Speise, die gut zugedeckt ist, verliert den Geschmack nicht bald.

3139. Ein Vogel im Käsig wird nicht bald einem Raubvogel zur Beute.

3140. Ein wohlverwahrter Balsam verraucht nicht bald. — (Von der schützenden Kraft des Klosters; allgemeiner von der Zurükkziehung von dem Treiben der großen Welt.)

3141. Kothkäfer können die Rose nicht leiden.

3142. Nachteulen haffen das Licht. — (Das Gute hat Neider und Verfolger.)

3143. Sie sind Freunde wie kaltes Waffer und glühendes Eisen.

3144. Wenn man zu großen Herrn kommt, muß der Diener draußen bleiben. — Die Wahrheit ist ein Diener; bei großen Herrn darfst du sie nicht mit hineinbringen.

3145. Ein Glaube ohne Werke, ist ein Löwe ohne Stärke.

3146. Ein Glaube ohne gute Werke ist eine Lampe ohne Öl, ein Brunn ohne Quell, ein Baum ohne Frucht, ein Kind ohne Zucht.

3147. Ein Glaube ohne gute Werke ist ein Weinstock ohne Reben, ein Mensch ohne Leben *).

3148. Aus einem Block wird oft die schönste Bildsäule.

3149. Aus einem schlechten Darm wird eine wohlklingende Saite. — Es geschieht wohl oft, daß auch gemeine Leute zu hohen Ehren steigen. Der Hirtenknabe David, der Eseltreiber Saul, der Drescher Gideon, die schöne Esther.

3150. Im schönsten Bande ist oft das schlechteste Buch.

3151. Auch in vergoldeten Bechern findet man sauern Wein.

3152. Schöne Stirn, nichts im Gehirn.

3153. Gott gibt nicht Acht auf das Geschrei, sondern auf das Ei. — Nichts gilt das Gebet, wo der Mund pallirt, und das Herz vagirt, wo der Mund spricht oremus und das Herz sagt voremus. Simson hat mit den Fuchs-Schweifen den Philistern großen Schaden zugefügt; aber der Satan macht noch größern Schaden mit den ausschweifigen Gedanken im Gebet.

3154. Wer Redlichkeit jetzt sucht und Treu, der find't davor nur Gleißnerei.

3155. Honig auf der Zunge, Galle im Herzen. — Gott haßt die Falschheit über alle Maßen, folglich auch diejenige, welche Honig auf der Zung, und Gall im Her-

---

*) Für die, welche stäts auf die Tugend schimpfen, und nur in ihrer Sünden- und Bluttheorie selig sind. Die guten Werke des Wallfahrtens und Rosenkranzbetens thuns aber auch nicht.

zen tragen; der von außen Lamm', inwendig aber Gram, in Worten Freund, in Thaten Feind. Die Augen ein Engel, im Gemüth ein Pengel. Solcher ist ein Abscheu vor Gott, welcher ist die klare Wahrheit und die wahre Klarheit.

3156. Wenn es nicht wahr ist, so schnauz mich der Teufel. — Es schreibet der sehr belesene und gelehrte Harsdörfer in seinen Gesprächspielen, daß nehmlich eines in Frankreich zu Rochelle gewesen, welcher zu allen seinen Sachen und Versprechungen dieses Sprichwort sagte: Wann es nicht wahr ist, so schnauz mich der Teufel. Der Teufel aber hat mit einer glühenden Zange also die Nase abgeschnauzt, daß ihm nur der abgebrannte Stumpf übrig geblieben. Wann dieser Höllengast allezeit sollte denjenigen die Nasen schnauzen, welche anders reden, als sie im Herzen haben, so werde man mehr gestutzte Nasen als gestutzte Hunde finden.

3157. Auswendig Christ, inwendig ein Machiavellist.

3158. Auswendig redlich, inwendig schädlich.

3159. Außen Freud, innen Leid.

3160. Auswendig fromme Seelen, inwendig böse Gesellen.

3161. Auswendig Tugendsam, inwendig aller Uebel Absam. — Mit einem Worte: Mancher unter dem äußerlichen Schein der Frömmigkeit, Treue, Redlichkeit, trägt in seinem Busen die Bosheit, Schalkheit.

3162. Auswendig süße Wort, inwendig Spieß und Mord.

592

Abrahamifches Lauberhütt ic. Dritter
Theil.

3163. Wer der Welt und Freuden traut, hat sein
Haus auf Sand gebaut.
3164. Wenn die Zeiten glücklich sind, finden sich gar
viele Freunde.
3165. Wird der Beutel leer, so sieht man die Freunde
nicht mehr. — Ist denn nicht wahr das Sprichwort:
3166. Was gered't haben die Alten, das wurde gehalten, aber jetzt bei den Jungen lügen gar oft die Jungen.
— Es ist ja wahr und zu wahr, was man längst gesagt:
3167. Die Treü ist von Flandern, sie ist weder bei
diesen noch bei den andern. — Ein Narr und aller Narren Narr und ein größerer Narr, ja ein Original aller
Narren ist derjenige, der da baut und traut auf die Welt.
Ein solcher kommt mir natürlich vor, wie jener Narr, der
vom Stuhl heruntergefallen, und sich an ein Bier-Kandel
anhalten wollte. Ein solcher Narr, der auf die Welt
baut, dünkt mir zu sein wie ein Elephant, der hat diese
Eigenschaften, daß er sich niemals niederlegt, sondern sich
allezeit an einen Baum stützet. Ein Narr wer der Welt
trauet; denn Treü ist ic.
3168. Er ist Hünerscheu. — (Von feigen Soldaten.)
3169. Er ist mit Hasenfellen gefüttert. (Desgl.)
3170. Einen üblen Markt anrichten. — (Von Einem,
der Böses anstiftet. Abraham gebraucht die R. a. von
Judas.)
3171. Gott vertraut, ist wohl gebaut. — Es soll Niemand in der Welt auf Treü und Freundschaft trauen und
bauen; denn es finden sich gar viel, die mit freundlich re-

418

den und es doch feindlich vermeinen; die einen auf die rechte Seite setzen, und es doch links mit ihnen versteben; die einen viel Reverenz machen und doch beinebens Reverenter Schelmen sein. Gott allein vertraut, ist wohl gebaut. Es ist noch keiner betrogen, der seine Zuflucht genommen zur ewigen Wahrheit, hingegen sind viele unzählbare hinter das Licht geführt worden, die sich auf das Parola der Welt gegründet.

3172. Der Welt Wein wird gar leicht zu Essig. — (Wird aus dem Betragen der Gemahlinn Potiphars gegen Joseph erleutert und belegt.)

3173. Die auf Gott hoffen, haben stäts das Beste getroffen. — (Wahlspruch Sigismunds von Polen.)

3174. Gottes Hand ist mein Pfand. — (Stand auf dem Wappen eines norwegischen Herzogs.)

3175. Alt und kalt. — Wer sollte meinen, daß auch durch die alte verrunzelte Haut Kupido's Pfeile sollten niederbringen können.

3176. Brüdergunst und Gnad wenig Beständigkeit hat. — Gut ist auf dich hoffen, o Herr! Du wirst mir sein ein Arzt in der Krankheit; du wirst mir sein ein Sekundant in dem Streit; du wirst mir sein ein Gestade in meiner Schifffart; du wirst mir sein ein Advokat in meinen gerechten Sachen; du wirst mir sein eine Zuflucht in meinen Nöthen; du wirst sein ein Hirt und Wächter über mein Haus; du wirst mir sein ein Verfechter meines guten Namens, auf das verlaß ich mich; du wirst mir sein ein Vater in meinem Leben, auf daß verlaß ich mich; du wirst mir sein ein Tröster in meinen Tod, auf das verlaß ich mich; du wirst mir sein ein Belohner nach meinem Tod, auf das verlaß ich mich. Es brohe mir der Himmel, es wüthet auch die Hölle, es schrekken mich die Donner, es saufen bie Winde, es erbebet die Erbe, es flamme das Feüer, es stellen mir nach alle Feinbe, wann schon, ich hang mich an meinen Gott und sprich: so lang ich lebe und schwebe auf dich o Gott, verlaß ich mich, Amen!

3177. Hoffart könnnt vorm Fall. — So kam sie so= gar bei dem übermüthigen Lucifer. Was hilft es, wenn die Kinber im Tanzen und Kapriolschneiden vollkommen sinb, beinebens aber bie Tugend

3178. Mit Füßen treten. — Was hilft es, wenn die Kinder mit Degen, Rapieren und Fechten können umspring= gen, inbessen aber in Ungeberden

3179. über die Schnur hauen.

3180. Einem Freüb, dem Andern Leib.

3181. Den Festag zu einem Mästtage machen. — (Missbrauch der Feiertage.)

3182. Wer Weizen säet, dem wächst Weizen. — Aber wer bei Gott will Freüben ernten, der muss Zähren säen.

3183. Unter dem Planeten Venus gelebt, unter dem Wassermann gestorben. — (Zunächst von den Menschen, die durch die Sünbfluth untergingen, dann aber von Allen, welche sich den Ausschweifungen in der sinnlichen Liebe überlassen, ihrer wartet ein trauriges Enbe.)

3184. Wer da hat Geld, steht wohl in der Welt. — Petrus auf Befehl des Herrn ziehet einen Fisch aus dem Meer, greifet solchen in das Maul, nimmt ein Gelb her= aus, das war ein wakterer Fisch, wann er auch nur ein Stokfisch gewesen wär, so müßt er boch ebel sein, weilen er Gelb gehabt.

3185. Wenn man glaubt den Aal am festesten zu ha= ben, so entschlüpft er. — (So sind die Weltfreüben.)

3186. Wenn die Luftkugel (beim Feüerwerk) am schön= sten leüchtet, so zerspringt sie. — (Desgl.)

3187. Gemein, wie bei den Schwalben der Haberbrei.

3188. Der Apfel fällt nicht weit vom Stamme. — Balthasar wurde König von Babylon nach dem sein hochmüthiger Vater, der Nebuchadonosar in ein wildes Thier verwandelt wurde; aber Balthasar war ein Apfel, der nicht weit vom Baume gefallen; er war ein Wein der nach dem Grund geschmeckt; er war ein Echo, der ganz gleich Stimm; in allen der Sohn so gottlos als der Vater. — Jakob hat den Laban

3189. Hinter das Licht geführt, — ist ihm zwar recht geschehn; denn dieser auch den Jakob

3190. Bei der Nase herumgezogen — wegen der schönen Rahel.

3191. Im Thale wächst besseres Gras als auf Bergen.

3192. Je tiefer der Brunnen, je frischer das Wasser.

3193. Ähren die sich neigen sind fruchtbarer als die in die Höhe steigen.

3194. Eine Wagschale, die fällt ist schwerer als eine, die steigt. — Also geht die Demuth weit vor. Gott ist kein Volk lieber als die Niederländer.

3195. Man muß den Baum biegen, weil er jung ist. — Bei Zeiten müssen die Kinder an den Gottesdienst gewöhnt werden. Weil das Wachs noch lind ist, kann man alles darein drucken. Weil die Leinwand noch glatt und gespannt ist, kann man alles darauf mahlen. Weil das Bäumel noch jung und zarte ist, kann man solches biegen wie man will, also auch ein Kind.

3196. Willst du frei sein von Sorgen, so spare die Buße nicht auf morgen. — Denn die Buße, so in dem letzten End geschieht, ist keine wahre, sondern nur eine gezwungne Buß, ist bei Gott öfters nicht ein Heller, nicht ein Härl werth. Ich weiß die Ursach, warum Gott in dem alten Teſtament nicht hat wollen haben, daß man in dem Tempel zu Jeruſalem ſolle Fleiſch opfern, da doch Gott benen Fiſchern ſonderlich geneigt war, gleich wohlen verwerfe er das Opfer deren Fiſchern, Urſach deſſen, wei= len die Fiſch nicht konnten lebendig nach Jeruſalem ge= bracht werden, todte mag er nicht, ein todtes Opfer iſt ihm nicht anſtändig, alſo auch die Buße auf dem Tob= tenbette. ·

3197. Wenn der Leib ſchon kraftlos und das Herz ſaftlos und der Kopf ſchon ſinnlos und die Hände gewinn= los; da wird die Buße ſein heillos.

3198. Der Himmel iſt voller Geigen. — Es iſt ein gemeines Sprichwort, wann einige Weltmenſchen, die gro= ßen Himmelsfreüden wollen zu erkennen geben, ſo pflegen ſie zu ſagen: Der Himmel iſt voller Geigen. Ich will keineswegs ſolches wiederlegen; doch vermeine ich es weit anders, und glaube, daß der Himmel voller Blumen ſeie, in dem man ja öfteres Erfahrniß hat, daß gar viel der Blumen von dem Himmel gekommen.

3199. Der Glaube iſt geſchlagen todt,
    die Gerechtigkeit liegt in der Noth,
    die Frömmigkeit hat kein Platz und Ort,
    Patientia muß reiſen fort,
    die Hoffart die iſt auserkoren,
    die Demuth hat das Feld verloren,
    die Wahrheit, die iſt weggezogen,
    die Treü iſt über das Meer geflogen,
    der Neid wird aber bitt und groß,
    Barmherzigkeit ſtirbt nakt und bloß,
    die Tugend iſt vom Hof vertrieben;
    die Laſter ſind darin geblieben.

Darum fort vom Hofe! denn:

3200. In den Himmel kommt man eher aus dem Schafstall als aus dem Hofsaal.

3201. Wenn die Wahrheit nach Hofe kommt, muß sie einen geblümten Rokk tragen. — Pilatus fragte einstens den Heiland, was ist die Wahrheit? Pfui! soll ein solcher Herr um eine solche Sach fragen? und nicht wissen, was die Wahrheit seie? Nein! er hat es nicht gewußt. Warumen? Er war bei Hofe, da weiß man nicht viel um die Wahrheit. Die Wahrheit ist bei Hofe ein solches Wildbrätt, mit welchem Rebecca den alten Jsaak betrogen; denn es war nur ein Pöckelfleisch. Die Wahrheit ist bei Hof wie die Sonnenuhr bei dem König Ezechia, wo der Schatten niemals auf drei steht, sondern immerdar zurückgeht. Die Wahrheit bei Hofe ist wie der Vorhang des berühmten Malers Parchasius, welchen Zeus wollte hinanziehen, vermeinend es wäre unter selbigen ein künstliches Bild, ist aber nichts dahinter gewesen. Die Wahrheit ist bei Hofe wie das trojanische Pferd, das inwendig mit lauter Schelmen gefüttert. Die aufrichtige Wahrheit hat bei Hofe keinen Platz.

3202. Armuth ist eine große Noth. — Hiob hat diese Noth ausgestanden, denn es wurde ihm die Ehre abgeschnitten; er ist um seine Gesundheit gekommen, hat alle abscheulichsten Krahkheiten ausgestanden, sogar den Aussatz, hat seine lieben Freunde verloren; aber das Allererste war, daß ihm der Satan in die Armuth gebracht, all sein Vieh, Haus und Hof durch das Feuer verzehret, indem der böse Feind geglaubt, er wolle ihn durch die Armuth in Verzweiflung bringen, weil einem Menschen fast nichts beschwerlicher fällt, als die Armuth.

3203. Ohne gespikkten Beutel, ist alle Hoffnung eitel.

3204. Ohne Geld kommt Keiner durch die Welt.

3205. Wer nicht spendirt, wird nicht promovirt. — Daher jener Satirikus gar wohl geschrieben, es sei am besten beim Gott Jupiter, daß er nicht arm, sonst würde er mit aller seiner Wissenschaft in schlechten Ansehn sein, weswegen nicht ein kleines Elend um die Armuth, ein solcher steckt fürwahr in einer Gefahr.

3206. Freunde in der Noth gehen sieben und siebzig auf ein Loth. — (Auf Erden wohl, aber im Himmel nicht.)

3207. Kleine Mücken bleiben hängen, große Käfer wischen durch.

3208. Wer will von den Trübsalen sein befreit, der gehe zu dem heiligen Veit.

3209. Vor den Hunden sind nicht sicher die Katzen,
vor den Katzen sind nicht sicher die Ratzen,
vor den Geiern sind nicht sicher die Spatzen,
vor den Junggesellen in grünen Auen,
sind noch weniger die Jungfrauen.

3210. Wermuth macht Schwermuth.

3211. Von Magdeburg nach Kandelberg reisen. — (Allen sinnlichen Genüssen nachgehen.) Bitteres will Niemand mehr haben. Das schleckerhafte Züngel trachtet immer nach etwas Süßem.

3212. Das Kleid macht nicht heilig, sonst müßte man die Klosterkatzen kanonisiren. — So macht auch das Kleid keinen bös, sonst müße auch eine Perl in einer Muschel verworfen werden; das Kleid macht keinen heilig, sonst müßten alle Kirchendiener und Meßner Apostel sein, weil sie von alten Kutten Röcke antragen. Der Stand macht auch keinen zum Bösewicht, sonst wäre ein heiliger Ivo nicht in den Himmel gekommen, indem er ein Jurist gewesen. Was macht einen denn selig und heilig? Ich antworte, die Haltung des göttlichen Gesetzes, ein purreines gerechtes Gewissen, die Liebe zu Gott und den Nächsten, die kann ich haben in jedem Stande, ist daher kein Stand, in dem man nicht kann selig werden.

3213. Adel — Tadel. — Vornehme Herrn sind stechende harte Dornbüsche; ein Dornenbusch trägt keine Frucht. Manche vornehme Leute meinen, sie dürfen keine Frucht der guten Werke tragen; das gehöre allein den Pfaffen zu, ist also: Adel und Tadel gemeiniglich beisammen. Mancher, der einen offen Helm trägt, darf wohl öffentlich etwas anders sein, also ist ja hart, in solchem Stande selig zu werden. Mein lieber Edelmann und Herr Graf! nur geschwind ins Kloster und die Kutten angelegt. Bei Leibe nicht, es ist kein Stand*) in dem man nicht kann selig werden.

3214. Der Himmel ist nicht für die Gänse erbaut. — Mancher könnte sagen und fragen: weil alle Menschen, sie mögen einer Profession sein, wie sie wollen, gleich wohl in den Himmel kommen können, so ist der Himmel nicht für die Gänse gebaut. Ja freilich, besonders meine Jungfrauen nicht für die Löffelgans; besonders, ihr alten Weiber, nicht für die Schnattergänse; besonders, meine Stadttokken, nicht für die Schneegänse; besonders, meine Raufer und Saufer, nicht für die wilden Gänse. Alle, können nichts desto weniger in den Himmel kommen mit den Gänsen. Wenn die Gänse trinken, so strekken sie alsbald den Hals aus gegen den Himmel, schauen in die Höhe, als wollten sie Gott danken, für diese Nahrung und dieses Getränk, also sollte auch ein jeder in seinem Beruf Gott danken, mit seinem Stücklein Brot zufrieden sein,

---

*) Hier hat sich die Vernunft wieder durch befangene Klosteransichten durchgearbeitet.

400

keiner ben anbern beneiben, ja, nebſt ſeinem Hanbwerk jederzeit bes Himmels gebenken.

3215. Wer nimmt ein Weib, ber hat viel Kreûg am Leib. —

3216. Beſtánbigkeit ſchließt ben Himmel auf. — Die Beſtánbigkeit in bem Guten iſt eine Tochter bes Himmels, eine Krone ber Tugenb, iſt ein Grunb auf bem Alles Gutes gebaut, unb gleich wie ein Baum ohne Frucht, ein Faß ohne Wein, ein Brunn ohne Waſſer, ein Kopf ohne Gehirn, ein Himmel ohne Geſtirn, ein Monſtranzen ohne Heiligthum, eine Markt ohne Waare, eine Stabt ohne Bürger, ein Menſch ohne Leben, ein Leben ohne Leib, ein Leib ohne Herz, ein Herz ohne Geiſt; alſo iſt auch ein gutes Werk ohne Beſtánbigkeit, bie Beſtánbigkeit ſchließt allein ben Himmel auf.

3217. Weinſchenken ſollten an Gott benken. — Sie verfälſchen ben Wein, thun Einſchlag brein, mit verbrennten Zukker unb Saffran, ſtreichen ſie ihm eine Farbe an, ſchreiben nebſt bei mit boppelter Kreiben; wer ſoll benn ſolche Leúte nicht meiben.

3218. Gar theûer gibt ber Trúfel bas Feûer. — (Es iſt bie Ueberſchrift eines Abſchnitts, worin Abraham ſeinen Lieblingsgebanken behanbelt, baß es ſich bie Menſchen mehr Mühe koften laſſen, in bie Hölle zu kommen, als in Himmel. Er führt barin burch, was jeber Laſterhafter für ſein Laſter leiben muß.)

3219. Für einen ſolchen Hals gehört kein anber Kragen. — (Zunächſt vom oberſten ber Engel, ber ſeine Gränze überſchritt unb für ſeinen Hochmuth geſtürzt wurbe.)

3220. Wer nicht ſtáts aufwartet, bem geht bas Wilbpret aus bem Garn. — (Zunächſt von benen, bie eine

eine Liebschaft unterhalten, allgemeiner von Allen, die ei=
nem Geschäft die gehörige Aufmerksamkeit entziehen.)

3221. Es ist nichts so böse, es ist zu etwas gut. —
Bei den Alten war ein gemeines Sprichwort: Es ist
nichts so übles in der Welt, so nicht etwas
Gutes an sich halt. Betrachte einer erstens nur die
Nacht. Ist denn nicht der Himmel mit einer Todtenfarbe
angestrichen? Heißt es nicht da ein mal der ganzen Welt
ein Blindes vor die Augen gemacht? Sehet denn nicht in
der Nacht, ein jedes Geschöpf in der Klage? Und gleich=
wohl die Nacht bringet etwas Gutes, nämlich die Ruhe.
Ein gutes Nächtlein gäbe dir Gott! Schaue einer an den
Donner. Alle Geschöpfe auf Erden zittern, die Glok=
ken umsonst in den Thürmen ihrer metallenen Mäuler auf=
reißen, die Vögel sich in hohle Klüften der Felsen verber=
gen; und ungeachtet diesen Allen, so ist gleichwohl etwas
Gutes bei dem Donner, weil die Erdfrüchte niemals bes
ser und heftiger wachsen, als zur selbigen Zeit.

3222. Das Bad austrinken. — Die Welt ist ein wi=
derwärtiges Bad, wer muß öfter dieses Bad austrinken,
als der Mensch.

3223. Ohne Brot und Montur, steht es schlecht mit
des Soldaten Bravour; denn

3224. Ist der Soldat malade, so gibts eine schlecht
Parade. — Soll also vor Allen der Kommissar sorgfältig
sein wegen der Denari und die Soldaten richtig bezah=
len; denn

3225. Dem Geld widersteht kein Feind in der Welt.

3226. Der Säbel hat keine Scheibe, der Degen keine
Schneide, die Muskete hat keinen Schaft, das Pulver keine
Kraft; der Soldat bekommt kein Geld, so geht es öfters
zu in dem Feld.

26

3227. Er ist ein Bürger von Leiden.

3228. Wer thut, was Gott will, erreicht sein Ziel.

3229. Was gering ist schwebt oben, was schwer ist liegt unten. — Damit Christus der Welt zeige, daß man in Austheilung der Würden und Amtsstellen keineswegs solle die Verwandtschaft ansehen, sondern die Tauglich= und Fähigkeit, hat er seinem Blutsfreund Johannem, ob er solches schon verdient hätte, gleichwohl nicht auf den römischen Stuhl*) erhoben. Jedoch jetziger Zeit, leider Gotterbarmens, geht es zumal weit anders her. Die Ge= vatterschaft, Vetterschaft, Bekanntschaft, Verwandschaft er= hebt viele aus dem Schulstaub, und von der Eselbank zum hohen Bret. Was gering ist, schwebt oben, Gold liegt unter., Strohkopf in der Höh', goldene Leute in der Tiefe. Aber mein Christ, was willst du sagen und klagen; tanze wie dir Gott pfeift!

3230. Der Mensch muß tanzen, wie Gott pfeift. — Es kommt in das Messer keine Scharten, es verwelkt kein Baum in den Garten, es fliegt kein Vogel über den Kopf, es falle nicht ein Haar von dem Kopf, es rührt sich kein Blatt auf dem Baum, es vergeht auf dem Was= ser kein Schaum, es plagt und beißt keine Mücke ein Feld, es geschieht Nichts in der Welt ohne den Willen Gottes. Also will, was Gott will; also tanz, wie Gott will; tanz gern, denn du mußt doch gleichwohl tanzen, wie dir Gott aufpfeift.

3231. Sicher wie die Taube vorm Geier.

3232. Sicher wie die Maus bei der Katze.

3233. Der Birkenbaum macht Alles zaum.

---

*) Schon deshalb weil es damals noch keinen römi= schen Stuhl gab.

3254. Ruthen und Schläge bringen bei der Jugend viel Gutes zu wege.

3255. Ein Arzt gibt nicht nur süße Tränke, sondern auch bittere Pillen. — Also soll eine jede Obrigkeit nicht allezeit süß und sanftmüthig, sondern streng und ernsthaft sein, wenn es die Noth erfordert. Wenn du die Tauben einsperrest und die Raben läffest freifliegen; wenn du die kleinen Diebe hängest, und die großen anhängest; so wirst du bald den Kehraus sehen. Wenn bei dir nur Geld und Gut promovirt wird, die es verbienen hinten anstehen müssen; so wird in dir Alles über und übergehen. Wenn das Schwert der Justiz rostig ist, wenn die Waagschlüssel vergoldet sind; wenn die Ruthen der Gerechtigkeit sind wie eine Wünschelruthe, die sich nach Gold und Silber biegt; wenn in dir lauter Klementes und Benigni aber kein Ernst ist, so wirst du ein Raubnest deiner Feinde werden.

3256. Es hilft kein Dispensiren, es nützt kein Suppliciren, es hilft kein Testament, Allen macht der Tod ein End.

3257. Jung und Alt, Groß und Klein, es muß Alles gestorben sein. — Alle müssen sterben, der Gelehrte stirbt wie der Ungelehrte; der Doktor wie der Patient; der König wie der Vasall; der Reiche wie der Arme; der Tod klopft bei allem gleicher Weise an; nicht ungleich einem Feuer, welches Alles auf einmal verzehret, den hohen köstlichen Zeberbaum sowohl, als das verächtliche schlechte Moosrohr, die Zimmetrinden, als Dornstauden. — Ein Mann soll auf Nichts mehr Acht haben als auf seinen ehrlicher Namen; daher ist gar schön der alte Spruch:

3258. Die Kirche ziert den Altar, den Markt die Waar', den Alter ziere das Traib, den Degen die Scheid, das Pferd ziert der Zaum, das Kleid der goldene Saum,

26*

den Garten ziert die Blum, den Mann ein ehrlicher Ruhm. Wenn dieser einmal verloren, ist Alles verloren.

3239. Ein Mann ohne guten Nam, ist ein Spiegel ohne Rahm, ein Markt ohne Kram, ein Feuer ohne Flamm, ein Teich ohne Damm, ein Hirt ohne Lamm, ein Baum ohne Stamm. — Wenn ein Mensch nichts hat, kann sich aber seines ehrlichen Namens rühmen, so hat er Alles von der Welt.

3240. Mit der Zeit ändern sich die Leut.

3241. Eher findet man einen beherzten Schwaben, einen weißen Raben, trokknes Wasser, einen mäßigen Prasser, einen schwarzen Schimmel, einen vierekkigen Himmel, bei den Schnekken das Blut, als einen G e i z h a l s der. Gutes thut.

3242. Wer kleine Sünden nicht acht, fällt in größere. — Die kleinen Sünden, wenn sie nicht zeitig ausgerottet werden, verderben den Weingarten des Herrn wie die kleinen Füchse, versenken das Schifflein des Gewissens, wie die kleinen Tropfen, wenn sie überhand nehmen, in dem Schiffe und solches zu Grunde richten, tödten wie ein kleiner Scorpion die Seele. Es ist ein altes Sprichwort: Wer kleine Sünden ꝛc. Die kleinen Sünden verderben die Menschen. Man sagt sonst:

3243. Man darf den Teufel nicht rufen, er kommt ungebeten, — dennoch wollte ich wünschen, daß jetzt gleich diesen Augenblick der Teufel käme, und neben meiner stände. Wenn er nur hier wäre, wollte ich diesen höllischen Geist beschwören durch die Allmacht des lebendigen Gottes, daß er mir die Wahrheit bekenne, wer die Ursach sei gewesen, seines ewigen Untergangs und Verderbens; ob es sei gewesen, die kleine oder große Sünde. Unbe-

zweifelt müßte er mir die Wahrheit bekennen, die ganze
Schuld der Kleinen zuzuschreiben.

3244. Wer den Funken nicht acht, der hat eine Feuers=
brunst zu fürchten.

3245. Ein Loch im Dach verderbt das ganze Haus.

3246. Kleine Lekke versenken große Schiffe.

3247. Ein Körnlein Pulver sprengt die ganze Mine.

3248. Wer nicht achtet den Nagel, der verliert das
Pferd. — Ludovicus Granatensis brachte einen seltsa=
men Spruch auf die Bahn, der also lautet: wer nicht
will achten einen Nagel, der verliert auch das
Hufeisen, verliert er mit der Zeit sein Pferd, so ist der
Reiter arm. Woher kann einem dieses Übel begegnen?
Von einem einzigen Nagel. Also wer nicht achtet die
kleinen Unvollkommenheiten, dieser wird endlich kommen
in Schwachheiten, in Gebrechlichkeiten. Wer nicht achtet
das überflüssige Plaudern, der wird bald kommen auf das
Lügen und Schwören. Wer nicht achtet das Trinkerlein,
der wird bald lernen trinken. Wer nicht auf das Trin=
ken achtet, der wird bald lernen saufen. Wer nicht achtet
das Mausen, der wird kommen auf das Nehmen. Wer
nicht achtet das Nehmen, der wird bald kommen zu dem
Stehlen. Wer nicht achtet das Stehlen, der wird bald
kommen auf den Galgen. Also wächst das größte Übel
aus einer kleinen Wurzel.

3249. Wer kleine Mängel nicht acht, wird bald zu
großem Fall gebracht.

3250. Ein kleiner Funken macht oft ein großes Feuer.
— Es kann oft ein kleines Fünklein eine große Brunst
erwecken, ein kleines Stäublein das Gesicht verderben,
eine kleine Wunde um das Leben bringen, ein kleines

Waſſer einen großen Schaden anrichten, und kleine Sünden Leib und Seele verderben.

3251. Er koſtet, wie der Hund den Nil. — (Nimmt
ſehr wenig davon.) — Zu Noahs Zeiten hat man wol die
Höflichkeit nicht brauchen und ſagen dürfen:

3252. Gott ſegne ihnen das Bad — weil der gröſſte
Theil vom Waſſer zum hölliſchen Feuer gereiſt.

3253. Wer den Habich hat, dem ſtehen Thür und
Thor offen. — Das bewährt ſich ſchon bei Noah's Taube.
Als ſie das erſtemal zurückkam, ſetzte ſie ſich auf die Arche,
das anderemal flog ſie freudig hinein. Warum? Das
erſtemal hat die Taube, die arme Haut, nichts gehabt,
mithin ihr nicht in die Archen getrauet; denn es heißt:
Bleib draußen, wenn du nichts bringſt mit ins Haus.
Das andremal aber, da ſie einen grünen Zweig in dem
Schnabel gebracht, ſo fliegt ſie mit Freuden hinein, wohl
wiſſend, daſſ denſelbigen Thür und Thor offen ſtehen.
Der da Habich hat, der hat etwas mitgebracht.

3254. Geld verführt die Welt. — Gnade ſchöpft man
jetzt nur mit der goldenen Umper.

Berichtigungen.

Vor dem Gebrauch der Schrift wolle man geneigtest folgende, so wie andere hier etwa nicht genannte Unrichtigkeiten in der Orthographie nicht dem Verfasser zur Last legen, da derselbe wegen Entfernung des Drukortes die Korrektur nicht selbst besorgen konnte.

Beinah durchgängig ist der Gebrauch des ß und ſſ verwechselt, und ist nach einem langen Stimmlaut ein ſſ, wo ein ß, so wie nach einem kurzen ein ß, wo ein ſſ stehen soll, gesetzt. Mit ß sollen demnach geschrieben sein: mäßig, weiß, Klößel, Gefäß, äußerlich, groß, schießen, beißen, süß, müßig, verdrießen, entblößt, schließen, Fuß, ersprießlich, Fleiß, heißt ꝛc. ꝛc.; mit ſſ: Roſſ, läſſt, muſſ, müſſt, daſſ, Kenntniſſ, so wie andere Wörter auf niſſ, mit einem Worte: alle die Wörter, die nach kurzem Vokal in der gewöhnlichen Schreibung ein ß oder ſſ erhalten.

Ferner schreibt der Verfasser: Schafe, beschert, pfeifen, betriegen, was ich bloß deßhalb bemerke, damit man nicht meine Orthographie für so unfolgerichtig halte, wie sie sich im „Parömiakon" und zum Theil im „Sprichwörtergarten" findet. — Oft steht ſſt, statt: ſſt, z. B. laſſt.

S.   1 Z.   2 v. u. lies: überdrüßig.
—   2 —   5 —   —   gutes, und Z. 4: Rüben.
—   3 —   1 v. o. —   Sybill, statt: Stall.
—   — —   9 —   —   dem Bären
—   — — 16 —   —   Gutes, u. Z. 18: Hakken.
—   4 — 13 —   —   Kuh statt Zug.
—   6 —   5 v. u. —   Ämmern.
—   7 —   2 —   —   Jakob's.
—   8 —   1 v. o. —   Mundsemmeln, Zeile 3: ergänze nach =brot gewesen; Z. 6: verlange die.

S. 9 Z. 1 v. o. lies: Andern, Z. 4 l.: die st. neben.
             Z. 13 v. u. l. denn st. dann.
— 10 — 9 —   — keiner.
— 11 — 6 v. u. — Aristoteles.
— 12 — 8 v. o. streiche: daß; Z. 17 lies: weil ein
             Ungestalteter.
— 14 — 12 — lies: den statt die Säbel; Z. 1. v.
             u. streiche: sondern.
— 15 — 16 —   — will sagen.
— 16 — 4 — setze nach selben ein Kolon; Z. 10 v.
             o. l.: er statt sie u. Z. 11 wird
             statt werden.
— 17 — 4 — lies: Korallen=Leitzen u. Z. 7 schmäh=
             lich; Z. 10 l. verderblicher.
— 18 — 15 v. u. — Karakterfesten u. Z. 4 l. Klin=
             gen statt Klinge.
— 18 — 8 v. o. streiche: und; Z. 14 v. u. l.: sagt
             er folgende Sprichwörter.
— 20 — 10 — streiche den Punkt nach Knecht u. Z.
             6 l.: prager.
— 21 — 10 — lies: niederer u. Nr. 200.
— 22 — 14 v. u. — zugedeckt ist, wie zc.; Nr. 228
             l.: brauchen.
— 23 — 17 — — verdrießt; Z. 10 verdrießlich; Z.
             9 Kinderärzte; Z. 6 wenn.
— 28 — 10 v. o. lies: Kärrner st. Karonerstraße; Nr.
             264 l.: Donnerstage.
— 30 — 3 — — Oberflächlichkeits=Menschen; Z.
             13 v. u. l.: wußten st. wissen;
             Z. 3 v. u. l.: canes st. cans.
— 31 — 1 v. u. lies: beugen statt perügen.
— 32 — 7 — — Gerechte und Nr. 310 l.: Kein
             st. Ein u. 315 l.: alpeier.
— 36 — 6 — — pochen statt popen.
— 37 — 12 v. o. — Gelbe statt Felde.
— 38 — 11 v. u. — und erfährt man allemal, daß zc.
— 42 — 10 — — subtiler.
— 44 — 9 v. o. — kleine; Z. 8 v. u. l.: daraus;
             Z. 4 Vom Kleinen zc.
— 45 — 13 — — größerer; Z. 12 v. u. l. NähKissen.

S. 46 Z. 2 v. u. lies: befleißigt.
— 51 — 4 — — frühern, drükkendern, gewohn-
tern; Z. 9 v. u. l. nicht.
— 53 — 10 v. u. — Rabe; Z. 3 streiche das :
— 56 — 10 — — Kupido.
— 57 — 16 — — sehen statt stehen; Nr. 533 ist
nur als Einleitung zu Nr. 534
anzusehen und soll daher ohne
Nummer stehen.
— 58 — 10 v. o. — andere statt halbe.
— 59 — 3 — — parola und Z. 6 des Missals;
Z. 3 v. u. l.: dem Tempel.
— 69 — 12 v. u. — Dignitäten.
— 70 — 12 — — daß Samson.
— 71 — 12 v. o. — abgeschnitten, nicht.
— 73 — 11 v. u. — und statt aber.
— 76 — 11 — — noachische; und Z. 1 l.: rinnen
statt einen.
— 77 — 1 — — strahlende.
— 79 — 16 v. o. — Wortspiel.
— 80 — 8 — — liebliche; Z. 12 v. u. l.: dies
ist gar kein Tanz rc.
— 81 — 9 v. u. — halbjährige.
— 82 — 8 v. o. — komplementirst.
— 84 — 1 — soll nach Fürst in Klammern: (First)
stehen, u. Z. 4 l.: nicht ohne.
— 88 — 14 — lies: ungezogen statt unerzogen.
— 90 — 4 — streiche: (Es sind.)
— 93 — 12 — lies: hakkt statt sakkt.
— 97 — 15 v. u, — in Apokalypsi.
— 98 — 1 v. o. — Profekt.
— 100 Z. 12 v. o. lies: sie in eine rc.
— 101 — 15 — — Einem nicht aufhelfen, weil er
reich ist, dem rc.
— 103 — 8 v. u. — hängt statt fängt.
— 107 — 10 — — beten. Großen rc.
— 108 — 7 v. o. — gelangt. Die Wunden rc.
— 115 — 16 v. u. — als statt aus.
— 116 — 9 — — dennoch statt demnach.
— 123 — 6 — — Gust statt Gunst.

S. 124 Z. 1 v. o. lies: Es statt Er.
— 125 — 13 — — es sei ꝛc.; Z. 12 l.: sage statt
sag es; Z. 1 v. u. l.: schekkig
statt schekkich.
— 126 — 12 — — Jakob statt Jokob.
— 127 — 1 v. u. — innerer statt immer.
— 128 — 10 v. o. — im statt in.
— 129 — 17 — — Hasen statt Hahn.
— 131 — 10 v. u. — nach vielem Murren u. Schnarchen
— 132 — 9 — — zaundürren Kühe.
— 134 — 5 u. 4 — — um Christi willen.
— 135 — 8 v. o. — erhält man; Zeile 6 v. u. lies:
die statt diese.
— 136 — 7 - 9 sollen in Klammern stehen, wie
es denn überhaupt im Plane des
Verf. lag, daß seine Bem. vom
abrahm. Texte im Druck unter=
schieden werden sollten. Dies gelte
für alle Fälle, wo Parenthesen
fehlen. Z. 2 v. u. lies besser
statt besseres.
Nr. 111—1134 sind nur aus Versehn zwischen Thl. II. u.
III. von Judas der Erzschelm
abgedruckt.
S. 138 Z. 4 ist das ist zu streichen; Z. 13 lies: Von den
Weibern ist bekannt.
— 140 Z. 6 u. 8 v. o. lies: Genußsüchtig.
— 143 — 2 v. u. — bukklig statt bugglich.
— 144 — 14 — — ferend statt herend.
— 145 — 4 v. o. — Destillirkolben statt Distilirkol=
ben; Z. 14 l. heißt st. hieß;
Z. 8. v. u. l.: vergleicht sich
nicht gar mit ꝛc.
— 147 — 8 v. u. — Thomam statt Thanam.
— 158 — 2 v. o. — Pachomius statt Toachimus.
— 149 — 3 v. u. — Gerichte statt Gewichte.
— 161 — 13 v. o. — sinnlichen statt himmlischen.
Nr. 1215 ist bloß als zu 1214 gehörend zu betrachten.
— 152 Z. 7 v. u. lies: manchem statt manchen.
— 153 — 4 — — Linsenkoch statt Linsenkochen.

S. 157 Z. 10 v. o. lies: Hauspfleger statt Hausfleger.
— 159 — 7 v. u. — Armer Leute statt arme Leuter.
— 161 — 1 — — Leben statt lieben.
— 163 — 1 v. o. — liest statt liefst.
— 164 — 14 v. o. — rußigste statt rufsigste.
— 166 — 2 — — lügen statt liegen
— 171 — 3 soll „Die" ein Absatz beginnen, derselbe
Fehler findet sich noch an vielen
andern Stellen.
— 172 — 12 v. o. lies: ist auch statt und.
— 194 — 12 — — haben statt sauber.
— 196 — 20 — — pochen statt hochen.
— 177 — 10 — — uns statt aus; Z. 8. v. lies:
hoch statt doch und Z. 6 lies
Schmied statt Schmidt.
— 178 — 1 v. u. — gefüllt statt gefüllt.
— 184 — 8 — — In dürren und durch Fasten
abgemergelten 2c.
— 200 — 10 — — verschießt statt verschliefst.
— 203 — 5 — — Einfälte gilt 2c.
— 205 — 14 — — Es statt Ss.
— 260 — 7 — — seiner statt einer.
— 209 — 13 v. o. — Jenkens statt schenken.
— 210 — 6 — — ekelt statt ekkelt.
— 212 — 17 — — ein Garten.
— 215 — 6 11 u. 13 v. o. lies: lauten statt leüten; und
Z. 6 v. u. lies kein statt ein.
— 216 — 4 v. o. lies: Sintflut statt Sünfluth.
— 217 — 6 v. u. streiche: Reim dich hat den Titel.
— 220 — 9 — lies: leeren Topf statt leeren Kopf.
— 222 — 8 — — verkehrter statt verehrter.
— 226 — 2 — streich auf.
— 231 — 15 v. o. lies: Stichwörter statt Sprichwörter.
— 233 — 11 — — Kopf statt Kop.
— 256 — 7 v. u. — Heiligen statt heiligen.
— 240 — 3 v. o. streich sündhaft.
— 255 — 8 v. u. lies: betrübt geliebt.
Nr. 2055 soll nur als Erläuterung zu 2067 im Klam=
mern stehen.
S. 258 Z. 5 v. u. lies: staubt statt glaubt.

S. 262 3. 12 v. u. lies: Seeligkeit statt Sinnlichkeit.
— 264 — 7 v. o. → ob's ihm schon nicht von 2c.
— 265 — 4 — — Man statt Mann.
— 269 — 10 v. u. erhält statt erhällt.
— 275 — 2. v. u. lies: Sprichwort statt Schrichwort.
— 270 — 1 — ; — geschieht; und Zeile 2 v. oben
lies: Trauwohl statt Trauwolf;
3. 5 v. o. lies: V statt VI.

14 DAY USE
RETURN TO DESK FROM WHICH BORROWED

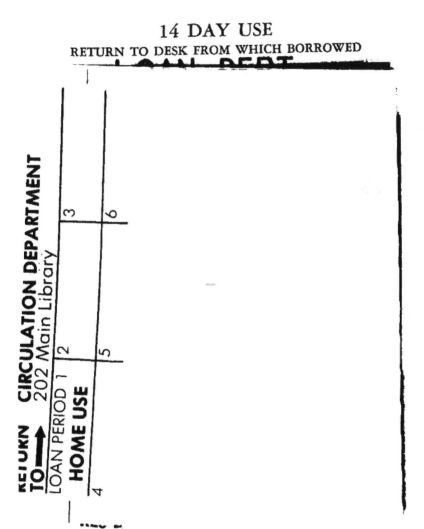

RETURN TO — CIRCULATION DEPARTMENT
202 Main Library

LOAN PERIOD 1
HOME USE

1	2	3
4	5	6